Le Mé de Beaubassin

roman historique

Melvin Gallant

Les Éditions
de la Francophonie

Du même auteur

Le thème de la mort chez Roger Martin du Gard, essai,
Paris, Klincksinck, 1971.

Ti-Jean, contes, collection contes acadiens,
Moncton, Éditions d'Acadie, 1973.

La Cuisine traditionnelle en Acadie, essai, en collaboration avec Marielle Cormier-Boudreau,
Moncton, Édition d'Acadie, 1975.
Réédité par Édition d'Acadie en 1979, 1983. 1987, 1992.
Réédité 2002 par Les Éditions de la Francophonie.

Le Pays d'Acadie. essai,
Moncton, Éditions d'Acadie, 1980.

Portrait d'écrivains, essai (dictionnaire des écrivains acadiens),
Moncton, Éditions d'Acadie et Éditions Perse-Neige, 1982.

Caprice à la Campagne, album pour enfants,
Moncton, Éditions d'Acadie, 1982.

L'Été insulaire, poésie,
Moncton, Éditions d'Acadie, 1982.

Le Chant des grenouilles, roman,
Moncton, Éditions d'Acadie, 1982.

Caprice en hiver, album pour enfants,
Moncton, Éditions d'Acadie, 1984.

Dièreville : voyage à l'Acadie, (édition critique),
Moncton, Éditions d'Acadie et Société historique acadienne, 1985.

The Country of Acadia, essai,
Toronto, Simon & Pierre, 1986.
Traduction par Elliot Shek du *Pays d'Acadie.*

Les Maritimes, trois provinces à découvrir,
Moncton, Éditions d'Acadie, 1987,
Manuel scolaire sous la direction de Melvin Gallant.

Ti-Jean-le-Fort, contes,
Moncton, Éditions d'Acadie, 1991.

A taste of Acadie, essai,
Fredericton, Goose Lane Editions, 1991.
Traduction par Ernest Bauer de *La cuisine traditionnelle en Acadie.*

Tite-Jeanne et le Prince Triste, roman jeunesse ,
Moncton, Bouton d'Or Acadie, 1999.

Tite-Jeanne et la Pomme d'Or, roman jeunesse,
Moncton, Bouton d'Or Acadie, 2000.

Le Complexe d'Évangéline, roman,
Moncton, Éditions de la Francophonie, 2001.

Patrick l'Internaute, roman jeunesse,
Montréal, Éditions LaChenelière-McGraw-Hill, 2002.

Tite-Jeanne et le prince triste, roman jeunesse,
Moncton, Bouton d'Or Acadie, 2004.

Ti-Jean-le-Brave, contes,
Moncton, Bouton d'Or Acadie, 2005.

Ti-Jean-le-Rusé, contes,
Moncton, Bouton d'Or Acadie, 2006.

Ti-Jean-l'Intrépide, contes ,
Moncton, Bouton d'Or Acadie, 2007.

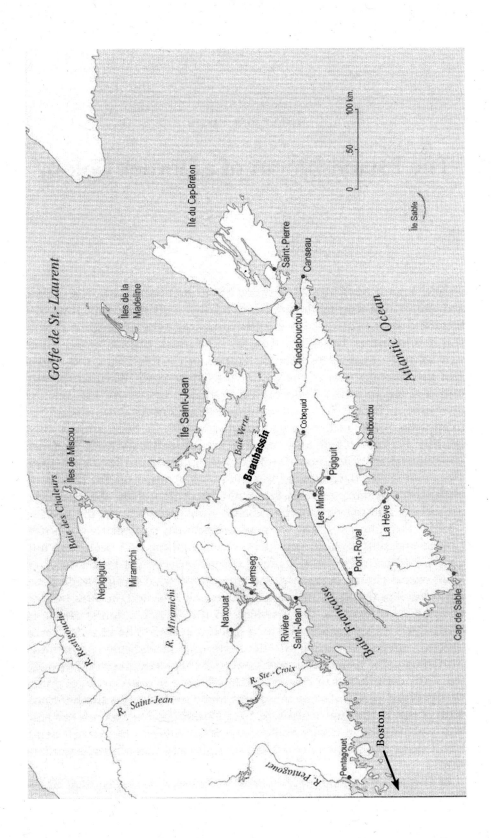

Couverture :   **Info 1000 mots inc.**

Photo
de l'auteur :   **Francine Dion**

Mise en pages :   **Info 1000 mots inc.**
                     info1000@sympatico.ca • 1-418-833-3063

Reviseure :   **Linda Breau et Millie Pouliot**

Production :   **Les Éditions de la Francophonie**
                     55, rue des Cascades
                     Lévis (Qc) G6V 6T9
                     Tél. : 1-866-230-9840 • 1-418-833-9840
                     Courriel : ediphonie@bellnet.ca

Distribution :   **Les Messageries de presse Benjamin inc.**

ISBN 978-2-89627-192-4

Dépôt légal – 3ᵉ trimestre 2009
Bibliothèque nationale du Canada
Bibliothèque nationale du Québec
Imprimé au Canada

Table des matières

À la mémoire

de ma lignée ancestrale

Melvin,
à Honoré, à Joseph, à Marcellin,
à Clément, à Alexandre, à Louis,
à Pierre, à Michel Haché
dit Gallant

*M*ichel Larché grimpa sur la dunette à l'arrière du bateau pour scruter l'horizon, alors que la goélette du sieur Michel LeNeuf de LaVallière glissait doucement vers la rivière Mésagouèche, au fond du bassin de Chignectou.

— Nous arrivons à Beaubassin! cria LaVallière. Dans moins d'une demi-heure, nous pourrons jeter l'ancre et mettre les chaloupes à l'eau.

Michel avait beau regarder, il ne voyait rien d'autre qu'une habitation flanquée au haut d'une butte, et plus loin, de l'autre côté de la rivière, trois ou quatre petites maisons que l'on distinguait à peine.

— Où est le village? demanda-t-il.

— Il n'y a pas encore de village, répondit LaVallière. Il faut imaginer ce lieu dans dix ans alors que ces collines seront couvertes d'exploitations agricoles prospères en raison de la fertilité des terres et des nombreuses rivières poissonneuses qui aboutissent dans ce bassin. Nous sommes des pionniers, Michel. Des pionniers. N'oublie jamais ça.

Tout le long du trajet depuis Trois-Rivières, en Nouvelle-France, Michel avait ressenti une grande fierté de retourner habiter en Acadie, la terre où il était né et où il avait vécu sa petite enfance. Il revenait au pays pour suivre son héros et protecteur, Michel LeNeuf de LaVallière, à qui Frontenac, le gouverneur général de la Nouvelle-France, avait accordé une vaste concession de terre qu'il avait baptisée : la Seigneurie de Beaubassin.

Mais maintenant, il n'était plus aussi certain d'être fier de revenir au pays natal. Il venait de passer neuf ans à Trois-Rivières, une bourgade de quelques centaines d'habitants où l'on assistait à un constant va-et-vient. Ici, il n'existait pratiquement rien. Le terrain était vierge. On ne voyait que des marais à perte de vue. Ce paysage naturel, essentiellement sauvage, laissait une impression de désolation extrême due à l'immensité des lieux. Michel se demandait pourquoi LaVallière avait choisi cet emplacement pour y installer sa seigneurie. N'y avait-il pas d'endroits davantage habités en Acadie ?

— Allez ! ordonna LaVallière aux deux matelots. Mettez les deux chaloupes à l'eau et chargez-les. Il faut faire vite. Dans moins de deux heures, la mer va commencer à descendre et nous ne pourrons plus nous approcher suffisamment des berges pour décharger la cargaison.

Voulant vite établir sa seigneurie, LaVallière avait passé plusieurs mois en Acadie l'année précédente pour y construire, avec quelques ouvriers, ce qu'il appelait son manoir. Cette maison de deux étages était plantée sur une butte isolée. De la maison, on avait une vue d'ensemble sur le bassin, les rivières, les marais, de même que sur les collines boisées qui surplombaient le marais. Il s'agissait d'une construction plutôt massive, faite de poutres superposées et surmontée d'un toit en bardeaux de bois grossièrement taillés. Cette structure paraissait d'autant plus imposante qu'elle trônait seule au haut de la colline, au milieu d'un vaste marais inhabité. La beauté naturelle du paysage faisait cependant quelque peu oublier l'aspect désertique des lieux.

Son enfance, il l'avait passée à Saint-Pierre, au Cap-Breton, où son père travaillait dans les entreprises de Nicolas Denys. Ce dernier était arrivé en Acadie dans les années 1630 et était vite devenu un des entrepreneurs les plus prospères de la région grâce aux trois ou quatre postes de traite et de pêche qu'il exploitait le long des côtes d'Acadie. Le jeune Michel avait vécu à Saint-Pierre jusqu'à l'âge de huit ans. À la mort de son père, en 1668, Nicolas Denys l'avait emmené à Trois-Rivières pour le confier à sa fille et à son beau-fils, Michel LeNeuf de LaVallière, une famille de nobles qui s'étaient installés très tôt en Nouvelle-France. Cette famille l'avait élevé comme s'il avait été un des leurs.

À dix-sept ans, bientôt dix-huit, Michel avait envie d'aventures, surtout s'il pouvait les vivre en compagnie de son idole. Il avait toujours admiré les exploits militaires et commerciaux de LaVallière. Celui-ci avait sillonné les mers, transporté toutes sortes de marchandises, parcouru des territoires encore inexplorés au nord du Canada et arraisonné une bonne demi-douzaine de bateaux anglais qu'il avait dépouillés de leur cargaison. Michel se rappelait du temps où LaVallière venait accoster à l'établissement de Nicolas Denys, à Saint-Pierre, pour embarquer une cargaison de morues salées qu'il apportait à Québec ou qu'il allait vendre aux Antilles pour en rapporter du rhum, du sucre et de la mélasse. Il se souvenait même du mariage de LaVallière avec Marie, la fille de Nicolas Denys, qui avait eu lieu alors qu'il avait quatre ou cinq ans. Pour Michel, LaVallière était un vrai héros. Participer au développement de sa seigneurie lui apparaissait donc une belle et glorieuse aventure. Mais allait-il pouvoir s'adapter à cette solitude?

Michel était assis sur un banc adossé au manoir, du côté du bassin qui lui rappelait vaguement la mer de Saint-Pierre, lorsque le sieur de LaVallière vint le rejoindre. Le soleil déclinait à l'ouest et laissait des traces de sang sur l'eau. Le temps était doux et une légère brise transportait un parfum indéfinissable.

— C'est beau, n'est-ce pas? dit LaVallière en regardant lui aussi les reflets rougeâtres qui enflammaient le bassin.

— Très beau. On dirait du feu qui sautille au-dessus des vagues.

— C'est dans ces mêmes conditions que j'ai vu ce bassin pour la première fois, il y a cinq ou six ans. Je l'ai tout de suite appelé Beaubassin. Je savais déjà que, si le gouverneur Frontenac voulait m'accorder cette concession de terre, je l'appellerais la seigneurie de Beaubassin.

— C'est un nom qui s'harmonise bien avec le lieu, en effet.

— Mais tu sais, mon grand, nous avons du pain sur la planche si nous voulons faire de cette aventure un véritable succès, car je voudrais que la seigneurie de Beaubassin devienne la plus belle et la plus prospère de toutes les seigneuries de la Nouvelle-France. Es-tu prêt à relever le défi?

— L'isolement me fait un peu peur, mais, comme j'aime les défis, je suis entièrement derrière vous. Dites-moi ce que je dois faire, et je suivrai vos consignes à la lettre. J'aimerais pouvoir considérer cette entreprise comme une mission visant à développer ces terres et à bien implanter la vie française dans ces terres d'Amérique.

— Je suis heureux de voir que tu crois en cette aventure. Je pense qu'ensemble nous pourrons faire des merveilles. Il y a longtemps que je te connais et je suis convaincu que tu es capable de bien m'épauler dans cette tâche. Tes professeurs du Petit Séminaire m'ont confié que tu possédais un esprit de débrouillardise hors du commun et que tu avais une belle main d'écriture. Comme je te l'ai laissé entendre en partant de Trois-Rivières, je te réserve une tâche spéciale: j'aimerais faire de toi mon secrétaire personnel. Ainsi, tu seras au courant de tout et pourras administrer la seigneurie lorsque je serai absent. Cela pourrait d'ailleurs se produire assez souvent, puisque je n'ai pas l'intention d'arrêter mes explorations des mers, ni mon commerce avec la Nouvelle-Angleterre, avec Québec et avec les Indiens.

— Mais vous n'y pensez pas! D'accord, on dit que j'ai une belle main d'écriture et que je suis débrouillard, mais je n'ai aucune expérience en administration, et votre concession est tellement étendue… N'avez-vous pas dit un demi-million d'arpents? C'est immense! Comment peut-on connaître ce qui se passe dans chaque région?

— L'étendue de ma seigneurie ne doit pas t'effrayer, mon cher Michel. Pour l'instant, elle n'est à peu près pas peuplée. Quelques petits campements de sauvages, ici et là. Eux, nous allons les laisser tranquilles, car ils nous seront certainement d'un grand secours. Ils peuvent nous fournir des fourrures à longueur d'année, ce qui va procurer à la seigneurie une source de revenus importante. À part eux, on ne rencontre que quelques exploitations isolées, dont ce petit groupe d'irréductibles de l'autre côté de la rivière, le clan Bourgeois.

— Pourquoi « irréductibles »? Ils font partie de la concession, non?

— Bien sûr qu'ils en font partie. Mais ils soutiennent ne pas avoir à se soumettre aux obligations liées à une seigneurie, car ils étaient installés ici avant moi. J'ai discuté avec quelques-uns d'entre eux la première fois où je suis venu ici, et encore l'an dernier, au moment de la construction du manoir. Ils prétendent que ces terres leur ont été concédées par un ancien gouverneur, Alexandre Le Borgne, mais ils n'ont pu me montrer aucun contrat. Ils disent que jamais ils ne paieront la redevance seigneuriale.

— Il faudra leur faire comprendre qu'ils ont tout intérêt à faire partie de votre seigneurie afin de participer au développement de la Nouvelle-France.

— Exactement. Par chance, ils sont très peu nombreux: une douzaine, peut-être, en incluant les enfants. D'ailleurs, certains d'entre eux habitent toujours Port-Royal. Ils ne font qu'exploiter des terres agricoles à Beaubassin. Ce sera donc encore plus facile de leur faire entendre raison. Tôt ou tard, ils devront se conformer aux exigences qu'impose l'appartenance à une seigneurie, puisqu'ils en font physiquement partie. Sinon, ils devront retourner à Port-Royal, qui est à l'extérieur de ma seigneurie.

— Ça paraît logique, en effet. C'est en somme la même chose qu'à Trois-Rivières, où les censitaires paient une redevance à votre père, le seigneur des lieux.

— Parfaitement. Tu as bien compris l'enjeu. Dès que nous le pourrons, nous irons voir ces gens-là, toi et moi, pour leur expliquer de nouveau quels sont leurs droits, mais aussi leurs devoirs.

LaVallière demeura un instant songeur, comme si un doute persistait dans son esprit.

— Ce n'est pas très agréable, finit-il par dire, de commencer une exploitation de cette envergure dans la contestation. Mais je vais emmener des familles de Québec, de Trois-Rivières et de Montréal, même, et nous les installerons un peu partout pour qu'ils peuplent ce vaste territoire. D'ailleurs, je dois me rendre à Québec sous peu. Je vais tâcher d'y recruter d'autres colons.

Pendant les semaines qui suivirent, le seigneur de Beaubassin, comme il aimait se faire appeler, ne passa pas beaucoup de temps au manoir. Il se rendait chaque jour au début du marais, en bordure de la rivière, avec quelques-uns des ouvriers qu'il avait emmenés de Québec, pour endiguer une petite partie de la rivière Mésagouèche. Pendant ce temps, deux autres ouvriers étaient affectés à la construction d'une grange et d'autres dépendances.

Au lieu de participer à l'édification des aboiteaux avec les ouvriers affectés à cette construction, Michel était chargé des tâches domestiques. C'est lui qui nourrissait les animaux que LaVallière avait ramenés de Québec lors d'un précédent voyage, au début du printemps : deux vaches, quatre cochons, quatre brebis et deux chiens. Ces derniers devaient servir à la fois pour la chasse et pour garder les lieux et éloigner les bêtes sauvages. Pour l'instant, les vaches et les brebis pouvaient brouter librement dans une section à l'intérieur de la grande palissade que LaVallière avait érigée autour du manoir. Pour les cochons, cependant, c'était plus compliqué. Il avait fallu leur fabriquer un enclos dans lequel on les enfermait pour qu'ils ne détruisent pas tout autour des habitations.

Michel avait hâte que Marie Denys, la femme de LaVallière, vienne s'installer au manoir. C'est elle qui dirigerait alors les travaux ménagers et s'occuperait du jardin potager. Il aurait donc du temps pour se rendre aux champs avec les autres. Comme Marie avait dix-sept ans de plus que lui et qu'ils avaient été élevés tous deux dans la maison de Nicolas Denys à Saint-Pierre, il la considérait un peu comme sa mère, la mère qu'il n'avait jamais eue. Pour l'instant, madame Marguerite s'occupait seule de la cuisine. Cette tâche ne devait pas trop l'enchanter, car, aux yeux de Michel, elle paraissait toujours de mauvaise humeur.

Il lui arrivait souvent de penser à la grande maison de Nicolas Denys, où il avait vécu avec son père. Cette habitation trapue était située à l'embouchure d'une rivière toute proche de la mer. Il se souvenait des bateaux chargés de morue qui venaient déverser leur cargaison dans le bâtiment qu'ils appelaient la salière. Lorsqu'il se remémorait cette époque, une forte odeur de sel lui remontait aux narines. Il apercevait alors des milliers de morues éventrées qui gisaient au soleil, étendues sur des vigneaux près de la plage. Il se rappelait aussi ses jeux d'enfant au bord de la mer accompagné d'un petit garçon dont il avait oublié le nom. Sa vie, à l'époque, était faite d'insouciance et de liberté. Il revoyait aussi les soirées éclairées à la chandelle pendant lesquelles son père tentait de lui apprendre à compter, à lire et à écrire. Ce dernier lui racontait qu'il était venu directement de France pour travailler comme contremaître dans les entreprises de Nicolas Denys. Lorsque Michel l'interrogeait sur le sort de sa mère, il répondait simplement qu'elle était décédée ; où, quand, comment, il ne voulait visiblement pas en parler. « Un jour, je te raconterai tout », avait-il dit. Ce jour n'était jamais venu. Son père était mort sans lui avoir révélé ce qui lui apparaissait aujourd'hui comme un formidable secret.

Vers la fin de juin, LaVallière leva l'ancre pour se rendre à Québec et Trois-Rivières. Il voulait aller passer quelques jours auprès de sa femme, qui était restée là-bas, car leur sixième enfant venait de naître. Si tout se déroulait comme prévu, il espérait pouvoir la remmener à Beaubassin. Il emportait dans sa goélette une petite cargaison de fourrures qu'il avait achetées aux Indiens, même si ce commerce était en fait interdit. De plus, il voulait s'arrêter à Port-Royal au passage pour y prendre du bois de construction. Il comptait l'échanger contre des provisions pour l'hiver, notamment plusieurs boisseaux de grain pour les animaux ainsi que de la farine pour le pain, de la viande salée et du hareng, des pois secs et du maïs. Ces denrées allaient constituer une partie de l'alimentation de base pour l'hiver. Si tout poussait bien dans le jardin potager, Michel avait espoir d'y ajouter des navets et des choux, de même que des pois et du maïs.

En effet, le jardin potager, dont il avait la charge en attendant l'arrivée de Marie Denys, semblait prometteur. Les plants paraissaient tous en bonne santé. Le champ de pois avait belle allure, et les choux, les navets et le maïs, qui couvraient l'autre moitié du jardin, paraissaient tout aussi vigoureux. Michel était content de voir réussir ses premières plantations de sa vie. Il était même impressionné de constater que tout poussait si bien. *C'est une terre bénie*, se disait-il. *Pour l'orge et le blé, dommage qu'il faille attendre encore deux ans avant que le marais devienne exploitable.*

Déjà, le four à pain était prêt à être utilisé. François Léger, qui connaissait la technique de fabrication de fours en glaise, y avait travaillé pendant presque deux semaines. Madame Marguerite avait hâte de l'essayer. Ainsi, elle n'aurait plus à faire cuire son pain dans le grand chaudron de fonte, directement sur le feu de la cheminée. Elle le brûlait immanquablement, ce qui la rendait d'encore plus mauvaise humeur.

Avant son départ, LaVallière avait recommandé à Michel d'aller faire une visite de courtoisie aux habitants de la colonie Bourgeois, de l'autre côté de la rivière, question d'essayer de les amadouer.

— Il faut leur laisser voir que nous sommes des gens civilisés, avait-il dit. Tu es encore jeune, mais les fils et les beaux-fils de Jacob Bourgeois ne sont pas tellement plus âgés. D'ailleurs, Jacob lui-même, le chef du clan, n'est pratiquement jamais là. Quand il n'est pas parti en voyage d'affaires à Boston avec Pierre Arsenot, son pilote côtier, il vit sur ses terres à Port-Royal, et pratique occasionnellement la médecine, surtout auprès de la petite garnison militaire. Il a développé cette nouvelle colonie pour ses enfants. Essaye surtout de discuter avec Charles. Il me semble plus réceptif que les autres à l'idée de faire partie de la seigneurie.

Au tout début de juillet, par une belle journée ensoleillée, Michel décida d'aller faire un tour du côté des Bourgeois. Il traversa le marais pour rejoindre la rivière Mésagouèche à l'endroit où elle faisait une boucle qui la rapprochait davantage du manoir. C'est là, dans une petite anse, que se trouvait l'une des deux barques que LaVallière avait rapportées de Québec. Il avait utilisé l'autre la semaine précédente pour se rendre à son bateau, ancré dans le bassin. Michel traversa la rivière à la rame, ancra la barque sur la rive est, un peu plus en aval, et s'engagea sur l'une des levées qui découpaient le marais pour se rendre aux premières habitations. Au bout d'une bonne demi-heure de marche en amont, il arriva enfin à proximité de l'établissement des Bourgeois.

Du manoir, on n'aurait jamais imaginé un développement aussi étendu. On pouvait compter au moins sept ou huit bâtiments en rondins, pour la plupart des dépendances, assez proches les uns des autres. Cet arrangement donnait l'impression d'un village miniature. Les habitations et les dépendances avaient été érigées tout au haut d'une colline massive et faisaient toutes face au bassin, devant lequel dominait un grand marais qui s'étendait de la rivière Mésagouèche à la rivière LaPlanche. L'endroit était magnifique, et la vue, plus impressionnante que celle que l'on avait du manoir de LaVallière. Ici, tout paraissait plus civilisé. Décidément, les Bourgeois y avaient laissé leur marque. Comme ils étaient installés là depuis quelques années, ils avaient endigué une bonne partie du marais, sur laquelle resplendissaient sous le soleil d'immenses champs. De loin, il était difficile de dire s'il s'agissait de culture de lin ou d'avoine.

En s'approchant des habitations, il aperçut un des résidents qui était en train de réparer une clôture de cèdre. Plusieurs bêtes à cornes, ainsi que des brebis, broutaient à l'intérieur du clos. Lorsque l'homme vit arriver Michel, il vint à sa rencontre.

— Je m'appelle Pierre, dit-il. Pierre Sire. Et toi, tu viens sans doute de l'établissement de LaVallière, car il n'y a guère d'autres habitations dans les alentours.

— C'est exact! répliqua Michel. C'est un coin de pays bien isolé. C'est pour cette raison que j'ai pensé venir vous rendre visite. Puisque nous sommes quasiment les seuls habitants de la région, aussi bien se visiter.

— Vous avez tout à fait raison. Il faut se parler, même si nous ne sommes pas toujours d'accord.

Michel savait bien ce qu'insinuait Pierre Sire, mais il était venu faire une visite de courtoisie et ne voulait pas discuter de leur différend avec le seigneur de Beaubassin, même s'il devait en principe le représenter. Une autre fois, sans doute. Pierre l'invita à le suivre dans le village, mais avant de poursuivre leur route, il voulut mettre Michel au courant d'une affaire qui les avait tous ébranlés.

— Je dois te dire que nous sommes en train de vivre un terrible deuil en ce moment. Charles, l'aîné des fils de Jacob

Bourgeois, vient de mourir. Il n'avait que 32 ans, et laisse Anne Dugast, sa veuve, avec trois petits enfants.

— Je suis peiné d'apprendre cette nouvelle. Toutes mes condoléances, s'empressa-t-il d'ajouter, un peu maladroitement, en se rappelant les bonnes manières que les Jésuites lui avaient enseignées à Québec.

— Merci.

— C'est terrible! Si jeune encore... De quoi est-il décédé?

— Il a été emporté en quelques jours par de violentes poussées de fièvre. Son frère Germain était parti à Port-Royal chercher leur père, qui pratique la médecine, mais comme il faut bien deux jours pour s'y rendre en bateau, et deux autres pour en revenir, Charles était déjà mort lorsqu'ils sont arrivés.

— Il vaudrait peut-être mieux que je revienne un autre jour, suggéra Michel. Vous ne devez pas avoir envie de recevoir de la visite.

— Non, non! Reste. Au contraire, ça nous fait du bien de voir d'autre monde.

Pierre Sire le pilota autour des habitations et lui fit rencontrer Germain et Guillaume, les deux frères de Charles, qui étaient par hasard tous les deux à Beaubassin ce jour-là. Il lui présenta également Jean Boudrot, marié comme lui à une fille de Jacob Bourgeois. Tous furent très aimables avec Michel, l'invitant même à manger une soupe aux pois et aux navets avant de prendre le chemin du retour. Le goût de cette soupe, qu'il trouva excellente, lui fit détester encore davantage les espèces de ragoûts de madame Marguerite.

Michel demeurait songeur. Comment LaVallière pouvait-il avoir une si mauvaise opinion de ces gens? Après tout, ils étaient installés là avant qu'il obtienne sa concession. Cela devrait leur donner certains droits. Il se demandait s'il ne devait pas en parler à LaVallière. Il y avait peut-être lieu de faire une exception pour ces quelques personnes. Mais quel poids pouvait bien avoir l'opinion d'un jeune comme lui auprès d'un homme d'âge mûr comme le seigneur de Beaubassin, qui non seulement faisait partie de la noblesse, mais avait déjà une longue carrière militaire et commerciale derrière lui ? Cette question lui trotta dans la tête pendant tout le voyage de retour.

Trois semaines plus tard, on vit deux chaloupes descendre la rivière Mésagouèche avec plusieurs personnes à bord. Comme elles venaient directement vers le manoir, il ne fut pas difficile de réaliser qu'il s'agissait du sieur de LaVallière qui revenait au bercail. Quand Michel aperçut une femme et des enfants à bord, il trépigna de joie. Les deux aînés ne semblaient pas être du voyage, mais il allait enfin retrouver une grande partie de sa famille adoptive et le manoir deviendrait vivant, comme à Trois-Rivières.

LaVallière était arrivé par la baie Verte, du côté nord de l'isthme de Chignectou, alors que le manoir se trouvait au sud de l'isthme. Il avait choisi ce trajet pour gagner du temps, au lieu de contourner le Cap-Breton et remonter la baie Française jusqu'à Beaubassin. Cela raccourcissait le trajet d'au moins sept ou huit jours. En arrivant à Beaubassin par la baie Verte, il fallait cependant effectuer un portage d'environ une lieue avant de rejoindre la rivière Mésagouèche, que l'on pouvait alors descendre avec de petites embarcations. Le seigneur revenait avec quatre hommes, dont maître Pertuis, qui allait lui être très utile afin de rédiger des contrats officiels pour les concessions de terre à l'intérieur de la seigneurie, le père Claude Moireau, un récollet sollicité par LaVallière pour installer une mission à Beaubassin, et deux ouvriers.

Marie Denys était passablement découragée du peu de confort qu'offrait le manoir. De plus, elle le trouvait situé dans un endroit incroyablement isolé.

— Un vrai désert ! lança-t-elle, attristée.

Pourtant, elle savait que Beaubassin ne pouvait se comparer à Trois-Rivières. Là-bas, il y avait quelques ruelles, des échoppes, une taverne et un va-et-vient continuel sur le chemin principal. Elle était bien consciente du fait qu'elle ne vivrait pas ici comme dans le beau manoir du sieur Jacques LeNeuf de la Poterie, le père de LaVallière, où ils avaient tous habité, mais elle s'était quand même attendue à un peu plus de commodités. La maison n'avait en fait que trois pièces. La très grande pièce du rez-de-chaussée, à chaque extrémité de laquelle trônait une imposante cheminée en pierres des champs, servait à la fois de cuisine, de salle à manger, de lieu de détente et de dortoir. Les enfants coucheraient avec les parents dans la plus grande des deux chambres à l'étage. L'autre était jusque-là occupée par Michel, Pierre Mercier et Emmanuel Mirande dit le Portugais, mais, avec les nouveaux arrivants, cet arrangement allait changer. On y installerait une quatrième paillasse pour le père Moireau, Emmanuel Mirande céderait la sienne à maître Pertuis et irait lui-même dormir dans le carré de foin dans la grange avec les nouveaux ouvriers. Madame Marguerite continuerait de coucher dans la cuisine, tout comme les autres personnes de passage qui pourraient se présenter.

Michel, qui craignait de voir Marie repartir pour Trois-Rivières, fit son possible pour lui peindre un portrait positif de Beaubassin. Il était content qu'elle soit là. Sa présence l'aiderait à supporter cette vie d'isolement, mais il s'abstint de le lui dire. Il lui rappela que lorsqu'elle vivait chez son père, à Saint-Pierre, l'isolement était tout aussi important qu'ici, peut-être même encore davantage, car d'après son souvenir, il n'y avait guère plus de trois ou quatre habitations autour de l'établissement.

— Ici, à Beaubassin, poursuivit-il, nous sommes entourés de lacs, de rivières et de ruisseaux, et l'on aperçoit même plusieurs maisons pas tellement loin du manoir. Il est vrai qu'il faut marcher encore assez longtemps pour s'approvisionner en eau potable, mais ce n'est que temporaire. Votre mari a l'intention de faire creuser un puits dans la cour dès qu'il le pourra.

Le maître des lieux avait déjà octroyé des terres à quelques-uns de ses ouvriers, mais il leur fallait attendre d'avoir un peu d'argent et du temps libre avant de pouvoir construire une maison, et commencer l'endiguement des terres. Sans cela, ces terres étaient inutilisables. En attendant, certains des ouvriers devaient habiter ailleurs, comme Jean Campagna et Pierre Godin, qui couchaient chez l'Irlandais Roger Kessy, à qui LaVallière avait concédé une terre plus en aval sur la pointe Beauséjour, donc assez près du manoir.

Jean Campagna était un excellent ouvrier qui n'avait pas peur du travail, mais il s'avérait un terrible querelleur. Pierre Godin, lui, était charpentier et travaillait à l'édification du moulin à farine. Dès qu'il aurait terminé, il était entendu qu'il serait affecté à la construction de la chapelle. Tout bon seigneur devait doter sa concession d'une église et d'un moulin à farine. Cela faisait partie des services qu'un maître était tenu d'offrir à ses locataires. Tous les tenanciers avaient le droit de se servir du moulin, mais devaient donner au seigneur une petite partie de la farine ainsi obtenue. LaVallière avait l'intention de construire un moulin à scie plus tard. Il avait déjà prévu un emplacement pour la chapelle, un petit terrain en aval de la rivière, concédé à la communauté des Pères récollets. Le père Moireau avait hâte de se mettre à l'œuvre. Il se rendait chaque jour sur le terrain désigné, où il aménageait les lieux et faisait des plans pour sa future église et son habitation personnelle.

Au retour de LaVallière, Michel lui avait fait part du décès de Charles Bourgeois. Le seigneur s'était contenté de dire :

— Dommage ! J'espère que tu leur as présenté nos condoléances !

Était-il content ou désolé ? Il ne le laissa pas voir, et Michel n'osa pas le lui demander. Il décida de ne pas faire, pour l'instant, de commentaires sur les Bourgeois. Il se contenta de dire qu'il leur avait rendu visite et qu'il avait été bien accueilli.

À la mi-août, on vit une goélette venir s'ancrer dans le bassin, mettre une chaloupe à l'eau avec trois hommes à bord et se diriger vers le manoir. LaVallière reconnut rapidement la goélette de son père, Jacques LeNeuf de la Poterie. Après les embrassades et salutations d'usage, ce dernier prit un ton solennel pour faire part des raisons de sa visite inopinée. Il apportait une mauvaise et une bonne nouvelle, disait-il, mais il ne semblait pas pressé de les dévoiler puisqu'il parlait de choses et d'autres qui paraissaient de moindre importance, comme la longueur du trajet à partir de Québec et la beauté des rivages, particulièrement le long du fleuve Saint-Laurent.

— D'abord, dit-il enfin, je dois vous informer, au cas où vous ne le sauriez pas déjà, que le gouverneur d'Acadie, Pierre Joybert de Soulange, est décédé il y a environ trois semaines à Jemseg, sur la rivière Saint-Jean, où il avait installé son quartier général.

— Je n'en savais rien. Comment est-ce possible? Il venait à peine d'être nommé à ce poste, il n'y a pas plus d'un an! rétorqua LaVallière. De quoi est-il mort?

— Je ne sais pas. La nouvelle est arrivée à Québec il y a au moins une dizaine de jours.

— Cela veut-il dire que l'Acadie est sans gouverneur?

— Pas vraiment, répondit Jacques LeNeuf avec un sourire en coin.

— Comment cela?

— Eh bien, voilà la bonne nouvelle! Mon cher fils, Frontenac, te nomme gouverneur d'Acadie en remplacement de Joybert.

LaVallière eut un geste d'étonnement, remercia son père en l'embrassant, et toute la maisonnée applaudit. Michel le regardait agir et se demandait si son maître n'avait pas, indirectement, arrangé toute cette histoire avec le gouverneur général de la Nouvelle-France pour qu'il le nomme le prochain gouverneur d'Acadie. L'aurait-il convaincu que c'était là la meilleure façon d'étendre son influence sur l'Acadie? Connaissant la relation intime que LaVallière entretenait avec Frontenac, surtout depuis ses succès militaires, il n'aurait pas été étonnant que les deux hommes aient tout arrangé. Mais ce n'était là qu'une hypothèse. La seule surprise, c'était le fait que la mort de Joybert soit survenue aussi tôt. Il était à peine installé, c'était pour le moins inattendu.

— Je n'irai pas vivre à Jemseg, où Joybert avait établi son quartier général, proclama LaVallière qui, apparemment, se voyait déjà en train de gouverner l'Acadie. C'est trop loin et il n'y a presque personne qui habite dans cette section de la rivière Saint-Jean. La plupart des gouverneurs se sont établis à Port-Royal, mais l'endroit est trop exposé aux attaques militaires et le fort n'a jamais été reconstruit depuis les dernières incursions anglaises dans la région. La moitié du village a été brûlée, inutile de penser à s'installer là-bas. Moi, je suis bien ici dans ma seigneurie. Nous sommes à deux jours de Port-Royal et au centre de l'Acadie continentale. C'est donc à partir de Beaubassin que je m'occuperai des affaires de l'État. Beaubassin sera dorénavant la capitale de l'Acadie, annonça-t-il d'un ton solennel.

Michel se dit que son maître avait dû déjà imaginer tout le scénario, tellement il avait réagi vite. Il est vrai que LaVallière n'était pas quelqu'un qui hésitait devant une décision à prendre. Bien au contraire. Michel avait déjà entendu des discussions à son sujet à Trois-Rivières, discussions où on le qualifiait d'homme courageux, d'entrepreneur audacieux, de commerçant avisé, etc. Bref, il n'était pas homme à tergiverser lorsqu'il s'agissait de faire un choix. Beaubassin, capitale de l'Acadie; ce qualificatif n'était pas de nature à déplaire à Michel. Il voyait sa mission prendre de l'importance, pour la plus grande gloire de la France : faire de la seigneurie de Beaubassin la plus importante de la Nouvelle-France. Il décida donc de s'avancer pour féliciter LaVallière à son tour et de l'embrasser.

— Nous allons fêter cela! dit monsieur de la Poterie. J'ai apporté quelques bonnes bouteilles de Québec.

Il n'avait pas apporté que des bonnes bouteilles, il avait aussi dans ses bagages un gros jambon fumé et une variété de légumes qui ne se trouvaient pas en Acadie. Quatorze personnes étaient rassemblées dans la grande pièce pour le repas du soir, autour d'une table trop petite pour tout ce monde. Le bonheur se lisait dans les yeux de monsieur de la Poterie, trop heureux de voir son fils accéder, comme lui d'ailleurs, à la fonction de gouverneur. Avec l'autorité de LaVallière qui s'étendait, il n'était plus question pour Michel de lui faire part de son opinion concernant les Bourgeois, du moins pas pour l'instant. Son maître représentait dorénavant le commandement suprême en Acadie. Ce n'était donc pas le temps de commencer à contester son pouvoir.

Monsieur de la Poterie et sa suite passèrent trois jours au manoir avant de reprendre le chemin du retour. Trois jours qui furent essentiellement des moments de réjouissances. Toutefois, les visiteurs eurent le temps d'explorer les lieux et admirer le travail accompli autour du manoir, notamment cet ouvrage gigantesque que les gens du pays appelaient les aboiteaux et que l'on ne voyait nulle part ailleurs qu'en Acadie.

Après le départ du père de LaVallière, Beaubassin reprit son rythme habituel. Michel était content que Marie soit revenue avec quatre de ses enfants, dont un bébé de six mois. Cela changeait drôlement l'atmosphère du manoir: il était devenu tout à coup vivant.

Le dimanche suivant, alors que toute la maisonnée se préparait à la célébration de la messe dans la grande pièce du manoir, on vit arriver un homme au pas de course.

— Excusez-moi, dit-il en entrant dans la pièce. Je suis Pierre Sire, de l'établissement Bourgeois. On m'a dit qu'il y avait un prêtre ici, et je vois que c'est le cas. C'est que mon beau-frère, Jean Boudrot, est mourant. Pourriez-vous venir lui administrer les derniers sacrements?

— Mais c'est impossible ! s'écria Michel sans réfléchir. Je l'ai vu il y a à peine plus d'un mois. Il était en pleine forme ! Qu'est-ce qui se passe dans ce coin de pays ? Je veux accompagner le père Moireau ! ajouta-t-il.

Maître Pertuis se porta volontaire. Le père Moireau monta à sa chambre chercher les saintes-huiles, et les quatre hommes partirent rejoindre la rivière et passer de l'autre côté afin de regagner l'établissement des Bourgeois.

L'été et l'automne de 1678 avaient été très dévastateurs d'un point de vue humain pour la nouvelle colonie. Non seulement la maladie avait-elle emporté Charles, le fils aîné de Jacob Bourgeois, de même que son beau-frère, Jean Boudrot, mais elle avait aussi eu raison de François Pellerin, qui était venu de Port-Royal s'installer à Beaubassin près des Bourgeois. Dans une petite colonie comme celle de Beaubassin, la mort de trois jeunes hommes dans la trentaine, laissant femmes et enfants, représentait un dur coup.

De plus, la mort de François Pellerin avait suscité toute une controverse aussi bien dans le clan des Bourgeois que dans celui de LaVallière. En effet, la femme du défunt, Andrée Martin, était venue à plusieurs reprises voir le nouveau gouverneur pour lui demander de faire arrêter Jean Campagna, un de ses employés, qu'elle prétendait responsable de la mort de son mari.

— Jean Campagna est un sorcier! criait-elle. C'est lui qui a ensorcelé et fait mourir mon mari. Il était là, dans la chambre, le soir de sa mort, et il riait de lui. Germain Bourgeois pourrait en témoigner. Il était là lui aussi ce soir-là. Mon mari a même crié à Germain : « Regarde comme il est laid, ce vilain Campagna qui souhaite ma mort ! C'est lui qui m'a donné ce haut mal en me soufflant dans l'œil hier après-midi ! »

Une autre fois, elle était venue au manoir en disant qu'elle avait vu Campagna avec d'autres sorciers discuter à côté de la Mésagouèche. Qui étaient ces sorciers ? Elle ne le savait pas exactement. Ils étaient trois. Elle les avait vus debout de l'autre côté de la rivière, ils riaient et avaient l'air de comploter un mauvais coup. LaVallière l'avait écoutée attentivement tout en demandant à Michel de prendre des notes, au cas où il devrait entreprendre une action contre Campagna. La sorcellerie ne devait pas être prise à la légère, mais quand même, il fallait des preuves plus concrètes pour accuser un homme d'un pareil méfait. Il était conscient du fait que Campagna n'était pas un homme facile, car il avait déjà eu maille à partir avec lui, mais comme il était un excellent ouvrier, il préférait ne rien faire pour l'instant. LaVallière semblait content que le père Moireau ait été envoyé en ministère à Port-Royal en l'absence de l'abbé Petit, le curé de l'endroit. Autrement, Campagna aurait probablement été condamné sur-le-champ ! Le clergé ne plaisantait pas avec la sorcellerie.

Plus l'hiver avançait, plus Michel trouvait cette vie d'isolement difficile à supporter. Lui qui n'avait jamais joué aux cartes de sa vie, il se voyait maintenant obligé d'y jouer tous les soirs, et parfois aussi dans le jour, soit avec les ouvriers, avec maître Pertuis, ou avec LaVallière lui-même. Il fallait trouver moyen de faire passer le temps, qui lui semblait figé dans un amas de neige et de verglas. C'étaient donc les cartes, les dominos ou les dés. Il avait même oublié de s'apporter des livres, tellement il imaginait que cette belle aventure allait l'accaparer tout entier.

Comme il fallait qu'il s'occupe, il accompagnait souvent Pierre Mercier, Jean-Aubin Mignault et Emmanuel Mirande, les trois ouvriers qui coupaient du bois pour LaVallière en amont de la rivière Mésagouèche. Il arrivait que le père Moireau les accompagne lui aussi, car il voulait s'assurer d'obtenir suffisamment de belles pièces de bois franc pour continuer la construction de son église. D'autres jours, lorsqu'il ne faisait pas assez beau pour monter dans le bois, les hommes s'installaient dans un bâtiment adjacent à la grange pour équarrir et tailler des poutres à la hache ou pour fabriquer des meubles, ou encore des bancs pour l'église. Cela permettait à Michel d'apprendre le métier de charpentier-menuisier, même si ce n'était pas celui dont il avait rêvé. Quel métier aurait-il aimé exercer? Il n'en savait rien. Parfois, les hommes l'emmenaient à la chasse. Il fallait qu'il apprenne à chasser, même si cela ne l'enchantait pas. Il était conscient qu'il fallait de la viande fraîche de temps en temps pour bien se nourrir.

Michel était donc des plus heureux lorsque LaVallière lui proposa de l'accompagner faire un tour au campement des Mi'kmaq qui s'étaient installés pour l'hiver dans la forêt, un peu plus loin que l'endroit où les ouvriers coupaient du bois.

— Il faut s'efforcer d'entretenir de bonnes relations avec les Mi'kmaq, avait-il dit un soir que tout le monde était rassemblé, car ce sont nos meilleurs alliés. Non seulement excellent-ils dans la chasse et la préparation des fourrures, mais ils font peur aux Anglais. Ces derniers convoitent toujours l'Acadie, à cause de son importance stratégique. Même si la France ne s'en rend pas compte, nous formons comme une zone tampon entre la Nouvelle-Angleterre et la Nouvelle-France, alors il faut tout faire pour les garder de notre côté.

LaVallière racontait, dans son style toujours un peu pompeux, avoir été témoin de l'apport précieux des Mi'kmaq quelques années auparavant, alors qu'il sillonnait la côte acadienne du côté de Pantagoüet.

— Les Bostonnais avaient envahi les forts acadiens de Pantagoüet, de Port-Royal et de Jemseg et s'y étaient installés. En 1667, le traité de Bréda redonnait l'Acadie à la France, mais les Anglais ne voulaient pas partir. Même lorsque Grandfontaine était arrivé de France avec le titre de gouverneur d'Acadie et tous les papiers démontrant que l'Acadie appartenait dorénavant à la France, les Anglais avaient décidé de ne pas abandonner les lieux. Il a alors demandé l'aide des Mi'kmaq pour les déloger.

Le père Moireau voulait savoir comment s'était déroulée cette capitulation des Anglais.

— Les Mi'kmaq sont passés maîtres dans l'art de manier l'arc et la flèche, continua LaVallière. De plus, ils utilisent des tactiques d'attaque bien différentes des nôtres et n'hésitent pas à trancher des têtes quand il le faut. Les Anglais en étaient bien conscients pour en avoir déjà été les victimes. Alors quand ils ont vu les Indiens approcher, ils ont rapidement abandonné Pantagoüet, en laissant tout derrière eux. Les deux autres forts ont été faciles à reconquérir.

Le père Moireau avoua avoir eu une autre idée en tête lorsqu'il avait accepté l'offre de LaVallière de s'établir en Acadie. À l'instar des religieux qui s'installaient en Nouvelle-France, il caressait l'idée de convertir les autochtones au catholicisme.

— Ils ont des rites païens. Il faut leur faire connaître les bienfaits de notre religion. Je voudrais leur apprendre à suivre l'enseignement du Christ.

— Je suis bien d'accord avec vous, approuva LaVallière, d'autant plus que l'acceptation de notre religion devrait contribuer à les garder de notre côté.

Le père Moireau avait même appris les rudiments de la langue mi'kmaq afin de pouvoir converser avec eux. Il avait d'ailleurs déjà rendu visite à plusieurs reprises à ceux qui étaient installés le long de la rivière Tintamarre, comme ceux de la rivière Au Lac, et qui se trouvaient à l'intérieur de la seigneurie.

Le lendemain, les trois hommes se couvrirent de vêtements chauds, enfilèrent leurs raquettes et se mirent en marche.

— J'espère que vous êtes en forme, dit LaVallière. Il nous faudra faire cinq ou six heures de marche avant d'arriver au campement.

Ils emportèrent donc du pain et un peu de viande cuite, de même que de quoi se couvrir pour la nuit, car ils s'attendaient à ce que les Mi'kmaq leur offrent l'hospitalité, comme cela s'avérait généralement le cas. La route s'annonçait plus longue que prévu puisque, dépassé le chantier des bûcherons, le chemin n'était plus balisé et d'immenses congères barraient la route, les obligeant à effectuer de nombreux détours. De plus, LaVallière et Michel devaient souvent s'arrêter pour attendre le père Moireau, qui éprouvait des difficultés à se dépêtrer, affublé de sa longue soutane, dans cette neige molle où ses raquettes semblaient s'enfoncer plus que celles des deux autres. Tout à coup, Michel se revoyait enfant à Saint-Pierre alors qu'avec son ami ils faisaient des tunnels dans la neige pour s'évader des gros méchants, comme ils disaient.

Finalement, en fin de journée, ils aperçurent le village mi'kmaq. On voyait de loin de la fumée s'échapper de sept ou huit wigwams qui formaient un cercle. En s'approchant, ils virent que les habitants étaient réunis au milieu des habitations. LaVallière pensa d'abord que le village était réuni en conseil spécial, mais les trois hommes se rendirent vite compte qu'il s'agissait plutôt d'une fête. On entendait des cris, des chants et le bruit sourd d'un tambour qui battait la mesure sur un rythme saccadé.

Lorsqu'ils arrivèrent au village, le chef, qui avait visiblement reconnu LaVallière et probablement aussi le curé, s'avança pour les accueillir.

— *Kué! Kué!* dit le chef en baissant la tête.

— *Kué! Kué!* répondirent en chœur l'abbé Moireau et LaVallière.

Le seigneur de Beaubassin présenta son acolyte au chef indien :

— Michel L'haché, dit-il.

Le chef lui serra la main et lui souhaita la bienvenue.

— Venez vous joindre à nos festivités, les invita-t-il dans sa langue, que le père Moireau s'empressa de traduire. Nous fêtons l'exploit du jeune Wasacook, qui vient de tuer son premier animal.

En effet, la moitié d'un orignal d'une belle taille, attachée à deux longues perches, rôtissait au-dessus d'un grand feu de bois qui brûlait au fond d'un trou dans la terre. Le père du jeune Wasacook expliqua que, pour eux, l'orignal constituait la meilleure capture, car elle représentait tout un défi. Son fils, dont il était visiblement très fier, avait dû le traquer pendant trois jours avant de pouvoir l'abattre.

Wasacook et ses parents occupaient la place d'honneur au milieu du festin. Ils précisèrent que l'animal était destiné aux invités seulement, et qu'eux-mêmes n'y goûteraient pas. Il fallait tout donner aux autres membres de la tribu et aux invités, lorsqu'il y en avait. Cette coutume avait comme but de montrer la générosité du chasseur. Un tel exploit faisait du jeune chasseur un adulte. Il en était ainsi chaque fois qu'un jeune de la communauté abattait son premier gibier majeur.

La cuisson de la bête était accompagnée, à intervalles plus ou moins réguliers, de danses, de cris et d'une chanson quelque peu monotone qui semblait être toujours la même. Par contre, les jeunes en particulier étaient d'un caractère joyeux, ce qui donnait à l'événement l'allure d'un jeu. Ils arrivèrent même à entraîner Michel dans leur danse. Il s'agissait de former un cercle et de se suivre, collé les uns contre les autres, en exécutant un petit saut avec le pied gauche tourné vers l'intérieur et en marquant la cadence avec un cri nasillard qui ressemblait à « Hoüen ! Hoüen ! Hoüen ! » Pendant ce temps, une personne battait le rythme en frappant avec un bâton sur un bout de tronc d'arbre couché par terre.

Il faisait déjà sombre lorsque les femmes commencèrent à dépecer l'animal qui cuisait depuis de nombreuses heures sur un brancard improvisé que deux hommes tournaient à intervalles réguliers afin que la pièce de viande soit bien rôtie de tous les côtés. Michel remarqua une des filles qui se démarquait des autres par son élégance. Elle avait le corps fin et ses cheveux étaient noués en une natte qui lui pendait jusqu'au milieu du dos. Il essaya instinctivement d'attirer son regard, mais il avait l'impression qu'elle évitait de regarder du côté du groupe des hommes blancs.

Les invités furent servis d'abord, suivis par les hommes de la tribu, à commencer par le chef. Wasacook et ses parents demeurèrent bien assis à leur place en riant des agissements de cette joyeuse bande qui s'empiffrait goulûment. Tous les hommes, couverts de peaux d'animaux, étaient assis sur des bûches ou des troncs d'arbre disposés en cercle près du feu. Les femmes ne mangèrent pas avec eux. Elles s'étaient installées plus loin du feu avec les enfants. Ce qui impressionna le plus Michel, c'était la manière dont les femmes portaient leurs bébés. Ils étaient emmitouflés dans des peaux et attachés dans une espèce de berceau en bois posé directement sur le dos de la mère et ficelés sur elle de façon à ce que l'enfant et la mère soient dos à dos. Installées ainsi, les femmes transportaient partout leur enfant tout en travaillant ou en mangeant.

LaVallière avait apporté dans son sac du tabac, de même qu'une bouteille d'eau-de-vie. Michel s'en étonna, car LaVallière lui avait lui-même confié qu'il était défendu de donner de l'alcool aux autochtones. Il avait pensé laisser la bouteille au chef en guise de cadeau, pour le remercier de son hospitalité, expliqua-t-il plus tard au père Moireau, mais sous l'euphorie du moment, il n'avait pu s'empêcher de la sortir de son sac pour l'offrir au chef devant tous les hommes réunis. La quinzaine d'Indiens qui étaient là s'étaient alors mis à rire et à crier comme si on leur avait offert un trésor.

Lorsque la bouteille avait commencé à circuler, le chef, que tout le monde appelait sagamo, avait allumé une pipe, bourrée du tabac de LaVallière, qu'il avait passée d'abord aux invités avant qu'elle ne fasse le tour des autres hommes. Chacun prit une bonne pipée, puis se rinça le gosier avec de l'eau-de-vie, ou inversement, jusqu'à ce que la bouteille soit vide. Plusieurs hommes se levèrent alors spontanément et se mirent à danser et à crier des « Hoüen ! Hoüen ! Hoüen ! » encore plus fort qu'auparavant. Le festin dura ainsi pratiquement toute la nuit. À la fin, il ne restait plus que les os de l'animal. Ils avaient tout dévoré, mangeant la viande seule, sans accompagnement, pas même du pain.

Il commençait à faire jour lorsque le chef pria ses invités de le rejoindre dans son wigwam. Les autres membres de la famille étaient visiblement allés coucher ailleurs. Michel passa la nuit – du moins ce qu'il en restait – à penser à sa jolie Indienne. Il s'imaginait qu'elle était venue dans son lit s'étendre sur les peaux d'animaux qui jonchaient le sol. Il l'avait attirée tout contre lui pour se réchauffer. Hélas, il n'avait fait que rêver.

Le matin, il se leva relativement tôt dans l'espoir de rencontrer la belle Indienne. Des femmes sortaient des wigwams et s'affairaient à nettoyer tout autour, mais il ne vit pas l'objet de ses rêves. Lorsqu'il aperçut Wasacook, il alla chercher le père Moireau, qui discutait avec un Indien, pour pouvoir poser quelques questions au jeune homme. Il avait envie de lui demander qui était l'Indienne à la natte, mais il n'osa pas devant le père Moireau.

Dans l'après-midi, quand les invités voulurent reprendre la route, le chef s'y opposa, sous prétexte qu'ils n'arriveraient pas avant la nuit. Il insista donc pour qu'ils passent une deuxième nuit au campement. Plusieurs personnes, surtout les jeunes qu'il avait vus la veille, n'étaient pas encore levées. Michel n'aperçut sa belle Indienne que vers la fin de la journée, alors qu'il suivait le sagamo vers son wigwam.

Cette fois, elle n'évita pas son regard. Au contraire, elle lui fit un sourire bienveillant avant de disparaître dans un wigwam. Elle s'était arrêtée avant d'entrer à l'intérieur et l'avait fixé intensément, comme si elle l'invitait à la suivre. Cette nuit-là, il ne ferma pratiquement pas l'œil, ensorcelé qu'il était par cette jeune femme.

Le lendemain, de bon matin, les invités purent enfin reprendre la route, emportant de précieux cadeaux. Michel était désolé de ne pas avoir revu son enjôleuse, mais il se dit qu'il reviendrait, car le moment n'était pas propice à un rapprochement. LaVallière avait obtenu l'assurance qu'on lui réserverait toutes les peaux des animaux qu'ils tueraient pendant la saison, ce qui pourrait représenter plusieurs centaines de bêtes. Le père Moireau avait pu s'entretenir de religion avec quelques Mi'kmaq, et il partait avec la promesse qu'ils allaient venir à son église au printemps, dès qu'ils auraient emménagé dans leur campement, près de la rivière Au Lac. Quant à Michel, grâce à l'aide du père Moireau, il avait eu l'occasion de parler au jeune Wasacook et d'admirer son courage et sa dignité. Les deux jeunes espéraient aussi se revoir au printemps. Michel avait même pris la décision d'apprendre les mots essentiels de la langue mi'kmaq, si le père Moireau voulait bien lui faire part de ses connaissances.

Le printemps était finalement arrivé, après un hiver morose où toute la maisonnée s'était plainte du froid. Les cheminées avaient pourtant été alimentées nuit et jour de bon bois de chauffage acheté à Port-Royal, mais cela ne suffisait pas. Le froid entrait avec le vent par les interstices mal calfeutrés entre les pièces de bois rond. Les ouvriers avaient essayé d'y remédier pendant l'hiver, mais sans véritable succès. Ils avaient décrété qu'il faudrait attendre l'été pour refaire une partie de la charpente. Michel n'avait cessé de penser à son Indienne, mais il n'avait pas réussi à trouver le temps et les moyens de retourner au campement. Aurait-il pu s'y rendre seul? Il n'avait pas vraiment remarqué le chemin à emprunter, absorbé qu'il était dans ses pensées amoureuses. Il n'avait toutefois pas manqué de commencer à apprendre le mi'kmaq avec le père Moireau.

Par ailleurs, il pensait souvent à la vie qu'il avait laissée à Trois-Rivières pour suivre son héros en Acadie. Avec le froid, la neige et l'isolement, l'auréole de son mentor s'était quelque peu amenuisée. À Trois-Rivières, il y avait du mouvement, même en hiver. À Beaubassin, tout n'était que désolation. Une mer de neige à perte de vue. On ne distinguait même plus l'établissement des Bourgeois, de l'autre côté de la rivière, et pas davantage l'habitation de Roger Kessy, qui ne se trouvait qu'à un quart d'heure de marche du manoir. Il se demandait s'il n'aurait pas dû rester à Trois-Rivières ou à Québec au lieu de se lancer dans une aventure dont il n'aurait jamais pu imaginer les conséquences. Maintenant, cette Indienne, cette femme d'un autre peuple, venait hanter ses rêves. Il ne savait plus s'il devait s'en réjouir ou essayer de l'oublier.

Le travail le plus dur de l'hiver avait été de rapporter chaque soir du chantier des pièces de bois rond dont une grande partie devait servir à l'édification de la chapelle et de la résidence du père Moireau. Il fallait les attacher avec une corde et les traîner sur la neige jusqu'au manoir.

La neige n'avait pas encore tout à fait quitté le sol que Pierre Godin, le charpentier, aidé de Guyon Chiasson et du curé, avait entrepris la construction de l'église. Après avoir vécu à Port-Royal puis à Chibouctou, Guyon avait obtenu une concession de LaVallière et s'était installé à Beaubassin avec sa femme, Jeanne Bernard, et leurs six enfants.

À la fin d'avril, la chapelle avait déjà fière allure. Les poutres superposées des murs étaient en place, mais tout le bousillage restait à faire. La toiture ne contenait que quelques poutres qui seraient éventuellement recouvertes de branches et de chaume, mais on distinguait bien sa forme et l'on imaginait bien de quoi elle aurait l'air. Le père Moireau avait décrété que sa paroisse, qui comprenait le village de Beaubassin et tous les alentours, porterait le nom de Notre-Dame-du-Bon-Secours.

C'est donc dans cette chapelle en construction que le curé Moireau décida, à la fin d'avril 1679, de célébrer un premier mariage. En effet, depuis un certain temps, LaVallière encourageait ses ouvriers célibataires à essayer de fréquenter les trois jeunes veuves qui se trouvaient dans le camp des Bourgeois. Il leur répétait:

— Qu'attendez-vous pour sauter la rivière? Il y a trois belles jeunes femmes du côté des Bourgeois qui sont libres. Je vous donnerai d'intéressantes concessions si vous réussissez à les attirer au mariage.

Michel se demandait s'il n'y avait pas derrière cette démarche une manière pour LaVallière de se venger subrepticement des Bourgeois. S'il pouvait attirer ces femmes dans son camp, il diminuerait de ce fait l'influence de Jacob Bourgeois sur le développement de la colonie. Michel se souvenait que LaVallière lui avait dit un jour:

— Nous n'allons pas essayer de les déloger; nous allons plutôt essayer de trouver un moyen de les intégrer.

Ainsi, le 24 avril, Pierre Mercier dit Caudebec épousa Andrée Martin, la veuve de François Pellerin, décédé il y avait à peine plus de six mois. LaVallière, seigneur de Beaubassin et commandant du roi en Acadie, agit comme témoin pour la partie civile. Il avait mis ses vêtements d'apparat et semblait heureux d'exercer le pouvoir que lui donnait sa fonction. Cette union ne concernait pas exactement les Bourgeois, mais c'était grâce à eux si Andrée Martin et son défunt mari s'étaient installés à Beaubassin.

Cependant, qu'elle ne fut pas la surprise de LaVallière d'entendre Pierre Mercier dire qu'il ne voulait pas de sa concession! Pierre acceptait une lourde responsabilité, car Andrée Martin avait six enfants, ce qui pouvait expliquer son urgence à se remarier, mais, en échange de cet engagement, il recevait une propriété déjà bien établie, une des plus grandes de Beaubassin, avec quarante arpents de terre défrichée et cultivable et un cheptel tout aussi important. Cette exploitation se trouvait de l'autre côté de la rivière Mésagouèche, donc du côté des Bourgeois. Aussi bien dire que LaVallière avait raté son coup.

Deux jours plus tard, le curé Moireau célébrait son deuxième mariage, celui de Jean-Aubin Mignault dit Châtillon à Anne Dugast, la veuve de Charles Bourgeois. Cette fois, l'intégration se faisait directement dans la famille des Bourgeois. Là aussi, LaVallière agit comme témoin et représentant de l'autorité française, et là encore, dès que le mariage fut prononcé, Jean-Aubin refusa la concession que le seigneur lui offrait en amont du manoir. Il semble que les deux hommes avaient attendu à la dernière minute pour dévoiler leurs intentions afin de s'assurer que le seigneur ne tente pas de leur mettre des bâtons dans les roues. LaVallière était déçu, mais il pensait quand même que ces ouvriers resteraient fidèles à leur ancien maître en s'intégrant malgré tout à sa seigneurie en payant leur dû. Même si Jean-Aubin épousait une femme qui avait trois enfants, il héritait d'une terre déjà très productive avec maison et dépendances. Michel n'avait jamais entendu LaVallière se plaindre autant. Non seulement son plan n'avait pas fonctionné, si toutefois il s'agissait bien d'un plan, mais il perdait deux bons ouvriers.

Pour que ces deux anciens ouvriers lui restent fidèles, il avait ouvert sa maison pour célébrer dignement ces deux mariages. On avait tué un cochon, qui rôtissait sur le feu depuis tôt le matin. Le manoir s'était vite rempli, car tous les habitants de Beaubassin et des environs avaient été invités. Cela ne faisait toutefois pas une très grande foule : un peu plus d'une cinquantaine de personnes. LaVallière avait voulu en faire une grande fête afin de promouvoir sa seigneurie. Dans un grand chaudron en fonte, un bouilli de navet, de pois et de blé d'Inde accompagné d'un gros morceau de lard salé cuisait dans la cheminée. Madame Marguerite avait passé toute la journée précédente à faire du pain, et Marie avait préparé un gâteau aux pommes. Quant à LaVallière lui-même, il avait jugé que c'était le temps d'ouvrir la barrique de cidre rapportée de Québec. C'était un festin comme Michel n'en avait pas vu depuis son établissement en Acadie. Même les deux frères Bourgeois y étaient. Après tout, il ne fallait pas laisser tomber celle qui avait été leur belle-sœur pendant une dizaine d'années.

Roger Kessy et sa femme, Marie-Françoise Poirier, accompagnés de leurs quatre enfants, arrivèrent les derniers. Ils étaient retournés à la maison après la messe pour nourrir les animaux. Ils possédaient en tout une bonne trentaine de bêtes, comprenant vaches, brebis et cochons. Roger avait apporté son violon. Il était le seul dans toute la région à posséder un instrument de musique.

— Tous les Irlandais savent jouer du violon! disait-il en riant avec son accent français assez particulier.

Thomas Cormier, un colon qui s'était établi avec sa femme et leurs trois enfants à LaButte, dans la partie nord-est de la seigneurie, avait apporté des cuillers en bois qu'il avait fabriquées lui-même et qui servaient à marquer le rythme de la musique. Il avait montré à Michel comment en jouer. Ce dernier était vite devenu habile et se plaisait à accompagner Roger.

Les pièces que ce dernier jouait étaient assez enlevantes, de sorte que, en peu de temps, les gens s'étaient mis à danser sur le plancher en bois grossièrement équarri. À plusieurs reprises, les enfants, qui dansaient avec les adultes, s'étaient accrochés dans ses planches inégales et étaient tombés. Lorsque Roger prenait un repos de la musique, quelques femmes entamaient alors de vieilles chansons qu'elles connaissaient depuis qu'elles étaient enfants, comme *Partons, la mer est belle*, *Sur le grand mat d'une corvette*, etc. Elles en adressèrent même deux au curé Moireau, qui riait à gorge déployée: *Le curé de Pomponne* et *C'est monsieur le curé*.

La plupart des femmes étaient vêtues de grandes jupes de lin amples à rayures, d'un chemisier recouvert d'un mantelet et d'un mouchoir blanc noué au cou. Elles portaient toutes une coiffe couvrant la tête et, le plus souvent, nouée sous le menton.

Quant aux hommes, un bon nombre d'entre eux avaient enfilé leurs plus beaux vêtements : une culotte à clapet en laine et une chemise de toile de lin. Ceux et celles qui portaient des sabots de bois se plaisaient à les faire claquer sur le plancher en dansant.

C'était la première fête sociale de Michel, mais il avait l'impression de ne pas être le seul dans ce cas. La manière dont chacun mangeait, dansait, criait et riait le portait à croire que la plupart de ces gens n'avaient pas fêté depuis longtemps. Ils étaient sans doute trop occupés à survivre au milieu de cette nature qu'il fallait apprivoiser. Vers la fin de l'après-midi, les familles se dispersèrent pour prendre le chemin du retour après une journée remplie de réjouissances.

LaVallière semblait content du succès de sa fête. Madame Marguerite se plaignait du travail qu'elle devrait faire pour nettoyer la maison, alors que Marie Denys, que Michel épaulait volontiers chaque fois qu'il le pouvait, essayait de l'encourager en l'assurant que ces fêtes ne se reproduiraient pas très souvent.

Depuis quelques mois déjà, maître Pertuis, avec l'aide de Michel, se débattait pour essayer de mettre au point une sorte de carte géographique de la seigneurie et d'établir un plan de développement. Ils avaient tous deux parcouru de longues distances à pied et en canot pour avoir une idée de l'étendue de la seigneurie, stipulée dans l'acte de concession du gouverneur général de la Nouvelle-France. Ensuite, avec l'aide de LaVallière, ils étaient arrivés à établir un ensemble de parcelles qui pourraient être accordées à des colons qui accepteraient de faire partie de la seigneurie de Beaubassin. Toutes les terres avaient été découpées en fonction des cours d'eau. On comptait suffisamment de rivières autour de Beaubassin pour ne pas avoir à établir un deuxième ou un troisième rang, comme aux alentours de Québec et de Trois-Rivières. Ainsi, tout le monde aurait directement accès à ces routes fluviales qui constituaient le principal moyen de communication entre les divers hameaux et villages.

Un bon matin, on vit deux Indiens attendre debout près de la barrière du manoir. LaVallière s'empressa d'aller les rejoindre. Les trois hommes discutèrent un bon moment en faisant toutes sortes de gestes des bras et des mains. LaVallière ne parlait pas le mi'kmaq aussi bien que le père Moireau, mais il en connaissait suffisamment pour pouvoir négocier. S'il n'avait pas fait appel au curé, c'était sans doute parce qu'il savait que ce dernier n'aurait pas été d'accord avec ce genre d'opération. Le gouvernement français était contre la traite des fourrures avec les Indiens, mais LaVallière faisait souvent fi des exigences de la France.

— Il faut vivre, disait-il. Si le gouvernement français nous interdit ce commerce, il faut qu'il nous donne en échange les ressources pour survivre. Tant que la France ne me donnera pas les moyens de développer ce pays, je continuerai à faire la traite des fourrures.

Les Indiens repartirent et LaVallière entra au manoir en disant simplement :

— Ils veulent vendre leurs pelleteries.

Il n'évoqua ni les conditions ni le moment de la transaction. Cependant, au début de l'après-midi, on vit une dizaine d'Indiens arriver au manoir en portant sur le dos d'immenses ballots de fourrures de toutes natures. LaVallière leur fit transporter tout cela dans une des dépendances qui se fermait à clef. Il discuta encore un bon moment avec eux tout en examinant les fourrures, puis les Indiens prirent le chemin du retour. Le seigneur de Beaubassin prit un air sérieux en entrant dans la grande pièce où Marie était en train de faire cuire un bouillon de viande salée et de légumes pour le souper.

— Il faut que je me débarrasse au plus vite de ce butin. Une telle quantité de peaux vaudrait beaucoup d'argent en France. J'en tirerais une belle somme si je pouvais m'y rendre moi-même, mais il y a trop à faire ici pour que j'entreprenne ce voyage. De plus, je ne peux pas écarter le risque de me faire dévaliser par les pirates de la Nouvelle-Angleterre. Je vais donc aller à Québec et négocier avec un courtier que je connais bien.

— Mais comment vas-tu payer pour tout cela? demanda Marie, qui ne semblait pas comprendre.

— Je vais voir d'abord combien je peux en tirer. Pour l'instant, les Indiens me font confiance. De toute façon, ce sera essentiellement du troc. Ils aiment les ustensiles de cuisine, les couteaux bien aiguisés, les mousquets, la poudre à canon, les pierres à fusil, le tabac… Nous verrons. Ils ne se laisseront pas rouler, mais il faut quand même que j'en tire un bénéfice. Je profiterai de mon voyage à Québec pour rapporter des denrées pour consommer et pour vendre, ici ou à Port-Royal. Je vais d'ailleurs m'y arrêter en partant pour prendre un chargement de troncs de pins blancs pour faire des mâtures. On a commencé à faire de la construction navale près de Québec.

LaVallière avait entendu dire que Jacob Bourgeois, qui vivait toujours à Port-Royal, recrutait des colons pour venir s'installer près de ses enfants à Beaubassin. Il leur offrait des terres qui se trouvaient en fait à l'intérieur de la seigneurie. Cette rumeur l'avait fait bondir, mais il s'était calmé en pensant qu'il allait pouvoir régler ce différend à Québec.

— Lorsque je serai de retour de Québec, dit-il à Michel, qui venait d'entrer dans la grande pièce, il faudra que nous allions à Port-Royal pour essayer de recruter des colons. Il commence à y avoir beaucoup de monde là-bas. Bientôt, toutes les terres situées le long des rivières de Port-Royal seront prises. Si les jeunes veulent continuer de vivre en Acadie, il va falloir qu'ils déménagent ailleurs. Ici, le terrain est pratiquement vierge. C'est idéal pour des jeunes qui veulent commencer une nouvelle exploitation.

Il n'avait rien dit concernant les agissements de Jacob Bourgeois, mais il paraissait évident que cette nouvelle avait motivé sa décision de partir rapidement pour Québec. Il disait connaître des gens là-bas qui cherchaient à s'établir sur une terre agricole.

LaVallière n'était parti que depuis cinq jours lorsque le malheur frappa de nouveau le clan Bourgeois. Cette fois, c'est Pierre Sire qui fut emporté par une violente poussée de fièvre. Il laissait derrière lui Marie, l'aînée des filles de Jacob Bourgeois, et trois enfants en bas âge. Michel n'en revenait pas. Comment se pouvait-il que tout à coup une famille soit si sévèrement éprouvée ? Il se remémora sa visite chez les Bourgeois, l'été précédent, où Pierre Sire l'avait si gentiment accueilli et présenté aux autres membres de la famille. Se pouvait-il que LaVallière ait joué au sorcier en soufflant du côté des Bourgeois ? Il s'empressa de chasser cette idée folle.

Comble de malheur, le père Moireau était parti pour Québec avec LaVallière, de sorte qu'il ne pourrait pas y avoir de funérailles religieuses.

Lorsque, le lendemain matin, Michel se rendit à l'établissement des Bourgeois, Pierre Sire avait déjà été mis en terre. Il reposerait dorénavant auprès de Charles Bourgeois, Jean Boudrot et François Pellerin dans un lieu que les Bourgeois avaient aménagé à côté du village, près de LaButte.

Durant l'été, les employés de LaVallière avaient commencé à endiguer une autre parcelle du marais. Ils se réjouissaient que les travaux de l'été précédent aient si bien tenu. À cette époque, le seigneur s'y rendait presque chaque jour pour veiller à ce que le travail soit bien fait dès le départ. La construction des levées et la pose des aboiteaux constituaient en effet un travail à la fois dur, long et minutieux. Il fallait beaucoup de précision pour que les grandes marées d'automne, très fortes dans toute la baie Française, ne viennent pas anéantir ce travail de titan. Il était impossible d'endiguer tout l'espace qui donnait sur la rivière ; il fallait procéder par étapes, endiguer d'abord un morceau de terrain avec ses aboiteaux pour y laisser s'écouler l'eau du marais, souvent inondé, avant de procéder à l'assèchement de la parcelle. LaVallière espérait donc ne pas devoir exploiter tout ce vaste marais. Il s'attendait à ce que les habitants de la seigneurie lui fournissent le grain, la farine et les légumes nécessaires à son développement. Cependant, en attendant, il se devait de donner l'exemple.

Il devenait urgent de terminer ce travail avant la fin de l'été, car, selon l'expérience des endiguements effectués à Port-Royal, il faudrait attendre au moins deux ans après l'assèchement du marais, le temps que la pluie et la neige le débarrassent de son sel, pour pouvoir l'ensemencer. L'attente était longue, mais tous les cultivateurs avaient pu constater que, lorsque ces marais commençaient à produire, leur rendement était de beaucoup supérieur à celui des terres hautes. C'était pour cette raison que LaVallière avait choisi ce vaste territoire de marais salants, beaucoup plus étendus que ceux de Port-Royal.

— Si cette structure a pu résister aux grandes marées d'automne et aux glaces de l'hiver, disait Emmanuel Mirande, il n'y a pas à s'inquiéter pour les années suivantes. L'herbe qui va pousser sur les digues cet été va retenir la terre et ces levées pourront supporter les pires intempéries. Il ne reste qu'à espérer qu'il en sera de même pour la présente structure.

Les travaux avaient été arrêtés pendant deux semaines pour couper et recueillir le foin sauvage que l'on appelait misotte et qui poussait en abondance dans le marais. Il était maintenant en train de sécher sur les chafauds, ces supports en bois destinés à contenir temporairement le foin au-dessus du sol lorsque la marée montait. Il y en aurait suffisamment pour nourrir les animaux pendant l'hiver, de même que pour finir le toit de la chapelle et faire du torchis pour calfeutrer les murs de l'église et d'une quatrième dépendance que l'on allait ériger à côté du manoir.

LaVallière était revenu de Québec avec une grande quantité de marchandises. Il en avait vendu à Port-Royal, comme prévu, mais il fallait vite débarquer le reste, disait-il, avant que les Indiens arrivent. Il avait vu juste, car il en avait à peine déchargé la moitié qu'une quinzaine d'Indiens arrivèrent au rivage où le *Saint-Antoine,* la goélette de LaVallière, était ancré. Les Indiens plaçaient toujours un membre de la tribu aux aguets au cas où un bateau français ou anglais se présenterait. Les négociations furent plutôt longues. Les Indiens voulaient plus que ce que LaVallière leur offrait, mais après une bonne heure de discussions, ils repartirent, le dos chargé de marchandises de toutes sortes, apparemment heureux, car ils riaient et se donnaient des tapes dans le dos. LaVallière entra chez lui avec un large sourire, visiblement heureux lui aussi de l'issue des négociations.

Souvent, les préoccupations journalières et les élans amoureux prennent le dessus sur la mort. C'est ainsi que le décès tout récent de Pierre Sire ne devait pas empêcher le mariage de Marguerite Bourgeois, la sœur de la nouvelle veuve, à Emmanuel Mirande dit Tavarez, installé en Acadie depuis trois ou quatre ans. Le curé Moireau était heureux de pouvoir célébrer un autre mariage dans sa nouvelle paroisse et dans une église presque terminée. Il n'en était cependant pas de même pour LaVallière, qui perdait encore un de ses bons ouvriers, qui plus est au profit des Bourgeois, car la veuve de Jean Boudrot possédait déjà une bonne terre dans le hameau des Bourgeois. Il joua toutefois son rôle de seigneur des lieux en agissant comme témoin au mariage et représentant de l'autorité française. Cependant, il n'organisa pas de fête comme pour les deux mariages précédents.

Avec tous ces mariages, Michel ne pouvait s'empêcher de penser à sa belle Mi'kmaq. Où était-elle? Que faisait-elle? Il aurait bien voulu la revoir et lui parler. Faisait-elle partie du même clan que Wasacook ou vivait-elle ailleurs? Était-il vraiment trop gêné pour aller la voir ou manquait-il tout simplement de courage?

— Dès demain matin, j'irai voir Wasacook, se dit-il à haute voix pour s'encourager. Au moins, je saurai si elle fait partie de son clan.

*U*n beau matin, Michel vit Wasacook se présenter à la porte du manoir. Il ne l'avait pas vu depuis son séjour au camp mi'kmaq l'hiver précédent. Il était allé faire un tour à leur campement de la rivière Au Lac au début de l'été, après leur déménagement, mais Wasacook n'y était pas. Un de ses oncles l'avait emmené en forêt. Michel avait donc erré dans le village dans l'espoir de revoir l'Indienne de ses rêves, mais sans succès. Les parents de son ami l'avaient invité à rester chez eux jusqu'au lendemain, au cas où leur fils reviendrait, mais Michel s'était senti trop gêné pour accepter, tout comme il n'avait pas osé non plus s'informer de la jeune Indienne. Avec Wasacook, il n'aurait pas ressenti la même gêne. Il avait cependant accepté, avant de partir, de partager une bouillie de blé d'Inde cuit avec du poisson, un mets qu'il n'avait pas particulièrement apprécié.

Le jeune Mi'kmaq était pieds nus et portait un pantalon de peau coupé au-dessus du genou et un genre de gilet sans manches ouvert sur la poitrine. Son torse était luisant d'une graisse d'ours que les Indiens utilisaient pour éloigner les moustiques.

Michel était content de le revoir :

— *Kué! Kué!* dit-il en s'avançant pour lui serrer la main.

— *Kué! Kué!* répondit le visiteur en souriant de ses belles dents blanches.

En plus des traditionnelles salutations, Michel avait appris quelques mots de la langue mi'kmaq, grâce au père Moireau, mais guère assez pour soutenir une conversation. Toutefois, avec quelques paroles et beaucoup de gestes, ils arrivaient à se comprendre.

Wasacook fit le signe de l'amitié en mettant sa main sur son cœur, puis il prit son nouvel ami par le bras et lui fit comprendre qu'il voulait l'entraîner à la pêche. Michel protesta en essayant de lui faire réaliser qu'il n'avait pas d'attirail de pêche, mais Wasacook le rassura en lui montrant un ballot de ficelle grossière, sans doute fabriquée à partir de la fibre d'un arbre quelconque, et quelques hameçons faits d'une tige de métal, qu'il avait visiblement obtenu en échange de fourrures d'animaux. « Français! » dit-il en montrant ses hameçons artisanaux.

Ils remontèrent donc la rivière jusqu'à ce qu'ils rencontrent un ruisseau. Ils le suivirent pendant un certain temps, mais ils devaient souvent s'en éloigner en raison de la densité de la végétation. Tout à coup, Wasacook s'immobilisa et fit signe à Michel de le suivre à travers les branches jusqu'au ruisseau, qui semblait plus profond à cet endroit. Wasacook sortit un genre de canif de sa poche en riant. Il le montra à Michel en disant : « Anglais! » Sans doute voulait-il signifier par là que les Indiens faisaient le commerce aussi bien avec les Anglais qu'avec les Français. La provenance des objets n'avait apparemment aucune importance pour eux.

Il coupa deux longues tiges d'un arbuste et installa sur chacune un bout de ficelle avec un hameçon, puis il attacha une petite pierre à courte distance de l'hameçon. Il retourna alors quelques vieilles souches pour y dénicher des vers de terre. Tout était prêt à être utilisé. Il installa Michel près du ruisseau, à côté d'un grand arbre, et lui montra comment procéder. Puis, il alla se placer un peu plus loin.

Michel avait à peine mis sa ligne à l'eau qu'une truite mordit à son hameçon. Il était émerveillé. C'était sa première expérience de pêche à la truite. Il devait bien y avoir des ruisseaux à truite près de Trois-Rivières, mais le sieur de la Poterie n'était pas homme à s'intéresser à ce genre de pêche. Et ce n'était pas le cas de LaVallière non plus, qui préférait naviguer en pleine mer et y pêcher à l'occasion.

Vers la fin de l'après-midi, les deux compagnons rentrèrent au manoir avec une belle brochée de truites enfilées sur une branche d'osier. Wasacook avait donné les siennes à Michel en lui laissant entendre qu'il pouvait aller s'en pêcher tant qu'il voulait. Marie était ravie d'avoir du poisson frais pour le lendemain. Après les avoir nettoyées et préparées, les deux amis allèrent les entreposer dans la glacière, un bâtiment encore à moitié plein de blocs de glace et de sciure de bois enfoncé dans la terre comme dans une cave. Wasacook était tout émerveillé de voir que l'on pouvait conserver de la glace alors qu'il n'y avait plus de neige sur la terre. Au campement, soit qu'ils boucanaient le poisson, soit qu'ils le séchaient ou le mangeaient tout de suite. Michel emmena son ami voir les autres dépendances avant qu'il ne prenne le chemin du retour. Il ne voulait cependant pas le laisser partir sans lui poser la question qui lui brûlait les lèvres. Il lui fit comprendre qu'il voulait savoir qui était cette Indienne à la longue tresse qu'il avait vue à leur campement l'hiver dernier.

— Oh! Cousine à moi, dit-il. Belle! Belle!

Sur ce point, Michel ne pouvait qu'acquiescer.

— Toi, viens au camp semaine prochaine. Elle de retour. Malika, répétait-il, Malika.

Michel demeura songeur, fasciné par son après-midi en compagnie de Wasacook, mais encore davantage par la perspective de revoir Malika. Il lui semblait avoir beaucoup en commun avec ces gens-là. Il n'avait qu'une envie, que la semaine passe rapidement.

Le lendemain après-midi, il se rendit trouver le père Moireau dans sa chambre, à l'arrière de l'église, résolu à apprendre sérieusement le mi'kmaq. Quelle ne fut pas sa surprise d'entendre le curé dire que Wasacook était venu le trouver de bonne heure ce jour-là pour apprendre le français !

LaVallière acceptait cette relation, sans toutefois l'approuver pleinement. Il trouvait que les relations avec les Indiens devaient être cordiales, certes, mais limitées à leur aspect commercial. Le père Moireau, qui venait d'arriver au manoir, se joignit à la conversation entre LaVallière et Michel. Il était par contre d'un tout autre avis.

— Pour convertir les Indiens, disait-il, il faut nous allier à eux, pénétrer dans leur monde. Il faut essayer de comprendre leurs croyances et leur spiritualité. C'est de cette façon que nous pourrons trouver une manière de les amener à embrasser la foi catholique. Après, ils deviendront nos frères en Jésus-Christ.

— Moi, je suis prêt à travailler avec vous, enchaîna Michel. Quand je pourrai parler leur langue un peu plus, je me rendrai au village pour mieux comprendre leurs habitudes de vie.

— D'accord, dit LaVallière, mais soit prudent. J'ai vu des choses atroces faites par les Indiens. Il vaut mieux rester sur ses gardes.

— Si nous voulons vraiment qu'ils adhèrent à notre religion, ajouta le père Moireau, il faut leur montrer, par nos actions, que nous sommes des gens honnêtes à qui l'on peut faire confiance. Et que nos bonnes mœurs viennent de notre foi en Dieu.

Michel était content d'avoir eu cette conversation. Il se sentait plus que jamais motivé et rassuré. Au moins, le gouverneur ne lui interdisait pas de voir son nouvel ami. Il supposait que ce serait la même chose pour Malika si jamais elle devenait aussi son amie.

Il n'y avait pas beaucoup de jeunes de son âge dans les environs. Même les enfants de LaVallière étaient tous plus jeunes que lui. Alexandre et Jacques, les deux aînés, n'avaient que quatorze et onze ans, et, de toute façon, ils passaient la grande majorité de l'année à Trois-Rivières, où ils étaient aux études.

Entre-temps, d'autres colons s'étaient installés dans la région de Beaubassin, comme Pierre Morin dit Boucher. Il avait épousé Marie Martin en 1661 et s'était d'abord établi à Port-Royal. Marie Martin était la sœur d'Andrée Martin, veuve de François Pellerin et maintenant épouse de Pierre Mercier dit Codebec. Cela la plaçait d'emblée dans le camp des Bourgeois. Il y avait aussi Jacques Blou, marié à Marie Girouard, la fille de François Girouard, un compagnon de route de Jacob Bourgeois. Ils étaient arrivés ensemble en Acadie en 1642. Les Bourgeois savaient comment aller se chercher des alliés. Peut-être faisaient-ils exprès pour occuper le plus possible le territoire afin de contrecarrer les visées de LaVallière ? Toujours est-il que ces nouveaux ménages s'installaient tous du côté est de la Mésagouèche et que cette constatation n'était pas de nature à plaire au seigneur de Beaubassin.

Michel et lui étaient allés voir ces nouveaux arrivants dans le but de leur faire signer un contrat de censitaire et leur octroyer légalement des terres, mais aucun n'avait voulu signer. Pour les amadouer, LaVallière proposa alors à deux d'entre eux, Pierre Morin et Michel Poirier, de les engager pour travailler à l'édification de ses digues près du manoir. En retournant au manoir, il ne cessait de répéter à Michel qu'il faudrait qu'ils aillent à Port-Royal pour recruter des colons, car la grande majorité des nouveaux arrivants venaient de là et qu'il n'avait pas pu en recruter à Québec. Ce développement du côté est de la rivière le rendait irascible ; ces terres-là faisaient aussi partie de sa seigneurie. Il avait de plus en plus l'impression que la rivière Mésagouèche constituait bien plus qu'une barrière physique.

Son agitation atteignit cependant son comble lorsque, par un bel après-midi ensoleillé, une goélette battant pavillon anglais vint mouiller dans la rade, à l'embouchure de la rivière Mésagouèche. Quatre hommes mirent une chaloupe à l'eau et remontèrent la rivière jusqu'à ce qu'ils soient en face de l'établissement des Bourgeois. Ils ancrèrent la chaloupe et marchèrent vers les habitations en transportant avec eux quelque chose d'assez lourd, qui aurait pu être un soc de charrue en fer. LaVallière crut reconnaître un des quatre hommes comme étant Germain Bourgeois, fils de Jacob qui, en plus d'exploiter une terre à Beaubassin, se disait marchand à Port-Royal. Un peu plus tard, les hommes retournèrent à la chaloupe avec des sacs de grain, sans doute du blé, qu'ils transportèrent jusqu'à la goélette.

— Ils n'ont pas le droit de commercer avec les gens de la Nouvelle-Angleterre sans passer par moi ! s'exclama enfin LaVallière. Après tout, c'est moi le gouverneur d'Acadie. Il faut que de tels agissements se règlent de gouvernement à gouvernement. Je vais aller à Québec voir Frontenac pour qu'il interdise cette pratique sur mon territoire.

LaVallière trépignait, il entrait et sortait du manoir avec fracas. Il était difficile de savoir exactement ce qu'il pensait. Lui-même n'hésitait pas à négocier avec les gens de Boston, même si ce commerce était condamné par les autorités françaises, mais il n'aimait pas que les autres en fassent autant. « Un seigneur, doublé d'un gouverneur, devait avoir des passe-droits », répétait-il. En tant que gouverneur d'Acadie, il s'était aussi autorisé à vendre des permis de pêche, le long des côtes acadiennes, aux pêcheurs de la Nouvelle-Angleterre.

— Michel, viens avec moi, dit-il enfin. Nous allons arrêter ce trafic tout à fait illégal qui se déroule sous mon nez, en plus !

Les deux hommes marchèrent à la rivière et s'installèrent dans la barque pour aller rejoindre les Anglais qui revenaient de la goélette. Cette fois, ils transportaient quelque chose dans un sac et, en échange, venaient chercher une dizaine de sacs de grain que les hommes de l'entourage des Bourgeois avaient déposés sur la levée au bord de la rivière. LaVallière s'adressa d'abord à Germain Bourgeois.

— Vous savez que le gouvernement français nous interdit de faire ce genre de commerce avec les Anglais. Je pourrais vous faire arrêter et mettre en prison.

— Je connais bien les exigences du gouvernement français, rétorqua Germain, mais comment ce gouvernement veut-il que nous vivions et développions ce pays sans instruments aratoires et sans outils ? Les quelques bateaux français qui transportent de ces produits se dirigent tous vers Québec.

— Ce n'est que partiellement vrai. Vous vivez ici dans une seigneurie, et je peux, moi, en tant que gouverneur et seigneur, vous procurer ces biens, soit de Québec ou directement de la France.

— Peut-être, mais vous ne le faites pas ! s'écria Germain en haussant le ton. Tout ce que vous transportez, c'est pour vous-même, afin de développer votre seigneurie, comme vous le laissez entendre. Et les autres ?

— Mais vous ne m'avez jamais rien demandé, et les autres non plus !

— De toute façon, laissa tomber Germain, moi, je suis enregistré comme marchand à Port-Royal. Je suis donc en dehors des limites de votre seigneurie, et je m'en réjouis !

— C'est de la foutaise et un subterfuge tout à fait ridicule, proféra LaVallière, rouge de rage. Vos terres sont ici, même si vous habitez Port-Royal. De plus, je suis gouverneur d'Acadie, et Port-Royal fait partie de l'Acadie, à ce que je sache. Je suis donc votre commandant. N'oubliez jamais cela.

Les Anglais écoutaient silencieusement avec un sourire en coin. Ils semblaient ravis de voir les Français se disputer entre eux. Michel ne savait que penser. Il lui semblait que les Bourgeois avaient raison. Peut-être que des navires français mouillaient à Port-Royal de temps en temps, mais il n'en avait pas vu un seul à Beaubassin. Par contre, il savait aussi que LaVallière avait été nommé gouverneur d'Acadie et qu'à ce titre il devait faire respecter la politique du gouvernement français. LaVallière dit aux Anglais, en partie dans leur langue et en partie en français, qu'ils n'avaient pas le droit d'être là et que, s'ils se présentaient de nouveau en Acadie, il confisquerait leur navire. Puis, il s'adressa de nouveau à Germain, qui ne semblait pas inquiété outre mesure par cette affaire, bien au contraire.

— Je laisse passer pour cette fois, mais je vous préviens : je ne laisserai pas passer une deuxième fois. De plus, je ferai un rapport à Frontenac lors de mon prochain voyage à Québec.

LaVallière évoqua cet incident plusieurs fois par la suite. Ce qui semblait l'irriter le plus, c'était son manque de contrôle sur l'ensemble de sa seigneurie. Il demanda à Michel de demeurer aux aguets.

— Il faudra que tu les surveilles de près. S'ils recommencent alors que je ne suis pas ici, tu devras essayer de les arrêter, ou au moins me faire un rapport détaillé par écrit que je pourrai envoyer à Frontenac.

Quelques jours plus tard, s'inquiétant toujours du manque de colons qu'il pouvait considérer comme ses censitaires, il dit à Michel :

— Prépare tes affaires, nous partons demain matin pour Port-Royal. Il nous faut plus de colons pour développer ce coin de pays.

C'était le jour que Michel avait choisi pour aller au village des Indiens. Il ne pouvait cependant pas refuser d'accompagner LaVallière. Cela faisait partie de ses attributions. Le lendemain matin, à la première lueur du jour, ils embarquèrent sur le *Saint-Antoine*, une goélette légère et rapide, en direction de Port-Royal. Michel avait hâte de connaître ce village dont on disait qu'il était le premier et le plus développé de toute l'Acadie. Il aimait bien ces voyages en bateau. Ils auraient pu faire le trajet avec la grande barque équipée d'une voile, car les eaux de la baie Française, malgré les très fortes marées, étaient facilement navigables, mais

LaVallière préférait voyager en goélette. C'était plus imposant, prétendait-il, et tellement plus agréable et rapide. Michel aussi préférait la goélette. Il y avait plus de place, mais aussi plus de travail. Il fallait hisser la grand-voile puis la voile de misaine, les carguer lorsque le vent soufflait trop fort ou encore les enrouler autour de la bôme, comme cela avait été le cas en entrant dans le golfe Saint-Laurent lorsqu'ils étaient venus de Trois-Rivières. Il devait aussi s'assurer que le foc était toujours bien dirigé. Il se plaisait dans ces diverses occupations, il se sentait utile et en pleine sécurité. LaVallière était un pilote expérimenté et il semblait ravi de voir Michel s'intéresser autant à la navigation. Avec lui, il n'y avait pas de souci à avoir. Souvent, il emmenait un autre pilote et deux ou trois marins pour les manœuvres, mais sur les petits trajets comme celui de Beaubassin à Port-Royal, il préférait naviguer avec un équipage le plus réduit possible.

Le voyage se déroulait sans encombre. Le clair de lune rendait la navigation plus agréable. Comme en plus le vent était favorable, ils voguèrent toute la nuit. Pendant un bon moment, Michel s'était installé à la proue, penché sur la rambarde, pour admirer la vaste étendue d'eau qui entourait le navire. Une légère brise venant de l'ouest lui chatouillait le visage. On n'entendait que le clapotis des vagues qui venaient régulièrement frapper la coque. Le jeune homme était heureux en imaginant Malika à ses côtés. Quel plaisir il aurait eu à l'embrasser dans la pénombre de la nuit ! Quelques instants après, le souvenir de Saint-Pierre lui vint à l'esprit. Il lui semblait revoir la goélette de LaVallière, toutes voiles déployées, qui se dirigeait vers le petit port aménagé par Nicolas Denys. Il rêvait déjà à cette époque de prendre le large avec son héros. Il se sentait pleinement heureux, humant l'air salin et se grisant de la douceur de l'air nocturne.

LaVallière lui cria de venir le rejoindre : ils étaient vis-à-vis du bassin des Mines, où un nouvel établissement commençait à peine à se développer. S'ils avaient eu le temps, ils auraient pu s'y arrêter. Le gouverneur connaissait les Melanson, une des trois ou quatre familles qui venaient tout juste de s'établir là, mais il voulait arriver au plus vite à Port-Royal.

Le lendemain midi, ils franchissaient le goulet qui protégeait l'entrée du bassin de Port-Royal. Ils longèrent d'abord l'Île-aux-Chèvres avant d'apercevoir les ruines du fort.

— C'est ici, dit LaVallière en pointant l'Île-aux-Chèvres, que Jacob Bourgeois est installé. Il n'habite même pas Beaubassin et essaye d'y faire la loi !

Après avoir dépassé le fort et le centre du village, ils remontèrent la rivière Dauphin. Celle-ci était suffisamment large, du moins au début, pour qu'ils puissent en remonter une bonne partie avec la goélette.

— Il faut seulement faire attention de ne pas nous faire prendre par la marée basse, car nous risquerions alors de nous enliser. Nous devrions avoir au moins cinq ou six heures devant nous.

Le spectacle de chaque côté de la rivière Dauphin était grandiose. Selon toute vraisemblance, chaque famille possédait un terrain qui aboutissait à la rivière. Il s'agissait de parcelles allongées qui se terminaient par une digue empêchant l'eau de la rivière d'inonder le terrain à l'arrivée des marées. Sur les deux rives, on apercevait, plus en amont, une longue file d'habitations derrière lesquelles des champs remontaient jusqu'à la forêt. Ce genre de disposition n'était pas reproduit aux abords du bassin. Les habitants avaient sans doute jugé qu'il était plus prudent de s'en éloigner pour ne pas être exposés à d'éventuelles attaques par les Anglais.

À environ une demi-lieue de l'embouchure de la Dauphin, LaVallière mouilla l'ancre et aida Michel à mettre la chaloupe à l'eau. À partir du rivage, il était assez facile d'escalader la levée et de se rendre jusqu'aux habitations. La largeur des digues qui séparaient les terrains en faisait de véritables chemins. En remontant vers les habitations, on apercevait des bêtes à cornes et des brebis attroupées par petits groupes de l'autre côté des habitations, sur des terrains plus élevés.

Le système était sensiblement le même qu'à Beaubassin, sauf qu'ici tout était plus symétrique, mieux rangé. Tout l'espace semblait occupé, alors qu'à Beaubassin, on n'y rencontrait que peu de parcelles en culture. Même les habitations et les dépendances, toutes à colombages et en torchis, paraissaient plus propres et mieux entretenues que dans la seigneurie de LaVallière.

La première habitation à laquelle ils aboutirent était celle de Bonaventure Terriot et Jeanne Boudrot. Ils accueillirent les visiteurs avec empressement dès qu'ils apprirent qu'il s'agissait du gouverneur d'Acadie. Ils leur offrirent de la bière d'épinette et des biscuits, et LaVallière discuta un moment avec eux de la vie à Port-Royal. Comme le couple n'avait que des filles, en bas âge par surcroît, cela ne pouvait pas servir leur cause. Par contre, les Terriot les renseignèrent sur les familles comptant de jeunes hommes capables de s'établir sur une terre qu'ils pourraient développer à leur guise.

C'est ainsi qu'ils se rendirent chez Michel Boudrot, le père de Jeanne, qui avait deux jeunes au début de la vingtaine. Ensuite, ils passèrent chez Daniel LeBlanc, chez Francis Gautreau et chez Antoine Babin, mais ils ne trouvèrent personne qui envisageait de déménager à Beaubassin, et encore moins dans une seigneurie où ils auraient des redevances à payer. À Port-Royal, il n'y avait ni impôt, ni redevance. Ils pouvaient ainsi bénéficier entièrement du fruit de leur travail. LaVallière voulait tellement de nouveaux bras pour développer sa seigneurie qu'il était prêt à faire des aménagements : « Pas de redevances pendant cinq ans », leur disait-il, « et je vous procurerai l'aide de mes propres employés, en plus de celle que vous obtiendrez certainement des autres habitants du village, pour construire vos digues le long de la rivière. L'entraide est importante pour réaliser ces gros travaux d'endiguement. » Même dans ces conditions, il n'arrivait pas à convaincre qui que ce soit. En fin de journée, ils retournèrent bredouilles au bateau, descendirent la rivière et se rendirent au centre du village pour saluer l'abbé Louis Petit. LaVallière voulait solliciter son aide afin qu'il essaye, de son côté, de recruter des jeunes pour coloniser sa seigneurie, mais l'abbé n'était pas trop disposé à aider un représentant du gouvernement français. En fait, il n'avait que des revendications à faire.

— Nous sommes ici sans protection, sans garde militaire aucune. Vous êtes le gouverneur, vous devriez commencer par réparer le fort et y installer une garnison militaire. Nous savons tous que les Anglais convoitent toujours ce pays et peuvent s'y présenter à n'importe quel moment. Que pouvons-nous faire alors, excepté aller rejoindre les Indiens dans les bois pour demander leur protection? Jusqu'à maintenant, ils nous ont plus aidés que le gouvernement français.

— Je ne demande rien de mieux que de voir des soldats français sur la terre d'Acadie, mais la France ne nous envoie rien. Même moi, je n'ai pas reçu un louis depuis que j'ai été nommé gouverneur. J'ai envoyé plusieurs courriers à Frontenac par des passants, mais j'attends toujours sa réponse. Je vais être obligé de me rendre moi-même à Québec et peut-être même en France si les choses ne changent pas.

— Non seulement on ne s'occupe pas de notre sécurité, mais on nous empêche de faire du commerce avec Boston. Nous avons du grain à revendre et un important cheptel; où sont les Français qui pourraient nous acheter ces produits afin que nous puissions à notre tour nous procurer les nécessités de la vie? Actuellement, nous sommes obligés de dépendre des Anglais, nos ennemis de toujours. La semaine dernière encore, Pierre Arsenot et Jacob Bourgeois ont dû se rendre à Boston pour y acheter de la marchandise en échange de bêtes à cornes et de moutons.

LaVallière en avait assez. Il se leva d'un bond et fit signe à son compagnon de route qu'il était temps de partir. Michel n'avait pas dit un mot, mais il commençait à comprendre les enjeux et les tractations qui se déroulaient en Acadie. Il imaginait bien ce que ces colons voulaient avant tout: la liberté. La liberté de vivre comme ils l'entendaient, sans contraintes; la liberté de commercer avec qui ils le voulaient afin d'assurer leur survie; la liberté de chasser à leur guise, de pêcher sans avoir besoin d'un permis et d'échanger avec les Indiens ou avec les Anglais. L'important, c'était de pouvoir vivre heureux et en paix. Visiblement, vivre sous l'autorité d'un gouverneur, doublé pour certains d'un seigneur, paraissait comme une entrave à ce désir de liberté. Pourtant, Michel était conscient que, pour vivre en société, il fallait un minimum de lois et que celles-ci devaient être respectées. L'anarchie n'était certainement pas une solution. Le dilemme était de taille. *Les jésuites de Québec auraient été bien contents de m'entendre raisonner de la sorte*, se dit-il en souriant.

La semaine suivante, de retour à Beaubassin, Michel prit son courage à deux mains et décida d'aller faire un tour au campement des Indiens. Bien entendu, il espérait pouvoir parler à sa belle Malika, ou du moins la voir. Il suivit le sentier des Indiens qui longeait la rivière de l'autre côté du morne. Au bout de deux heures de marche, il vit le campement. En apercevant cette dizaine de wigwams agglomérés près de la rivière, son cœur se mit à battre très fort. Il réalisa à l'instant qu'il venait là non pour voir Wasacook, mais Malika. Cette constatation lui fit mal, il avait le sentiment de trahir son ami. Il se demanda même s'il ne ferait pas mieux de rebrousser chemin, mais non. Maintenant qu'il était là, il valait mieux qu'il aille jusqu'au bout de ses intentions. Retourner à Beaubassin n'aurait eu aucun sens. Il s'aventura donc jusqu'au campement.

Aux abords du regroupement de wigwams, il aperçut une quantité de peaux d'animaux étirées sur des brancards faits de branches d'arbres et qui étaient là à sécher. Des hommes, rassemblés au bord de la rivière, s'affairaient à construire un canot d'écorce. Ils étaient pour la plupart torse nu et portaient les cheveux très longs Le sagamo reconnut Michel et vint à sa rencontre.

— *Kué! Kué!* dit-il.

— *Kué! Kué!*

— *Mé talwléin?*

— *Wela'lin*, répondit Michel, tout content de montrer qu'il s'était donné la peine d'apprendre quelques mots dans leur langue.

Le père de Wasacook vint aussi le saluer. Il lui apprit que son fils était parti à la pêche cette fois. Il semblait dire qu'il n'avait d'intérêt que pour la pêche et la chasse. Des Indiennes s'affairaient à préparer à manger à l'extérieur, dans un grand chaudron suspendu au-dessus d'un feu de bois. Il les regarda attentivement, mais ne vit pas Malika. Où pouvait-elle bien être ? Sa déception lui donna une faiblesse dans les jambes. Peut-être ne vivait-elle plus dans ce village ? Il regarda quelques instants les hommes travailler à poser délicatement de larges bandes d'écorce de bouleaux, qu'ils appelaient *mashqui*, sur une structure faite de branches d'arbres. Il admirait leur dextérité et se dit qu'il ne pourrait jamais en faire autant. L'assemblage des canots d'écorce constituait tout un art qui devait être difficile à apprendre. Il les regarda distraitement pendant quelque temps, répondant à leurs sourires et jetant furtivement des coups d'œil du côté des femmes qui s'affairaient toujours autour du chaudron. Était-ce bien de la nourriture qui cuisait dans le chaudron ? Il ne savait pas comment poser la question au sagamo ou aux hommes du clan.

Comme il ne nourrissait aucun espoir de revoir Malika ou Wasacook, il décida de s'en aller, mais le chef le rappela et lui fit signe de le suivre. Il l'emmena près d'un wigwam d'où sortait une petite fumée qui sentait fort le poisson. Il entra à l'intérieur et en sortit avec une demi-douzaine de harengs fumés.

— *Kokumikn*, dit-il. Famille, ajouta-t-il en français.

— *Wela'lin !* répondit Michel, encore tout content de ses nouvelles connaissances.

Le chemin de retour lui parut d'une longueur infernale. Il aurait tant aimé revoir sa Malika ! Elle ne lui avait adressé qu'un sourire, mais il y avait vu une telle tendresse qu'il n'arrivait plus à l'en soustraire de ses pensées. L'image de ce sourire lui revenait constamment, bien malgré lui. Son arrivée au manoir le fit vite sortir de sa rêverie. Les hommes avaient dû soigner une vache malade et LaVallière semblait lui reprocher de ne pas avoir été là. Heureusement, sa maladie n'avait pas été fatale. Deux jours plus tard, elle était de nouveau sur pattes.

La fin de l'été fut marquée par d'autres mariages qui, encore une fois, favorisaient le développement de Beaubassin du côté est de la rivière Mésagouèche. Ainsi, Marie Bourgeois, veuve de Pierre Sire et fille de Jacob, épousa Germain Girouard, fils de François Girouard, qui venait de déménager à Beaubassin.

LaVallière, en tant que représentant du roi de France en Acadie, n'avait d'autre choix que d'agir une fois de plus comme témoin pour la partie civile. Il mit donc ses vêtements d'apparat, sa perruque et son grand chapeau au bord allongé de chaque côté, et il se rendit à la chapelle.

Après la cérémonie religieuse, une grande fête était organisée chez Germain Bourgeois, le frère de la mariée, qui venait de se construire une nouvelle maison à Beaubassin. La plupart des gens de la communauté y étaient. Avec le temps, le village avait grossi : on comptait maintenant une bonne douzaine de familles, qui toutes avaient des enfants en bas âge. Même Marie Denys y était, mais LaVallière avait préféré ne pas s'y présenter. Une demi-douzaine de poulets cuisaient sur une rôtissoire improvisée et une grande quantité de légumes, fraîchement cueillis du jardin, bouillaient dans un gros chaudron suspendu dans la cheminée. Jacob, le père de la mariée, avait apporté un petit tonneau de vin français qu'il disait avoir acheté à Boston, ce qui fit rire tout le monde.

La fête allait bon train lorsque Jean Campagna se présenta, complètement ivre. Comme il exploitait maintenant une terre que LaVallière lui avait concédée en échange de son travail, il avait été invité à la fête. Cependant, il n'avait pas assisté à la cérémonie religieuse puisqu'il se définissait lui-même comme un athée. Il arriva à la fête en titubant et en accusant Germain d'épouser Marie seulement pour avoir la terre du défunt Pierre

Sire. Michel se leva pour aller le faire taire, puisqu'il représentait le seigneur de Beaubassin, mais Germain lui fit signe de ne pas bouger, qu'il allait lui-même s'en occuper.

— Écoute! dit-il. Tu es ici chez moi et nous sommes en train de fêter le mariage de ma sœur. Si tu veux participer à la fête, assieds-toi dans un coin et tiens-toi tranquille. Autrement, je t'enferme dans la grange.

— Toi, ne fais pas ton coq! lui cria-t-il. Toi et tes acolytes, vous croyez être les propriétaires du village, mais vous n'êtes rien de plus que moi ou les autres qui ne sont pas de votre clan. Ne t'inquiète pas. Je m'en vais. Mais vous me reverrez bientôt!

— C'est ça! lui cria Madeleine, la femme de Germain. Va-t'en chez les sauvages et les sorciers, où tu appartiens!

— C'est vous autres qui devriez aller chez les sauvages, ils vous apprendraient peut-être quelques leçons d'accueil et d'amabilité.

Jean dévala la côte, embarqua dans son canot et disparut vers l'embouchure de la Mésagouèche.

L'automne était la saison de l'année où les activités s'avéraient les plus diversifiées et les plus soutenues. On aurait dit que les habitants du village avaient oublié leurs différends afin de mieux se préparer à affronter l'hiver. Le foin avait déjà été coupé et engrangé. Dans les champs qui n'avaient pas encore été endigués, on avait récolté la misotte qui poussait un peu partout dans les prés marécageux. On fauchait et l'on raclait ce foin, mais il fallait ensuite le mettre en meules sur des chafauds pour le faire sécher avant de le transporter aux granges sur des brancards. Lorsque les granges regorgeaient de foin, on le laissait sur le champ en meules empilées sur les chafauds. Comme les terres autour du manoir de LaVallière n'avaient pas encore été ensemencées, on y avait récolté une quantité impressionnante de misotte afin de nourrir les bêtes pendant l'hiver.

Il convenait maintenant de s'attaquer à l'orge et à l'avoine et, presque en même temps, au blé et au lin. De son côté, Michel avait fait la récolte de son jardin potager. Cette année encore, il avait eu une récolte exceptionnelle, surtout de navets et de choux.

On les avait placés dans un caveau creusé dans la terre à côté de la maison. Le soin du jardin revenait en principe à Marie Denys, mais elle se trouvait pratiquement toujours enceinte durant l'été, ce qui limitait passablement les travaux physiques qu'elle pouvait faire. Marguerite était née l'année précédente et Barbe venait de voir le jour.

Comme il n'y avait pas encore de blé ou d'avoine à récolter chez Lavallière, Michel s'aventurait souvent de l'autre côté de la Mésagouèche. Il aimait donner un coup de main aux uns et aux autres. Le travail au grand air lui plaisait, d'autant plus qu'il apprenait en même temps les différentes techniques de récolte. Il convenait d'utiliser une faux pour couper l'avoine et le sarrasin, dont la tige était épaisse, tandis qu'une faucille suffisait pour le seigle, l'orge et le blé. Le travail avec la faucille revenait le plus souvent aux femmes; seuls les hommes manipulaient la faux. C'est Emmanuel Mirande qui lui avait appris à manier cet instrument.

Il fallait sécher le blé et l'avoine au soleil avant de les battre au fléau, un instrument fait de deux bâtons liés par des lanières de cuir. Le plus compliqué, c'était la récolte du lin. Ce travail était laissé aux femmes. On devait arracher la tige plutôt que de la couper afin de pouvoir la manipuler plus facilement. Michel aimait les regarder travailler et leur donner un coup de main à l'occasion. Elles prenaient les tiges par poignées pour les arracher et en détachaient d'abord les graines de lin, qu'elles utiliseraient plus tard comme médicament. Puis, elles mettaient les tiges à tremper dans un ruisseau pendant quelques semaines afin de les ramollir. Avant que l'on puisse utiliser le lin pour en faire des vêtements, il fallait le faire sécher, le broyer pour rompre les tiges, le nettoyer avec un grand couteau de bois et l'enrouler sur des quenouilles avant de le filer. C'était un procédé qui prenait beaucoup de temps et qui nécessitait souvent l'aide des voisins.

Un jour, le jeune homme resta un bon moment à la ferme de Michel Poirier, qui se trouvait à une demi-heure de marche en amont de la Mésagouèche. Tout ce bourdonnement d'activités l'impressionnait. Cela lui faisait penser à une ruche. Marie Boudrot, la femme de Michel Poirier, lui expliqua que, la semaine suivante, elles iraient chez Germain Girouard pour effectuer les mêmes tâches. C'était ainsi que se déroulaient les corvées. On échangeait des journées de travail.

Malgré la faible population du nouvel établissement, le curé Moireau avait fort à faire. La communauté était jeune et les naissances ne manquaient pas. Non seulement devait-il baptiser les enfants des Blancs, mais aussi, dans plusieurs cas, ceux des Indiens. Lorsque ces derniers se convertissaient, ils le faisaient généralement en famille. Wasacook, son plus jeune frère, ses deux sœurs et ses parents étaient du nombre.

Cette année-là, d'autres colons étaient venus s'installer à Beaubassin, tel que Jacques Cochu, à qui LaVallière avait octroyé une concession de terre en amont de la Mésagouèche. La population du village augmentait, mais, en même temps, des personnes mourraient. Cette fois, les victimes étaient des femmes. Parmi elles, Jeanne Bernard, la femme de Guyon Chiasson, était décédée à l'âge de trente-cinq ans, laissant derrière elle huit enfants. La famille habitait à la pointe Beauséjour, non loin de LaVallière, qui leur avait concédé une terre. Les plus jeunes enfants furent placés dans différentes familles. Le seigneur de Beaubassin contribua en acceptant de prendre le jeune Gabriel à son service même s'il n'avait que quatorze ans.

En plus de ses tâches, l'abbé Moireau cherchait à fonder une école pour éduquer les enfants du village, qui commençaient à être nombreux. Il avait fait appel à Michel pour l'aider, car celui-ci avait passé plusieurs années sur les bancs d'école à Québec et, par conséquent, savait bien lire, écrire et calculer, les trois choses que l'abbé désirait apprendre aux enfants. LaVallière ne voulut toutefois pas donner son accord. Il encourageait l'éducation des enfants du village, mais il avait besoin de Michel, disait-il.

— J'ai encore l'espoir, avait-il confié au père Moireau, de faire de Beaubassin le chef-lieu d'une belle et grande seigneurie.

J'encourage vivement la fondation d'une école, mais, si vous n'avez pas suffisamment de temps pour vous occuper du développement intellectuel des enfants, faites venir d'autres récollets. Il y en a certainement plusieurs en France qui ne demanderaient pas mieux que de s'aventurer dans le Nouveau Monde. Moi, il me faut Michel.

En effet, peu de temps après, il nomma Michel chef de la milice afin qu'il veille à garder l'ordre dans le village et à favoriser la bonne entente. Cette fonction lui convenait, car il croyait beaucoup en la discipline et la collaboration. Si la colonie voulait se développer, il fallait que l'harmonie y règne.

— Toutes les colonies françaises de la Nouvelle-France, ajouta LaVallière, se doivent d'avoir un chef de milice pour favoriser l'harmonie et faire observer la loi.

LaVallière ne tarda pas à envoyer son lieutenant en mission. Avec maître Pertuis, son notaire, il avait dressé des contrats stipulant en détail les obligations seigneuriales de chacune des familles qui disposaient d'une terre sur son territoire. Michel devait aller les voir, leur expliquer en quoi consistait le contrat et demander à chacun de le signer.

Celui-ci s'exécuta, tout en soupçonnant qu'il n'aurait probablement pas la partie facile. Il connaissait tous les habitants du village pour les avoir rencontrés à plusieurs reprises, à la messe du dimanche ou ailleurs. À la demande de LaVallière, Michel avait souvent sollicité dans le passé une contribution en espèces des quelques familles qui exploitaient des terres en production, mais bien peu avaient répondu positivement à son appel.

Il venait de traverser la Mésagouèche lorsqu'il aperçut Guillaume Bourgeois qui venait de quitter sa chaloupe pour remonter au village. Michel eut à peine le temps de lui expliquer le but de sa visite que celui-ci rétorquait :

— Qu'il nous laisse tranquilles, celui-là ! Nous voulons développer ce village et vivre en paix. Les autorités françaises ne nous ont jamais rien donné. Tout va à la Nouvelle-France du côté de Québec ; rien n'est prévu pour l'Acadie. Nous possédons des terres productives qui nous permettent de nous autosuffire et, maintenant, la France voudrait nous enlever cela ? Non, jamais !

— Mais LaVallière ne veut pas vous enlever quoi que ce soit, protesta Michel en essayant d'être convaincant. Il veut seulement que vous lui concédiez une petite partie de votre récolte, comme cela se fait partout en France ainsi qu'en Nouvelle-France.

— Justement, nous ne sommes ni en France, ni en Nouvelle-France, où l'on a construit des habitations pour les colons. Ici, il a fallu tout faire nous-mêmes : trouver des terres que personne n'occupait, les rendre productives, construire nos maisons. Et maintenant, la France voudrait que nous lui en donnions une partie ! Non ! Non ! Jamais ! Qu'il aille fonder une seigneurie ailleurs, où il n'y a personne.

— Mais si nous voulons faire de Beaubassin un endroit où il fait bon vivre, continua Michel, il est nécessaire d'instaurer une certaine hiérarchie. C'est ainsi que nous arriverons à établir une forme de justice sociale afin que les habitants puissent vivre en harmonie.

— D'accord pour l'harmonie, mais nous n'avons pas besoin d'un grand seigneur pour faire ça. Pour l'instant, chacun fait son travail et nous nous entraidons lorsque c'est nécessaire. Mais nous voulons aussi pouvoir traiter avec les Indiens d'ici et les gens de la Nouvelle-Angleterre sans surveillance constante des autorités françaises et sans l'obligation d'obtenir leur approbation.

— Sur ce point, tu as probablement raison, l'autosuffisance des colons de Beaubassin passe par les échanges commerciaux. Si nous ne pouvons pas échanger nos produits contre des produits ménagers ou aratoires, contre des peaux d'animaux pour nous tenir au chaud ou contre de l'argent, le village ne pourra pas se développer adéquatement. Mais tout cela pourrait se faire dans le cadre d'une seigneurie si nous voulions nous en donner la peine.

— Michel, tu viens de me montrer que tu as compris beaucoup de choses. Alors, tu dois être suffisamment intelligent pour comprendre pourquoi je ne signerai pas ce document. Je tiens trop à ma liberté.

À son retour, Michel s'abstint de parler à LaVallière de la discussion qu'il avait eue avec Guillaume Bourgeois. Il lui dit seulement que les gens qu'il avait rencontrés ne semblaient pas trop intéressés par le contrat proposé.

— Je m'attendais à cela, rétorqua le seigneur, mais, tôt ou tard, il va bien falloir qu'ils reconnaissent qu'ils sont installés dans ma seigneurie, une concession de terre qui m'a été légalement octroyée par les autorités françaises par l'entremise de Frontenac, leur représentant en Nouvelle-France. Les autorités vont les obliger à obtempérer, car l'Acadie est d'une trop grande importance stratégique pour le développement de la Nouvelle-France. Toute cette région forme une zone tampon. Pour les Anglais, l'assujettissement de l'Acadie est une étape vers la conquête de la vallée du Saint-Laurent. L'union de l'Acadie sous une même gouvernance nous donnera plus de force pour repousser l'ambition des Anglais.

Deux jours plus tard, Michel partit distribuer ses derniers documents du côté ouest de la rivière Tintamarre, où habitait entre autres Thomas Cormier, qui avait quitté LaButte pour s'établir à Vechcaque. Le vent à LaButte s'était avéré insupportable, même par temps calme et Thomas avait dit avoir trouvé une place idéale pour s'installer, en face d'un large marais qu'il pourrait facilement endiguer. Ce trajet représentait pour Michel un voyage de quelques heures, dont une bonne partie en canot. En abordant l'embouchure de la rivière Tintamarre, où il y avait aussi un campement indien, il ne put s'empêcher de penser au campement de la rivière Au Lac. Wasacook était-il encore parti à la pêche ? Et Malika, était-elle partie ailleurs ? Comme il aurait aimé la revoir ! Il lui semblait que son sourire avait été une invitation. Si seulement il avait pu lui parler, il aurait pu voir quels étaient ses sentiments envers lui. Son image venait briser la monotonie de ce voyage en solitaire sur la rivière. Il pagayait avec plus d'entrain.

Thomas était en train de labourer un champ avec ses deux bœufs de trait lorsque Michel arriva aux bâtiments. Il attacha ses bœufs à un poteau à l'entrée du champ et invita son visiteur à s'asseoir sur un tas de billots empilés au côté du jardin. Le soleil déclinait et l'on jouissait d'une vue imprenable sur la rivière Tintamarre, très large à cet endroit.

— Les couchers de soleil sont merveilleux ici, dit-il, aussi bien sur la rivière que sur le bassin, que l'on distingue très nettement là-bas par temps clair.

Michel contempla pendant un bon moment ce lieu paradisiaque. Lorsqu'il voulut expliquer le document à Thomas, celui-ci l'interrompit pour lui apprendre qu'une réunion devait avoir lieu le dimanche suivant, en après-midi, chez Germain Girouard.

— Les hommes ont insisté pour que tu sois présent, ajouta-t-il.

Michel était souvent allé chez Thomas Cormier lorsque celui-ci habitait à La Butte, tout proche du manoir. Il aimait bien cette famille chez qui il se sentait toujours le bienvenu. Il adorait les bouillis de légumes que lui faisait Madeleine Girouard, la femme de Thomas, avec de la viande salée. Cela dit, cette fois-ci, même s'il ne sentait aucune animosité de la part des Cormier, il demeurait inquiet et quelque peu intimidé. Pourquoi une réunion chez Germain Girouard, le beau-frère de Guillaume Bourgeois? Ce dernier n'avait pas de maison à Beaubassin, contrairement à son frère Germain. Il ne faisait qu'exploiter une terre sur laquelle se trouvaient quelques dépendances. Michel supposait que cette réunion avait pour but de discuter davantage des contrats sur les droits et les devoirs liés à leur présence dans la seigneurie.

— Nous voulons que tu viennes seul, ajouta Thomas, et que LaVallière ne soit pas mis au courant de notre démarche.

— Je serai au rendez-vous, ajouta simplement Michel, sans pouvoir dissimuler son inquiétude.

Après le repas (un pot-au-feu à la poule avec des légumes du jardin), les deux hommes parlèrent de choses et d'autres, sans évoquer davantage le contrat que Thomas semblait déjà connaître. Lui aussi savait lire et écrire, ce qui était loin d'être le cas de tous les habitants de Beaubassin.

On ne demanda même pas à Michel s'il voulait coucher là; Madeleine lui avait déjà installé un matelas de paille dans la grande pièce. Il eut du mal à trouver le sommeil en raison de ce qui l'attendait le dimanche suivant. Que voulaient ces hommes au juste? Cette rencontre était vraisemblablement liée au contrat seigneurial, mais pourquoi avaient-ils insisté pour qu'il soit présent et qu'il vienne seul? Ces questions sans réponse l'angoissaient.

Avant que le jeune représentant du seigneur ne reprenne la route, Madeleine lui prépara une assiette de fèves au lard avec du bon pain de pays, comme il l'aimait. Il se sentait choyé de recevoir autant d'attention.

— Je l'ai fait ce matin, dit-elle avec fierté au milieu des cris des enfants qui ne cessaient d'entrer et de sortir. Je me suis rappelé que tu aimais mon pain lorsqu'il sortait du four, dit-elle avec un large sourire.

Il avait toujours adoré le pain de Madeleine. Il se demandait ce qu'elle pouvait bien mettre dans la pâte pour que son pain soit aussi différent de celui de madame Marguerite, et même de celui de Marie Denys. Il aimait bien aussi les repas qu'elle semblait préparer avec tant de plaisir.

Sur le chemin de retour, Michel ne put s'empêcher de penser à ce qui l'attendait le lendemain. Qu'avaient-ils à lui dire? Il savait qu'il ne pourrait pas soutenir bien longtemps le point de vue de son protecteur. Au fond, il était passablement d'accord avec les arguments de Guillaume Bourgeois. S'ils voulaient vivre de façon autonome, il fallait que les habitants puissent échanger aussi bien avec les Indiens qu'avec les Bostonnais ou les pêcheurs de la baie Verte et du Cap-Breton. C'était la seule façon d'arriver à développer ce pays et de vivre convenablement. *Cette terre produit presque tout ce dont on a besoin*, se disait-il. *On a de la farine en quantité, du bétail, du lait, du fromage, de la volaille, des œufs, de la viande salée, séchée ou fumée, de même que du poisson, des légumes secs hors saison et des pommes fraîches ou séchées. On en a largement assez pour en vendre et pour échanger.*

Michel arriva à la maison complètement épuisé, mais avec le net sentiment d'avoir fait un bon bout de chemin sur la voie de son parcours personnel. Dorénavant, il allait travailler au développement du village en aidant les gens à s'installer. *Au fond*, se dit-il, *cela rejoint les vœux de LaVallière. Lui aussi souhaite développer Beaubassin; seulement, il s'y prend mal. Il considère son autorité comme de la force, alors qu'il conviendrait de négocier, d'être plus attentif aux besoins des autres.*

Lorsqu'il arriva chez les Girouard, le lendemain après-midi, il vit un groupe d'hommes assis dehors sur des bûches de bois. Ils devaient être une bonne douzaine qui discutaient ardemment. Tous saluèrent Michel cordialement.

— Merci d'être venu te jeter dans la gueule du loup! s'exclama Guillaume en riant.

— Je ne suis pas une brebis! répliqua Michel du tac au tac.

Sa remarque les fit rire aux éclats, ce qui sembla mettre tout le monde à l'aise. Guillaume tenait le contrat de LaVallière à la main. Il était clair qu'ils étaient tous rassemblés pour discuter des conditions du contrat que le seigneur leur proposait. Michel était surpris de voir que d'anciens ouvriers de LaVallière étaient là, dont Jean-Aubin Migneaux, Jacques Blou et Guyon Chiasson. Guillaume Bourgeois, qui apparaissait comme le meneur de la réunion, s'adressa à Michel.

— Michel, nous savons que tu n'es pas seulement employé par LaVallière mais que tu fais partie en quelque sorte de sa famille. Nous t'avons vu prendre sa défense à plusieurs reprises. Mais ceux qui ont eu l'occasion de discuter avec toi pensent que tu comprends notre situation. Soyons clairs et brefs. Es-tu avec nous ou contre nous ?

— Oh là là ! La question est pour le moins brutale ! On ne peut pas voir le monde en noir et blanc. Rien ne peut être aussi catégorique. Pour ne pas tomber dans l'anarchie, une société se doit d'être organisée, c'est-à-dire d'avoir une certaine forme de hiérarchie.

— Là je t'arrête, Michel. Nous ne sommes pas contre l'organisation et la hiérarchie ; nous ne voulons tout simplement pas voir la France s'ingérer dans notre communauté. Nous ne voulons pas être gouvernés par un pays qui, de toute façon, ne nous a jamais rien donné. Nous voulons vivre librement. C'est pour cela que nous nous sommes établis dans ce pays. Nous voulons pouvoir commercer et échanger avec les Bostonnais sans avoir à passer par le gouverneur, comme il est stipulé dans le contrat que ton chef nous propose. Actuellement, nous sommes obligés de commercer clandestinement aussi bien avec la Nouvelle-Angleterre qu'avec les Indiens.

— Sur ce point, vous avez raison. J'y ai déjà réfléchi et je vais essayer de faire modifier cet article du contrat. Mais pour la hiérarchie, je ne peux pas ignorer le fait que c'est LaVallière que Frontenac a nommé gouverneur de l'Acadie et pas un autre. Il représente donc une certaine autorité morale à l'intérieur d'une unité administrative.

— Bon ! Je crois que nous comprenons ton point de vue, Michel. Comme tu es un proche de la famille de LaVallière, tu ne peux pas t'opposer à lui, mais je pense que tu nous comprends également.

— Absolument !

— Voici pourquoi nous t'avons fait venir. Nous sommes onze personnes rassemblées ici cet après-midi. Nous avons tous signé un document qui stipule que nous n'acceptons pas le contrat de concession que LaVallière nous propose. Tu vas apporter ce document à ton chef en lui disant qu'il s'agit de notre réponse collective à sa proposition.

La discussion terminée, les hommes se dispersèrent. Michel et quelques autres dévalèrent la pente qui menait à la rivière. Les hommes parlaient entre eux, mais Michel ne les écoutait pas. Il entrevoyait déjà la réaction du seigneur. Assis dans sa chaloupe, il examina la liste des onze signataires du document, tous des gens qui comptaient pour beaucoup dans la communauté de Beaubassin : Pierre Morin, Guyon Chiasson, Michel Poirier, Roger Kessy, Claude Dugast, Guillaume Bourgeois, Germain Bourgeois, Jacques Blou, Germain Girouard, Jean-Aubin Mignault et Thomas Cormier. Michel avait du mal à quitter cette liste des yeux. Ils étaient tous des chefs de famille importants. Ensemble, les membres de leurs familles devaient constituer pas moins des trois quarts de la population de Beaubassin.

Comme Michel s'y attendait, LaVallière accueillit le document avec une violence incroyable. Il claqua la porte de son bureau, une pièce annexée au manoir qu'il avait fait construire l'année précédente pour lui et son notaire. Ce dernier y avait d'ailleurs installé sa chambre à coucher, ce qui n'était pas pour déplaire à Michel, car maître Pertuis ronflait beaucoup. LaVallière entra dans la maison en coup de vent. Il dit à Marie :

— Ils ne veulent pas signer de contrat. Aucun d'eux n'a signé. Je pars à Québec dès demain pour présenter ce cas au Conseil souverain de la Nouvelle-France. Ils n'ont pas le droit de faire ça. Pas le droit.

— Calme-toi ! répliqua Marie. Tu ne peux pas partir comme ça sur un coup de tête. Attends quelques jours. Ils vont peut-être changer d'avis.

— Changer d'avis? Certainement pas. Mais tu as raison, je vais attendre à la fin de la semaine.

Michel le regardait avec des sentiments mitigés. Le temps lui avait fait voir les qualités et les faiblesses de son protecteur. À son avis, LaVallière était un grand navigateur doublé d'un militaire, mais pas un administrateur. Au début, il avait fait un réel effort d'intégration, mais, quand il avait vu que cela ne fonctionnait pas à son goût, il était devenu hargneux. Maintenant, le refus quasi global des colons lui paraissait comme une montagne infranchissable. Michel était attristé de voir que son héros de jadis en était rendu là.

— Ce sont tous des insoumis et des anarchistes! criait-il. Ils vont me rendre fou. Il faut que je trouve une solution. Il faut que je trouve quelqu'un pour m'accompagner à Québec. Impossible pour un seul homme de manier ce navire. Jacques Cochu, à qui j'ai octroyé une bonne terre à la pointe Beauséjour, a travaillé comme pilote à Québec, mais il se marie la semaine prochaine. À moins qu'il retarde son mariage! Michel a trop à faire ici pour qu'il puisse s'absenter… Et si je prenais la route terrestre en embauchant deux Indiens comme porteurs? Ils ont déjà une trace de faite à travers les bois. En utilisant les lacs, les rivières et les portages, nous arriverions à Québec en moins d'une semaine alors qu'il en faut presque le double par bateau… mais personnellement, j'ai besoin de retourner en mer, et vite. Ma goélette est ancrée à la baie Verte; je trouverai certainement quelqu'un là-bas parmi les pêcheurs qui connaît suffisamment la navigation pour m'accompagner.

LaVallière préférait laisser sa goélette à la baie Verte sous la surveillance d'un groupe de Mi'kmaq à qui il offrait chaque fois des cadeaux. Il fallait compter quelques heures pour se rendre de Beaubassin à la baie Verte, mais, de là, le trajet pour Québec était bien plus court. Plus besoin alors de contourner l'île du Cap-Breton.

Michel n'avait jamais vu son idole dans un état pareil. Le gouverneur se parlait à lui-même, gesticulait et semblait donner des coups de poing sur des objets invisibles. Marie avait disparu à l'extérieur. Sans doute éprouvait-elle de la difficulté elle aussi à voir son mari dans cet état.

Deux jours plus tard, LaVallière partait seul dans son canot chargé de provisions pour aller rejoindre la baie Verte.

— Ne vous inquiétez pas, dit-il, je ne veux personne d'ici. Il y a des gens à la baie Verte qui ne demandent pas mieux que de m'accompagner.

Quelques jours après le départ de LaVallière, on assistait à Beaubassin à un double mariage. En effet, deux des enfants de Pierre Morin et de Marie Martin unissaient leur destinée à celle d'autres jeunes gens de la seigneurie. Leur fils aîné, Pierre, épousait Françoise Chiasson, fille de Guyon Chiasson et de feue Jeanne Bernard. Leur fille aînée, Marie Morin, épousait quant à elle Jacques Cochu, un employé que LaVallière avait ramené de Québec et à qui il avait accordé une concession de terre. En fait, il avait accordé des concessions à tous ses ouvriers dans une tentative de peupler et de développer le village.

Pierre Morin père était un des colons les plus en vue à Beaubassin. Il avait réussi à endiguer une bonne trentaine d'arpents de terre et possédait un cheptel d'une quarantaine de bêtes. Comme deux de ses enfants se mariaient, c'est chez lui qu'avait lieu la noce. Leur maison dominait le marais qui s'étendait jusqu'au bassin et était suffisamment grande pour accueillir une bonne vingtaine de personnes. Tout le village n'avait cependant pas été invité. On s'était limité à la parenté et quelques proches, ce qui constituait déjà un groupe impressionnant. Michel se réjouissait d'avoir été choisi par LaVallière pour représenter le gouvernement français à ce mariage. Il se disait qu'il aurait probablement été invité quand même, car il connaissait bien les Morin, mais le fait de représenter la France lui procurait un petit plaisir supplémentaire.

Les fondations de la maison Morin étaient faites de pierre des champs alors que le reste était en billots équarris à la hache et posé pièce sur pièce, les interstices calfeutrés avec du torchis. La grande cheminée, faite en bonne partie de terre glaise, trônait au bout de la pièce. Chez LaVallière, les deux cheminées érigées à chaque bout de la grande pièce étaient faites exclusivement de pierre. La pièce y était d'ailleurs bien plus grande; elle devait mesurer au moins le double de celle où se tenait la fête. On avait placé des bancs − des bûches de bois sur lesquelles avaient été posées des planches − tout autour de la pièce, mais la plupart des hommes se tenaient dehors, où l'on avait allumé un feu pour chasser les maringouins. Un deuxième feu, qui brûlait au fond d'un trou, crépitait doucement. Un cochon y rôtissait depuis le matin. Il était attaché sur deux perches suspendues au-dessus du feu que les deux jeunes fils de Pierre Morin prenaient plaisir à tourner de temps en temps.

Les femmes étaient toutes proprement habillées avec des jupes rayées de différentes couleurs et faites de toile tissée à la main. La plupart portaient un chemisier blanc orné d'un mouchoir croisé sur la poitrine et agrémenté d'une croix de bois, de métal ou d'or pendant au bout d'une corde passée autour du cou.

Les dames commencèrent par servir une soupe au chou et au navet cuite avec une grosse pièce de lard salé que l'on découpa ensuite en petits morceaux pour servir dans des gamelles d'étain. Comme il n'y avait pas assez de gamelles pour tout le monde, il fallut faire deux ou trois services. Ensuite vint le canard rôti, servi avec de la passe-pierre comme légume d'accompagnement, et du pain à la farine de maïs. Le porc était l'affaire des hommes. Avec un grand couteau, Pierre Morin père se mit à découper le porc en pièces qu'il plaça sur une sorte d'auge en bois que Pierre Morin fils présenta aux convives. Les invités prenaient les morceaux à la main pour les manger, ce qui ne manqua pas de laisser les mains plutôt graisseuses. Le dessert était composé de fraises des champs conservées dans une sauce au sucre et servies sur un lit de fromage mou.

Michel constata qu'il commençait à prendre goût à la nourriture bien préparée. Toutes ces saveurs étaient très différentes de celles dont il avait l'habitude avec la cuisine de madame Marguerite et de Marie Denys. Le repas terminé, Roger Kessy sortit son violon et se mit à jouer des airs endiablés. Il avait probablement été invité pour cette raison, car il n'avait aucun lien de parenté avec la famille Morin. Jacques Cochu l'accompagna d'une guimbarde qu'il avait rapportée de Québec l'année précédente. La joyeuse bande chanta et dansa donc jusqu'à tard dans la nuit. Heureusement, à l'occasion de telles fêtes, on trouvait toujours des places pour coucher. Il aurait en effet été désagréable pour ceux et celles qui habitaient de l'autre côté de la rivière de la traverser la nuit, surtout par une soirée sans lune. Les hommes s'étendaient donc le plus souvent sur des piles de foin dans la grange, alors que les femmes trouvaient place sur des matelas improvisés dans la grande pièce.

Pendant l'absence de LaVallière, Marie, sa femme, constatant que leurs réserves de farine commençaient à baisser, alla trouver Jean Campagna pour lui demander de verser sa contribution en blé à la seigneurie. Elle savait que celui-ci n'avait pas signé la pétition refusant le contrat de censitaire et qu'il devait donc être d'accord avec la proposition de son mari. Elle apprit à ses dépens que ce n'était pas le cas.

— Jamais vous n'aurez de mon blé! cria-t-il. Je préférerais le donner à tous les habitants du village plutôt que de vous en donner une seule petite tasse!

— Mais c'est votre devoir de censitaire de donner une toute petite partie de votre récolte à la seigneurie.

— La seigneurie! C'est quoi, ça, une seigneurie? C'est un morceau de terre que vous avez volé aux Indiens! Quelle farce!

Lorsque, le dimanche suivant, Marie se plaignit sur le parvis de l'église des agissements de Jean Campagna, Jean-Aubin Mignault, qui avait écouté, ajouta:

— Nous devons tous prendre garde à cet homme-là. C'est un véritable sorcier. La preuve : il ne vient jamais à l'église. De plus, il a fait périr mon champ de blé.

— Comment ça ? l'interrogea Marie.

— Je l'avais engagé pour semer mon champ. En semant le blé, il m'a dit : « Ce blé ne va jamais venir ». Et effectivement, le blé n'a presque pas levé. J'ai dû l'abandonner sur le champ. Je vous dis, cet homme est dangereux. Nous devrions le faire arrêter.

Pour beaucoup de monde au village, les machinations de Campagna étaient inacceptables. Il semait la peur et provoquait la discorde. On aurait bien voulu qu'il s'en aille, mais personne ne savait comment s'y prendre pour le faire partir. Puisqu'il était au service de LaVallière, on conclut que c'était à lui de le renvoyer. Marie promit qu'elle en parlerait à son mari dès qu'il serait de retour.

La semaine suivante, Pierre Mercier dit Codebec vint voir Michel au manoir pour lui demander s'il accepterait d'agir comme parrain au baptême de sa fille Catherine. Les deux hommes se connaissaient bien, car ils avaient partagé la même chambre lorsque Pierre travaillait chez LaVallière. Le jeune homme accepta avec enthousiasme, non seulement parce qu'il connaissait bien Pierre, mais parce que c'était la première fois qu'on lui demandait d'être parrain.

Le jour du baptême lui réserva cependant une grande surprise. En effet, il fut des plus étonné de voir comment le père Moireau avait inscrit son nom au registre des naissances de la paroisse. Celui-ci avait écrit : marraine : Marie Pellerin, parrain : Michel L'haché dit Galant.

D'où lui venait ce surnom de Galant ? Il n'en savait rien. Il savait que beaucoup de personnes au village portaient des surnoms, mais il n'avait jamais imaginé que lui aussi pourrait un jour en avoir un. Il avait bien remarqué que deux ou trois personnes l'avaient récemment appelé Galant, mais il avait cru à une erreur. Même Pierre Morin, le soir des noces, l'avait salué en disant : « Salut, le galant ! » Il se demandait bien pourquoi il l'avait affublé de ce nom. Était-ce parce qu'il avait osé se présenter devant le groupe des protestataires ? Il n'y avait pourtant pas de quoi en faire un plat. Il demanda au curé pourquoi il avait ajouté « dit Galant » à la fin de son nom. Sa réponse fut laconique :

— On m'a dit que c'était ainsi que les gens t'appelaient au village.

LaVallière était revenu de Québec avec de bien mauvaises nouvelles. Tout d'abord, le Conseil souverain de la Nouvelle-France avait bien reçu sa plainte contre les habitants de Beaubassin qui refusaient d'accepter les contrats de concession de sa seigneurie, mais son examen avait été fixé à une date ultérieure.

Ensuite, Frontenac revenait de France, où il avait été rappelé par le roi Louis XIV, avec un gros problème sur les bras. En effet, le roi avait décidé qu'il fallait mettre de l'ordre dans les pêches le long des côtes acadiennes. Il avait donc mis sur pied la Compagnie de la pêche sédentaire en Acadie et avait nommé à sa tête un dénommé Bergier. Or, ce Bergier était un huguenot, donc un protestant, ce qui exacerbait toute la communauté catholique de la Nouvelle-France. Personne ne voulait voir de Huguenots en Nouvelle-France ; même monseigneur Laval, l'archevêque de Québec, s'en était mêlé, mais sans succès. Malgré ces protestations, le roi avait maintenu la nomination de Bergier. L'entourage du roi avait entendu dire que LaVallière autorisait les Anglais à exploiter les riches bancs poissonneux au large de l'Acadie, et cette nouvelle l'avait contrarié.

Ce qui embêtait le plus le seigneur de Beaubassin, cependant, c'est qu'il agissait, depuis qu'il avait été nommé gouverneur, comme directeur des pêches sur les côtes de l'Acadie, où le poisson se trouvait en abondance. Or, comme peu d'Acadiens exploitaient la mer, excepté les quelques pêcheurs de la baie Verte et de l'île du Cap-Breton, il avait pris l'habitude d'octroyer des permis de pêche annuels aux pêcheurs de la Nouvelle-Angleterre. Cela permettait aux Anglais de pêcher légalement sur les côtes acadiennes. Il leur avait même permis de sécher et saler le poisson sur les côtes de l'Acadie. Ce commerce lui rapportait beaucoup, mais il était illégal. Les autorités françaises ne voulaient pas que les gens de la Nouvelle-Angleterre, les Bostonnais en particulier, pêchent dans les eaux acadiennes. Avec l'arrivée de Bergier, cette source de revenus disparaîtrait certainement. De plus, on allait probablement découvrir que LaVallière pratiquait un trafic illégal de permis. Cela dit, même si ce problème l'inquiétait, ce dernier n'était pas homme à se laisser abattre par ces nouvelles donnes. Il en avait vu d'autres.

Il décida donc de reprendre la mer, en mettant le cap sur Boston cette fois. Il voulait mettre son ami Simon Bradstreet, le gouverneur du Massachusetts, au courant de ce qui se tramait. Malgré leurs différends, les deux hommes avaient toujours entretenu de bonnes relations. Il y avait peut-être moyen, pensait-il, de camoufler ce commerce clandestin.

Évidemment, Bradstreet et ses acolytes ne furent pas contents de voir que Bergier allait prendre le contrôle de la pêche. LaVallière s'était bien gardé de dire à Bradstreet que ce Bergier était un huguenot; entre protestants, ils auraient pu s'entendre pour salir sa réputation. L'important pour lui était de sauver la face. Il allait continuer à leur accorder des permis de pêche parce qu'il considérait la côte acadienne comme son territoire, mais il leur demandait d'être discrets. Il savait qu'il ne pouvait pas en demander davantage des autorités de la Nouvelle-Angleterre. Pour l'instant, les Bostonnais pouvaient donc continuer à pêcher en toute impunité. Il promit de les prévenir dès qu'il aurait vent de l'arrivée de Bergier. Ce qu'il voulait avant tout, c'était de pouvoir continuer à commercer avec les Bostonnais, même si cela aussi était interdit selon un décret du gouvernement français. Il allait donc profiter de son séjour à Boston pour rapporter des denrées difficilement trouvables en Acadie, comme des instruments aratoires, des outils, des ustensiles, etc.

LaVallière n'était pas aussitôt de retour qu'un épouvantable malheur s'abattit sur lui. En effet, sa femme, Marie Denys, décéda en l'espace d'une semaine, emportée par les fièvres. Elle laissait huit enfants derrière elle, dont la cadette, Barbe, qui avait à peine plus d'un an. Pour LaVallière, ce décès représentait non seulement un terrible coup dur, mais aussi un incroyable vide. Lorsqu'il était absent, c'était elle qui s'occupait du manoir et qui aidait Michel à administrer la seigneurie. Elle avait tout fait pour que cette entreprise réussisse.

De son côté, Michel ne pouvait accepter cette fatalité. Comment se pouvait-il qu'une femme si forte, physiquement et moralement, fût emportée en si peu de temps ? *Nos vies tiennent-elles donc à si peu de choses ?* se répétait-il. *Un jour, le vent souffle du mauvais côté et tout le château de cartes bascule. Avons-nous si peu d'emprise sur la vie pour qu'elle nous soit retirée au moindre obstacle ?* Comment allait-il faire sans elle ? Il se sentait envahi par une grande tristesse. À force de vivre à ses côtés, aussi bien à Trois-Rivières qu'à Saint-Pierre et à Beaubassin, il avait pu admirer sa loyauté et son acharnement à mener à bien les projets de son mari. Elle s'était dévouée toute entière à l'implantation de la seigneurie de Beaubassin. C'était elle l'âme de la maison. *Dommage que son mari ne lui ait pas laissé le pouvoir de négocier avec les colons, elle aurait fait un meilleur travail que lui. Même mieux que moi, car je n'avais pas l'expérience nécessaire.*

Avec les années, il en était venu à la considérer de plus en plus comme sa mère, plus que cette mère qu'il n'avait jamais connue et dont il ne savait en fait rien. Même de son père, il n'avait qu'un vague souvenir. Il était mort à Miscou, où il dirigeait une des entreprises de pêche de Nicolas Denys. Michel n'avait donc pas assisté à sa mort, ni même à son enterrement, car étant donné la distance qui séparait Miscou de Saint-Pierre, on avait choisi de l'enterrer sur place. Michel se proposait d'ailleurs de se rendre un jour sur cette petite île au nord de l'Acadie pour tâcher d'y découvrir la tombe de son père. Mais pour l'instant, c'était le sort de sa mère adoptive qui le préoccupait. Elle allait lui manquer terriblement, mais il fallait faire face au deuil, ne serait-ce que pour rassurer les enfants.

Le père Moireau était venu tous les jours au manoir depuis que Marie était tombée malade. Il essayait de consoler tout le monde en expliquant que c'était sa destinée, que le Seigneur l'appelait à son service et qu'il fallait accepter les desseins de Dieu. Michel avait de la difficulté à cautionner un tel raisonnement. Il lui semblait que Dieu aurait dû au moins lui laisser le temps d'élever sa famille. Cela aussi, c'était servir Dieu. Le père Moireau lui répétait que l'on ne pouvait pas raisonner les volontés de Dieu.

— Il est le Tout-Puissant, par conséquent il faut lui obéir et accepter ses décisions. «Que votre volonté soit faite!» devrait être notre credo à nous tous et en tout temps.

Visiblement, LaVallière faisait un effort pour ne pas laisser paraître sa douleur devant les enfants. Ceux-ci semblaient dévastés, surtout Marie-Josèphe, qui n'avait que douze ans et qui était très proche de sa mère. Les deux fils aînés, Alexandre et Jacques, se trouvaient toujours aux études à Trois-Rivières. Jean-Baptiste, qui avait maintenant dix ans et qui ressemblait comme deux gouttes d'eau à son père, prenait la situation avec stoïcisme. Les plus jeunes n'avaient pas l'air de comprendre ce qui leur arrivait. Pour eux, leur mère dormait puisqu'elle était toujours couchée dans son lit.

Michel pensait que l'on aurait dû prévenir Richard Denys, son seul frère. Il le connaissait bien, car ils avaient vécu ensemble à Saint-Pierre. Comme Richard n'avait que six ans de plus que lui, Michel le considérait un peu comme son grand frère. Il ne l'avait revu qu'une fois depuis qu'il avait quitté Saint-Pierre, alors qu'il était venu à Trois-Rivières par affaire. Richard avait par la suite épousé une Mi'kmaq et était parti sillonner les mers et commercer entre la Nouvelle-France, la Nouvelle-Angleterre et les Antilles. Lorsque Michel parla à LaVallière de l'idée de prévenir Richard, il lui répondit :

— Je n'ai aucune idée d'où je pourrais le joindre. Il paraît qu'il revient parfois à Saint-Pierre, où se trouve toujours son Indienne, mais qu'il repart aussitôt.

LaVallière avait prononcé le mot *Indienne* en en détachant les syllabes, ce qui avait laissé chez Michel une drôle de sensation. Se pouvait-il qu'il voie les Indiens comme de simples partenaires commerciaux ? Cette constatation l'amena à réfléchir aux véritables motivations de son maître et fit remonter à la surface le visage si sympathique de Malika. Il se demandait ce qu'il aurait dit si cette rencontre avait débouché sur une relation sérieuse.

L'enterrement fut des plus pénibles. Pierre Godin, le charpentier qui travaillait souvent pour LaVallière, construisit en moins de deux jours un magnifique cercueil en bois de cèdre finement équarri à la hache et au couteau à bois. Madame Marguerite y installa Marie parée de ses plus beaux vêtements. On aurait dit une princesse qui sommeillait. LaVallière avait décidé qu'elle ne serait pas enterrée dans le cimetière de Beaubassin, mais dans la cour du manoir, en dessous du grand chêne, afin que l'on puisse prier plus facilement sur sa tombe.

Le père Moireau récita quelques prières, la plupart en latin, et exhorta encore la famille à accepter la volonté de Dieu.

— Si Dieu l'appelle à lui, c'est pour une raison. Et même si cette raison nous est inconnue, il faut l'accepter. Nous savons tous que Marie a été une épouse dévouée et une mère exemplaire. Le Seigneur lui a donc certainement réservé une place de choix au paradis.

À la descente du cercueil dans la fosse, tout le monde pleurait, y compris LaVallière, qui, jusque-là, n'avait pas versé une larme.

Marie partie, il fallait envisager un moyen de soutenir la famille. Madame Marguerite ne pouvait pas s'occuper à elle seule de six enfants, dont la plupart étaient en bas âge. Parmi les filles, seule Marie-Josèphe avait l'âge d'aider. LaVallière exigea que les filles continuent à s'instruire. Le père Moireau venait donc deux fois par semaine au manoir pour donner aux enfants quelques leçons d'histoire et de géographie, mais surtout de religion et de bonne conduite. L'enseignement de la lecture, de l'écriture et les mathématiques revenaient à maître Pertuis, qui agissait à la fois comme notaire, comme armurier et comme percepteur pour LaVallière.

Les possibilités de trouver de l'aide à Beaubassin semblaient minces. Les jeunes mariés venaient de commencer une famille, et les autres familles étaient tellement nombreuses, que les parents avaient besoin de tout le renfort possible. De plus, comme l'attitude des habitants du village envers LaVallière n'était pas à son meilleur, il était à prévoir qu'ils ne lui feraient pas de cadeau. Il fallait donc penser à chercher du côté de Québec et Trois-Rivières. En attendant, il avait été convenu que tout le monde mettrait la main à la pâte, y compris Michel qui, en plus du potager et du train de grange, s'occuperait de certaines tâches ménagères, comme de marquer les vieilles poules qui ne pondaient plus pour les tuer lorsque viendrait le temps de faire des bouillons ou des pot-au-feu. Le plus dur pour Michel, c'était de leur couper la tête sur une bûche. Elles continuaient à courir et à voler sans tête pendant quelques instants. C'était pénible à voir. Mais comme lui disait madame Marguerite :

— Il faut manger pour vivre ! Alors arrête tes manières !

Après le décès de Marie, quelques personnes étaient venues au manoir offrir leurs sympathies à la famille de LaVallière. Marie Martin voyait dans ce décès un méfait de Jean Campagna, qu'elle accusa de sorcellerie, mais LaVallière n'y vit que de la médisance. Le plus étonnant, c'est que la plupart des visiteurs étaient des Indiens. Ceux-ci étaient arrivés un matin en groupe, tous fardés et les cheveux bien graissés pour montrer qu'il s'agissait pour eux d'un événement important. Puis, le dimanche suivant, à la fin de la messe, ils avaient tenu à exécuter un chant dans leur langue, une espèce de complainte triste et plaintive qu'ils adressaient à la famille de LaVallière, assise au premier rang. Le seigneur lui-même, qui ne se laissait jamais emporter par les sentiments, ne put retenir un sanglot. Il aurait sans doute aimé que Marie entende cet hommage qui lui était rendu. Il prit la parole pour les remercier courtoisement, et le père Moireau en fit autant. Après la messe, ils repartirent joyeusement en se tapant dans le dos comme ils le faisaient souvent. Michel déplorait le fait que Malika n'ait pas fait partie du groupe. Il se demandait si elle avait été baptisée. Il savait que c'était le cas de son cousin Wasacook, même s'il venait rarement à l'église.

Avant que le groupe ne parte, Michel avait d'ailleurs eu l'occasion de discuter pendant quelques minutes avec lui. Celui-ci l'avait avisé qu'il viendrait le voir le lendemain. Pour l'instant, il ne pouvait pas rester, il fallait qu'il suive la famille au campement pour une autre cérémonie. Il n'osa pas lui demander où était Malika, encore moins si elle avait été baptisée.

Comme prévu, le lendemain matin, Wasacook arriva de bonne heure au manoir.

— *Kué! Kué!* cria-t-il en voyant Michel.

— *Kué! Kué!*

Il était habillé d'une sorte de jupette en cuir qui descendait aux genoux et portait toujours ce même gilet ouvert sur le devant. L'huile luisait sur son torse. Il avait aux pieds des chaussures de peaux attachées avec des lanières de cuir enroulées autour des jambes, formant une sorte de jambière. Michel examina avec étonnement le tatouage sur son bras gauche.

— Moi, grand! répéta Wasacook. Moi, maintenant, peut tatoo.

Il lui expliqua avec beaucoup de gestes et de mots cassés qu'il s'agissait d'un procédé très long et douloureux, qui se fait avec une aiguille, de la poudre à canon et du vermillon. Très peu d'Indiens savaient le faire, de sorte qu'il avait dû voyager jusqu'à la Miramichi pour faire faire son tatoo. Il l'avait obtenu en échange de peaux de loutres très rares dans cette région. Il était fier du résultat.

— Viens voir mon jardin potager, lui dit Michel dans un français entrecoupé de quelques mots mi'kmaq.

Wasacook était émerveillé que l'on puisse faire pousser et manger tout cela. Au campement, ils ne cultivaient pratiquement que du maïs. Ils le mangeaient frais en saison, puis ils le faisaient sécher sur les épis. Il servait alors à de nombreux usages. On pouvait le faire bouillir avec un morceau de viande, ou le faire gonfler en le trempant dans la cendre pendant quelques jours. On en broyait aussi de grandes quantités pour faire de la farine et confectionner des galettes et du pain.

— L'été, nous, manger poisson, crustacés, expliqua-t-il tout en mimique.

Il imitait le poisson en se tortillant dans tous les sens, ou encore le crabe en rampant de côté.

— Un jour, toi et moi, pêcher homard, continua-t-il. À baie Verte. Grande mer. Ici, pas homard.

Il lui fit comprendre qu'il s'agissait d'un fruit de mer délicieux, dont la carapace pouvait servir à toutes sortes d'usages. Selon lui, on pouvait même en faire des pipes pour purifier l'air lors des cérémonies.

Wasacook entraîna Michel un peu plus loin du manoir, vers une partie surélevée du marais, à la recherche de foin d'odeur. Après en avoir trouvé, il lui expliqua que l'on faisait brûler ce foin au début des festins ou des cérémonies pour purifier le cœur de participants et les inciter à se rassembler. Puis, à la fin, on procédait à la cérémonie du calumet où, en partageant la fumée, on cherchait à communiquer avec le Grand Esprit.

— Grand Esprit partout, disait-il. Faut donner respect à nature : terre, mer, animal, homme aussi, ajouta-t-il en riant après une pause.

Wasacook aimait parler, ce qui n'était pas pour déplaire à Michel, qui n'était pas très bavard de nature. Cela le fascinait d'avoir comme voisin un peuple dont les habitudes de vie étaient si différentes des siennes. Il était content de l'éducation qu'il avait reçue grâce à la famille de LaVallière, mais il aurait aussi aimé vivre une vie simple, comme celle des Indiens qui se contentaient de ce que la nature leur procurait pour survivre. Il se rappelait qu'un jour, le père de Wasacook, Takawano, avait confié au père Moireau leur conception de la spiritualité, que ce dernier avait ensuite traduite pour Michel.

— De la plus minuscule brindille d'herbe à la montagne la plus majestueuse, tout est une œuvre vivante du Créateur. Il faut ouvrir son cœur et écouter avec humilité pour découvrir les liens qui unissent les animaux, les hommes et les plantes. Il y a des esprits dans les arbres et les plantes, tout comme il y en a dans les animaux et les hommes. Il faut donc traiter toute la création avec respect.

Michel ressentit une certaine tristesse en voyant partir Wasacook. Il lui semblait avoir pénétré un petit peu à l'intérieur de son âme. Peu à peu, il arrivait à connaître et aimer cette culture avec laquelle il lui avait semblé avoir peu d'affinités au départ. Il se rappelait avoir vu des Indiens à Saint-Pierre alors qu'il était enfant, mais personne ne l'avait jamais emmené dans leur campement et il était alors trop jeune pour voir leurs différences.

Entre-temps, Bergier était venu prendre son poste en Acadie et avait installé la Compagnie de la pêche sédentaire en Acadie à Chedabouctou, sur la rive ouest du détroit de Canseau. LaVallière avait appris qu'il était arrivé en grand seigneur avec un personnel de dix-sept hommes et qu'il était en train d'édifier des habitations, faire des plantations et construire de petits bateaux. Il s'était apparemment rendu à Port-Royal faire de la sollicitation pour que des hommes aillent le rejoindre afin d'établir une vraie entreprise de pêche. On disait qu'il avait déjà commencé à arraisonner des bateaux anglais qui s'adonnaient à la pêche sur les côtes avec des permis de LaVallière.

Il n'en fallait pas davantage pour que cet empiètement sur ce que le gouverneur considérait comme son territoire le mette en furie et qu'il déverse son mécontentement sur Bergier. Frustré, il décida d'entreprendre au plus vite une excursion à Québec pour essayer à nouveau de faire valoir ses droits et d'empêcher Bergier d'agir ainsi, car il lui semblait primordial de garder de bonnes relations avec les Anglais.

— Sinon, prétendait-il, ils risquent de nous attaquer, et comme ils sont bien plus nombreux que nous, ils sont capables de nous anéantir en un rien de temps.

Il rassembla tout ce qu'il put trouver de pelleterie, de poisson et de viande fumée ou séchée, de quoi payer son voyage, et il mit le cap sur Québec. Michel était aux anges, car LaVallière avait décidé à la dernière minute qu'il aurait peut-être besoin de lui. Il serait donc du voyage. Cela l'enchantait d'autant plus qu'il n'était pas allé à Québec ou à Trois-Rivières depuis son installation à Beaubassin. LaVallière avait en plus accepté à son bord Guyon Chiasson, Louis Morin, le pilote Jacques Cochu et trois autres jeunes qui désiraient partir à l'aventure et aller voir comment se développait Québec, devenue capitale de la Nouvelle-France.

Le groupe remonta la rivière Mésagouèche avec plusieurs canots chargés de marchandise. Ensuite, il fallait transporter tout cela à travers le portage. LaVallière avait pu louer une charrette et un bœuf d'un colon qui habitait dans le portage. Il fallut plusieurs voyages et toute une journée pour se rendre à la baie Verte. Comme il faisait une belle brise, LaVallière décida de lever l'ancre le soir même. Le détroit entre l'île Saint-Jean et la terre ferme, que l'on appelait parfois la mer Rouge, était facile à naviguer; ils en sortirent le matin. À peine avaient-ils rejoint le golfe Saint-Laurent que le vent se mit à souffler de plus en plus fort. Même si le *Saint-Antoine* naviguait bien entre les vagues, d'une hauteur inquiétante, Michel était angoissé. Pour lui, ces vagues n'annonçaient rien de bon. Il fit part de ses inquiétudes à LaVallière.

— Ne t'en fais pas! proclama-t-il avec assurance. Cette goélette en a vu bien d'autres. Elle se manœuvre comme un charme.

En soirée, toutefois, alors qu'ils arrivaient vers la pointe de l'île Miscou, la tempête se déchaîna de plus belle. Jacques Cochu, qui avait bien des fois effectué ce trajet, estimait qu'il valait mieux virer à bâbord après l'île pour aller se réfugier dans la baie des Chaleurs, mais LaVallière pensait que ce n'était pas nécessaire, car il connaissait bien les possibilités de son bateau. Il avait l'air de défier la mer comme s'il s'agissait d'une bataille à gagner.

— Si nous entrons dans la baie, nous aurons alors le vent du nord qui nous frappera de plein fouet sur le côté. Il deviendra difficile de manœuvrer. Quand nous aurons dépassé Percé, le temps devrait normalement revenir au calme.

— Mais nous ne serons pas à Percé avant demain soir, et peut-être même bien plus tard, protesta Jacques. Et la tempête n'a pas l'air de vouloir diminuer d'intensité.

La mer semblait en effet se déchaîner de plus en plus. La hauteur des vagues devenait effrayante. Une immense vague frappa le bateau et le fit pencher dangereusement. Michel se voyait déjà emporté par une vague. Il se disait d'une part qu'il aurait dû apprendre à nager, mais se demandait d'autre part à quoi cela aurait bien pu lui servir dans une mer bouillonnante de rage. L'eau coulait sur le pont et le bateau tanguait et roulait tout à la fois. Ils devaient tous se tenir fermement à la rambarde pour ne pas être emportés par les flots. LaVallière avait l'air un peu moins rassuré.

— Carguez vite les deux grand-voiles! cria-t-il à travers le bruit chuintant des vagues et du vent qui ne cessait de hurler. Nous allons tâcher de rester à flot en gardant la proue au vent.

Jacques était le plus habile mais aussi le plus hardi des passagers. Il conseilla aux autres de se rendre à la bôme en s'accrochant à tout ce qu'ils pourraient trouver sur leur passage. Ils devraient ensuite détacher les amarres de la voile du grand mât afin qu'il puisse la descendre. Le vent soufflait avec une telle intensité que l'eau continuait à balayer le pont. Avec peine et misère, ils réussirent à descendre la voile principale et à l'attacher grossièrement à la bôme.

Soudain, dans un craquement aussi imprévu que violent, la deuxième voile se déchira et se mit à claquer au vent dans un vacarme d'enfer. Il ne restait plus que le foc, que LaVallière avait ralingué pour l'aider à manœuvrer en tenant le bateau nez au vent.

— Il n'y a qu'une seule chose à faire, cria LaVallière à travers le claquement des morceaux de voile qui flottaient au vent, c'est de tenter de rester à flot. Pour le reste: à la grâce de Dieu!

Michel essayait de se rassurer, mais son inquiétude ne faisait qu'augmenter. Il avait confiance en les capacités de navigateur de son maître, mais en même temps, la mer était là, devant ses yeux, tellement déchaînée et inquiétante… Il avait constamment l'impression qu'une vague allait sauter sur lui, tel un dragon en furie. Ce qui l'effrayait le plus, c'était l'obscurité. En effet, dans cette nuit sans lune, comment LaVallière faisait-il pour voir venir les vagues les plus dangereuses? Guyon Chiasson, quant à lui, n'en pouvait plus de lutter contre le mal de mer. Il se dévida l'estomac au-dessus de la rambarde et se précipita vers l'escalier de la cale.

— Advienne que pourra! dit-il en descendant. Je n'ai plus la force de lutter.

Michel avait envie d'en faire autant, mais Jacques estimait qu'il fallait vite descendre la deuxième voile afin qu'elle ne se déchire pas davantage. D'après lui, elle était encore réparable.

Le bateau tenait bon, même si les vagues roulaient toujours sur le pont avec autant de force. Malgré cela, LaVallière arrivait à maintenir le cap. Quand le soleil se mit à poindre à l'horizon, la tempête se calma. Quelques instants plus tard, la mer devint plate et huileuse, comme si rien ne s'était passé. Ce brusque changement laissa Michel avec un drôle de sentiment, quelque chose comme un mauvais présage. En regardant vers l'ouest, on distinguait très clairement la pointe de l'île Miscou, ce qui signifiait que le bateau n'avait pas avancé d'un poil.

— Ouf! Nous l'avons échappé belle! concéda le seigneur à l'attention des hommes restés sur le pont. C'est le temps de remonter la grand-voile si nous voulons nous rendre à Québec un jour. Après, tu viendras me remplacer, Jacques, pour que je puisse prendre un peu de repos.

LaVallière descendit dans la cale, mais en remonta presque aussitôt. Il avait en main tout le matériel nécessaire pour réparer la voile d'artimon. Il montra à Michel comment faire du rapiéçage afin que la voile puisse résister temporairement au vent. Il en trouverait une autre à Québec.

— Maintenant, je rejoins ma cabine. Bonne chance!

Le travail terminé, Michel descendit chercher de l'aide pour remonter la voile. Celle-ci était tellement bouchonnée qu'elle n'avait guère l'allure d'une voile de goélette. Malgré tout, elle pourrait apporter le supplément de vitesse bien nécessaire à la progression du *Saint-Antoine*.

Le reste du trajet se fit sans incident, mais le voyage prit deux fois plus de temps que prévu. La remontée du Saint-Laurent était des plus spectaculaires : on apercevait très bien les rives des deux côtés. LaVallière avait fait ce trajet tellement de fois qu'il connaissait par cœur tous les écueils de ce majestueux fleuve.

L'accostage aux quais de la Basse-Ville de Québec ne manqua pas d'impressionner Michel. Il y régnait une activité bourdonnante, beaucoup plus intense que les fois où il y avait séjourné, du temps où il habitait Trois-Rivières. En fait, il connaissait surtout la Haute-Ville, où se trouvaient le Petit Séminaire et toutes les institutions religieuses et administratives. La Basse-Ville était essentiellement peuplée de commerçants et d'artisans.

LaVallière s'empressa d'aller rencontrer son courtier afin de se débarrasser de sa petite cargaison de fourrures. Il avait hâte de se rendre à Trois-Rivières. Guyon Chiasson quitta le bateau pour aller voir sa sœur Louise, qui habitait Québec, de même que la famille Martin, qu'il connaissait depuis longtemps. Louis Morin et ses amis mirent aussi pied à terre, car ils voulaient explorer Québec. Restaient Michel et Jacques, qui accompagneraient LaVallière à Trois-Rivières. Ce dernier voulait laisser sa cargaison de blé à son père. La récolte avait été très mauvaise dans la région ; cela lui permettrait donc de vendre ce supplément à bon prix.

Michel n'était pas revenu à Trois-Rivières depuis qu'il était parti pour suivre son protecteur à Beaubassin, il y avait déjà plus de cinq ans. Il fut accueilli par Jacques LeNeuf de la Poterie et sa femme Marguerite avec beaucoup d'affection. Tous deux déplorèrent la mort de Marie Denys, leur «belle-fille adorée». Le veuf leur avait fait parvenir la triste nouvelle par un passant à Beaubassin qui se rendait à Québec. Michel était très heureux de se retrouver dans le manoir de son parrain, un bâtiment ayant trois fois la dimension de celui de Beaubassin. Il passa la soirée à discuter avec Alexandre et Jacques, les deux fils aînés de LaVallière, qui fréquentaient le Séminaire de Trois-Rivières. Alexandre avait maintenant dix-sept ans et était grand et bien bâti, comme son père. Jacques, par contre, n'avait que treize ans et était d'apparence plus fragile. Le lendemain, Michel profita du beau temps pour arpenter les rues du village, qui s'était passablement agrandi depuis son départ.

Pour LaVallière, toutefois, ce séjour n'en fut pas un de grandes réjouissances. En effet, son père lui apprit que le gouverneur

Frontenac, son protecteur en Nouvelle-France, avait été remplacé par Antoine de LaBarre. Inutile de penser qu'il pourrait obtenir de lui la même écoute et la même sympathie qu'il aurait eues de Frontenac pour défendre ses positions contre Bergier, mais il était résolu d'aller quand même les rencontrer. Son père l'y encouragea :

— Nous ne sommes que quatre familles de la grande noblesse en Nouvelle-France, avec les Repentigny, les Aillebout et les Tilly. Nous devons tout faire pour conserver l'honneur de notre rang et garder de bonnes relations avec l'Administration française. Il faut que nous soyons de bons intermédiaires pour implanter le régime féodal dans ce pays. Tu as donc tout intérêt à aller voir LaBarre.

De retour à Québec, une surprise attendait les voyageurs : Guyon Chiasson avait décidé de se remarier. En effet, Marie-Madeleine, la fille de ses amis Pierre Martin et Joachine Lafleur, avait accepté de l'épouser. Elle n'avait que dix-sept ans, mais elle était prête, disait-il, à tenter l'aventure et le suivre en Acadie. Cependant, la famille insistait pour que le mariage ait lieu à Québec. Tous les arrangements avaient déjà été faits. La cérémonie se tiendrait devant notaire chez sa sœur, Louise Chiasson, et son beau-frère, Jacques Chaplain, en présence de l'équipe du *Saint-Antoine* et de quelques amis.

En attendant le départ, LaVallière était allé rencontrer le gouverneur LaBarre. Les deux hommes avaient sympathisé, mais le gouverneur d'Acadie n'avait obtenu aucune concession concernant Bergier. En fait, il revenait avec l'impression que LaBarre favorisait ce dernier. Qu'importe, LaVallière ne voulait pas s'arrêter sur des impressions.

— Nous verrons bien, disait-il. Ce sont les actions qui comptent.

Pour l'instant, il allait profiter de son passage à Québec pour rapporter à Beaubassin des denrées et des outils utiles, pour lui-même et pour vendre, tels des charrettes à deux roues, des fusils et une quantité de barils en bois pour conserver le poisson et la viande ou pour transporter des denrées aux Antilles ou ailleurs.

Le voyage de retour se déroula comme un charme. Les vents étaient la plupart du temps favorables, et la nouvelle mariée s'avéra une excellente cuisinière. À l'aller, l'équipage s'était contenté de grignoter du pain et de la viande séchée. Cette fois, il eut droit à de vrais repas, que Marie-Madeleine leur préparait le plus souvent avec du poisson, car les lignes qu'on laissait traîner derrière le bateau rapportaient beaucoup. De plus, la présence d'une femme sur le bateau réjouissait tout le monde, à tel point que Guyon se disait jaloux. Avec tous ces jeunes hommes à bord, il avait de quoi s'inquiéter, estimait-il, lui qui avait déjà quarante-cinq ans bien sonnés.

LaVallière déplora de ne pouvoir laisser son bateau à la baie Verte à cause de toute la marchandise qu'il transportait. Cela représentait un trajet d'au moins quatre ou cinq jours de plus, car il fallait contourner l'île du Cap-Breton avant d'arriver à la baie Française qui menait à Port-Royal et Beaubassin. Qu'importe, il allait en profiter pour s'arrêter à Port-Royal, où il pensait pouvoir vendre une partie de sa cargaison.

L'arrivée à Beaubassin ne fut pas des plus joyeuses. Les grandes marées d'automne, liées à la tempête qu'ils avaient connue en mer, avaient fait céder une partie des digues et des aboiteaux qu'ils avaient mis tant de temps à édifier. Et ce n'étaient pas seulement ceux de LaVallière qui avaient été touchés, mais aussi ceux de Roger Kessy, de Jean Campagna, de Guyon Chiasson et de quelques autres qui habitaient tous du côté ouest de la Mésagouèche. LaVallière ne se laissa toutefois pas décourager.

— Il faut rester unis, dit-il aux gens rassemblés sur la rive du bassin après leur arrivée. Malgré le danger que représentent les grandes marées pour la reconstruction, il faut trouver le moyen de rebâtir ces levées au plus vite. Nous aurons besoin de l'aide de tous les habitants disponibles au village. Nous profiterons de la marée basse pour colmater tous ensemble une brèche à la fois. C'est avec la collaboration de tous que nous réussirons à vaincre les éléments.

Les gens étaient venus en grand nombre pour participer à la reconstruction. Dans certains cas, même l'aboiteau, la pièce maîtresse de ces levées qui empêchait l'eau d'entrer dans le marais à marée haute et qui lui permettait de s'écouler du marais à marée basse, avait été emporté par la force des flots. Il fallait de nouveau trouver de gros troncs d'arbres, recueillir une quantité incroyable de branchages et de pieux, transporter en charrette d'énormes tas de terre. Un travail qui s'était déroulé sur plusieurs années ! LaVallière mit à la disposition des habitants toutes les charrettes qu'il venait de rapporter de Québec. Tout le monde travaillait comme si c'étaient leurs propres digues qui avaient été touchées. Avec ce bourdonnement de cris et de chants du côté ouest de la Mésagouèche, on aurait dit une vraie fête champêtre. Beaubassin n'avait jamais été aussi unie qu'en cette dernière semaine de novembre 1683.

L'arrivée de l'hiver marquait la course au bois de chauffage. Heureusement, il n'en manquait pas dans la région, mais il fallait parfois s'aventurer assez loin pour trouver du bon bois franc. Pour faciliter le transport, plusieurs paysans s'étaient fabriqué des traîneaux qui pouvaient être tirés par des bœufs. Le plus souvent, on empilait le bois sur le chantier et l'on allait le chercher à la fin de la semaine afin de ne pas laisser les bœufs attendre dans le froid. Ensuite, il fallait le scier en bûches puis le laisser sécher pendant tout l'été afin qu'il soit prêt à utiliser l'année suivante. Le bois fraîchement coupé contenait trop de sève et ne faisait pas du bon bois de chauffage.

Les habitants de Beaubassin étaient des sédentaires et ne se déplaçaient pas pour l'hiver comme le faisaient les Indiens. Ils ne pratiquaient pas non plus, comme ces derniers, la chasse intensive. Toutefois, ils pratiquaient une chasse de subsistance. Lorsqu'ils partaient pour le bois, ils apportaient toujours leur fusil, non seulement pour pouvoir tuer des animaux comestibles, mais également pour se défendre contre certains animaux sauvages qui n'hésitaient pas à attaquer les humains, comme l'ours et le loup. Les Indiens, eux, chassaient pour la fourrure, car ils maîtrisaient depuis longtemps l'art de tanner les peaux pour en faire du cuir ou des vêtements de fourrure pour se protéger de l'hiver. Bien entendu, ils vendaient l'excédent de leurs prises, ce qui engendrait un commerce largement convoité par les Blancs mais pas toujours sanctionné par les autorités françaises.

Au printemps, lorsque Michel jugea que les Indiens de la rivière Au Lac devaient être revenus à leur camp d'été, il décida d'aller faire un tour de côté de leur campement. Avec le temps, le souvenir du sourire enjôleur de Malika s'était estompé et Michel avait accepté le fait qu'elle ne vivait plus dans le même campement que Wasacook. Cette fois, il s'y rendait vraiment pour revoir son ami, qu'il n'avait pas vu depuis au moins six mois. Il suivit donc la trace indienne, toujours très visible malgré l'hiver rigoureux qu'ils avaient connu. La neige avait complètement disparu, mais le terrain demeurait encore humide.

Visiblement, les Indiens étaient revenus depuis peu de temps, car ils étaient affairés à tout mettre en place. Les wigwams étaient montés et quelques femmes étaient occupées à préparer la terre avec des fourches en bois pour la semence du maïs. D'autres raccommodaient des vêtements, et quelques hommes s'affairaient à réparer un canot d'écorce près de la rivière. Michel alla saluer le sagamo, assis devant son wigwam, qui confectionnait une figurine en bois à l'aide d'un couteau. Wasacook était encore une fois parti à la pêche avec d'autres hommes de la tribu. Tout en parlant avec le chef, le jeune Blanc vit Malika sortir d'un wigwam. Son cœur fit un tel bond dans sa poitrine qu'il se sentit faible. Lorsqu'elle le vit, elle le gratifia de son sympathique sourire et vint vers lui. En la voyant approcher, il se sentit encore plus faible, tellement qu'il tenait à peine debout.

— Moi, Malika! dit-elle en français. Toi, Mitchell.

Comment savait-elle son nom? Il resta étonné autant que charmé. Elle était superbe, avec des traits fins et le visage un peu rondelet, comme bien des personnes de sa race. Elle avait toujours cette longue tresse de cheveux très noirs qui laissait voir la finesse de sa nuque. Elle était pieds nus et portait une longue jupe en cuir et une veste en fourrure à poil court, nouée sur le devant avec des lacets de cuir. Elle n'était pas du tout maquillée, et avait la tête nue comme toutes les Indiennes – contrairement aux Acadiennes, qui portaient presque toujours une coiffe couvrant toute la tête. Comme accessoire, elle ne portait qu'un double collier fait de coquillages de toutes sortes, d'os travaillés et de ce qui ressemblait à des dents d'animaux.

Elle dit au sagamo quelque chose que Michel ne comprit pas mais qui devait être positif, puisqu'il lui répondit d'un sourire et acquiesça de la tête. Alors elle prit Michel par la main et lui fit comprendre qu'ils allaient faire une marche le long de la rivière. Elle voulait probablement lui montrer quelque chose. Quoi qu'il en soit, il était tellement charmé et étonné qu'il se sentait flotter comme un ballon sur l'eau. Il sentait sa main se refermer sur la sienne et se sentait tout drôle, en éprouvait une sorte de sensation indéfinissable. Il émanait d'elle une odeur de fleur, tellement différente de l'horrible odeur de graisse d'ours qui se dégageait le plus souvent de Wasacook. Il est vrai que tôt au printemps les exécrables petites bêtes piquantes n'avaient pas encore fait leur apparition.

Malika n'était pas aussi bavarde que Wasacook, qui parlait tout le temps même si Michel ne le comprenait pas. Elle connaissait quelques mots de français, mais préférait essayer de montrer des mots mi'kmaq à Michel, qu'elle appelait Mitchell, sur un ton guttural.

— *Sisip*, dit-elle en voyant un oiseau. *Muspun*, en touchant ses cheveux. Elle mit sa main sur sa bouche et dit *stun*, mais Michel ne savait pas si cela voulait dire « bouche », « tais-toi » ou « parle » !

Même s'il ne comprenait pas tout, il demeurait enchanté par cette espèce de jeu qui leur permettait d'établir un contact sans parler la langue de l'autre. Elle ne se gênait pas pour s'appuyer contre lui ou pour l'emmener tout au bord de la rivière pour lui montrer des petits poissons qui s'agitaient dans l'eau.

À un moment donné, elle l'entraîna dans un petit bosquet non loin de la rivière. Des aigrettes d'épinette jonchaient le sol et donnaient l'impression d'une couverture brune, des rayons de soleil s'infiltraient à travers les branches des arbres et réchauffaient le sol. *Pa'si*, dit-elle en lui faisant signe de s'asseoir. Lorsqu'ils furent assis, elle se colla contre lui en disant *tekeik*, mot qu'il connaissait et qui signifiait « froid ». Il osa passer son bras autour d'elle et elle se blottit tout contre lui. Il respirait lourdement et humait son odeur. Il était aux anges. Il savait que les Indiennes célibataires s'affichaient comme des femmes libres qui ne s'embarrassaient pas de principes ou de préceptes religieux, mais il n'avait jamais imaginé qu'il pouvait en être ainsi. Une telle spontanéité l'émerveillait.

Elle se coucha sur le dos et l'attira vers elle. Son éternel sourire avait pris une allure différente. Elle avait visiblement envie de lui. Ils passèrent un bon moment à se caresser et à s'embrasser. Jamais encore il n'avait connu un plaisir aussi intense. Il aurait voulu que cet instant de bonheur dure éternellement. Lorsqu'il souleva sa jupe, il se rendit compte qu'elle n'avait rien en dessous. Son excitation était à son comble. Tout était tellement nouveau pour lui qu'il ne savait comment réagir. Il décida donc de se laisser aller à son instinct. L'odeur des épinettes mêlée à celle de Malika, les doux rayons de soleil qui effleuraient leur peau, la chaleur du sourire de l'Indienne, tout contribuait à les isoler dans un autre monde, un monde rempli de merveilles. Il éprouvait la sensation d'être couché dans une barque flottant tout doucement sur une rivière.

Lorsqu'ils retournèrent au campement, Wasacook les attendait. Il accueillit Michel avec son entrain habituel. Malika dit à son cousin quelques mots que Michel ne comprit pas, puis elle lui serra le bras et disparut. Michel n'était pas bavard, ni même enthousiaste à l'idée de revoir son ami. Il ne se sentait pas encore revenu sur terre. Au bout d'un moment, il lui dit qu'il devait s'en retourner au village avant la tombée de la nuit. Wasacook ne protesta pas. Il semblait avoir compris ce qu'il s'était passé.

Le trajet de retour fut l'une des plus agréables marches qu'il eut jamais faites. Il se sentait comme un être aérien, prêt à s'envoler à tout instant. La vue du manoir le rendit triste. C'était son chez lui, pourtant, mais l'expérience qu'il venait de vivre lui avait fait voir une autre facette de la vie. Nul besoin de château pour être heureux ; le bonheur est en soi, pas dans la cour des autres.

Guyon Chiasson ne perdit pas de temps pour faire des enfants à sa nouvelle femme. En effet, en avril 1684, Marie-Madeleine donna naissance à une fille, Angélique. Lors de son baptême, Michel agissait comme parrain alors que Marie Kessy tenait l'enfant sur les fonds baptismaux.

Pour LaVallière, le début de cet été-là ne s'avéra pas particulièrement réjouissant. Bergier régnait en roi et maître le long des côtes acadiennes avec la Compagnie de la pêche sédentaire en Acadie, au grand dam du gouverneur d'Acadie qui voyait là une violation de ses pouvoirs territoriaux. Afin de renflouer ses caisses, ce dernier avait continué, malgré l'interdiction du gouvernement français, à octroyer quelques permis aux pêcheurs de la Nouvelle-Angleterre. Quand Bergier s'en rendit compte, il ne manqua pas de se plaindre aux autorités françaises des agissements de LaVallière.

— Il est en train de ruiner la pêche sédentaire en donnant des permis aux Bostonnais, avait-il écrit au gouverneur général et à l'intendant de la Nouvelle-France. On dirait qu'il prépare la prise de l'Acadie par les gens de la Nouvelle-Angleterre.

Cependant, ce qui mit vraiment le feu aux poudres, c'est lorsque LaVallière apprit que Bergier avait capturé huit bateaux de pêche anglais et qu'il avait emmené leurs capitaines en France pour faire voir à la cour de Louis XIV le genre de trafic qui se déroulait le long des côtes acadiennes. Or, il s'avéra que deux de ces capitaines détenaient des permis de pêche délivrés par

LaVallière. Ceux-ci furent donc relâchés, car ils possédaient un droit légal de pêche octroyé par le gouverneur d'Acadie.

LaVallière était content de voir que l'on avait relâché les deux capitaines, mais il était furieux contre Bergier, qui les avait emmenés en France sans vérifier leurs documents. En fait, il pensait plutôt que Bergier avait fait exprès, pour montrer au gouvernement français à quoi s'adonnait l'un de leurs gouverneurs en Nouvelle-France. Il trépignait de rage.

— Il va me le payer cher! répétait-il avec acharnement. J'en ai assez de ce huguenot, de ce protestant réformiste. Je vais attaquer ses installations à Chedabouctou.

Michel essaya de l'en dissuader en lui disant que cette confrontation n'apporterait rien de positif, mais son protecteur avait un allié de taille : son fils Alexandre. Ce dernier séjournait à Port-Royal, où LaVallière avait établi un comptoir administratif après avoir été nommé gouverneur d'Acadie. Il y passait quelques jours par mois afin de « régler les affaires de l'État », comme il le disait.

Alexandre avait très hâte de vivre de telles aventures. Âgé maintenant de dix-huit ans, il aspirait à une carrière militaire dans la marine française. Michel se rappelait ses dix-huit ans et ce désir qu'il avait eu de partir à l'aventure avec son héros. Il comprenait Alexandre, même s'il n'approuvait pas cette intervention qui ressemblait plus à un raid punitif.

— Nous allons l'aborder la nuit, disait le fils, pour les prendre par surprise. Nous mettrons les chaloupes à l'eau, avec des hommes armés à bord. Nous tirerons alors quelques coups de canon pour leur faire croire à une attaque anglaise, puis nous envahirons les installations.

LaVallière avait ébauché un sourire pour la première fois depuis deux jours. Sans doute voyait-il en son fils sa propre fougue, sa propre soif de mer, d'armes et de capture.

— Nous partons après-demain, affirma LaVallière. Il vaut mieux battre le fer pendant qu'il est chaud ! Avec une bonne brise, nous devrions y être en deux jours. Alexandre, prépare le bateau. Je vais aller enrôler quelques hommes, en plus des militaires de la caserne, pour nous accompagner. Michel, je ne te demande même pas si tu veux nous accompagner ; je connais tes opinions. Par contre, tu pourrais nous préparer des provisions pour un voyage d'au moins une semaine.

Michel était content que LaVallière ne le force pas à les accompagner. En les voyant s'activer, il réalisa à quel point il n'était pas fait pour la carrière militaire. Les attaques-surprises et les abordages ne le faisaient aucunement vibrer. La mer l'attirait, mais pas de la même manière que pour son protecteur. Il se sentait proche de la nature et préférait s'activer les deux pieds sur la terre ferme. Cette disposition s'était intensifiée depuis qu'il avait fait la connaissance de Malika et Wasacook.

Aux dires d'Alexandre, l'expédition ne s'était pas du tout déroulée comme prévu.

— Dans la nuit, le *Saint-Antoine* a abordé la baie de Chédabouctou, nous ne nous attendions pas à une pareille surprise. Mon père savait que les capitaines des bateaux anglais avaient été emmenés en France, mais ce qu'il ne savait pas, c'est que les huit bateaux capturés étaient ancrés dans la rade de Chédabouctou. Après une courte discussion avec ses hommes d'équipage, il décida de faire demi-tour. D'après lui, tous les pêcheurs anglais devaient être gardés prisonniers dans l'établissement, le temps que Bergier se rende en France avec ses prises et qu'il en revienne. « Si nous attaquons l'établissement, avait-il dit, les hommes de Bergier voudront se défendre, ce qui risque fort de laisser aux prisonniers le temps de s'évader, et peut-être même de retourner à Boston avec leurs bateaux. Le gouvernement français pourrait alors croire que je travaille pour les Anglais. Nous allons plutôt attaquer son poste de pêche à Canseau. Nous y serons avant la pointe du jour ». Lorsque nous sommes arrivés à Canseau, continua Alexandre, le poste était surveillé par deux gardiens qui dormaient encore, quoiqu'il fît jour. À mon grand déplaisir, nous n'avons pas même eu besoin de nous battre pour les maîtriser. Franchement, je m'attendais à un peu plus d'action. Nous nous sommes emparés de presque tous les barils de morue salée qui se trouvaient dans l'édifice, puis nous sommes repartis pour Port-Royal.

LaVallière n'avait probablement pas réalisé que Bergier pouvait compter sur des amis haut placés en France, dont Colbert, l'influent ministre de la Marine de Louis XIV, alors que lui ne pouvait dépendre que de ses contacts en Nouvelle-France pour défendre sa cause. Ainsi, quand Bergier apprit qu'il avait été dévalisé par LaVallière, il s'empressa d'envoyer un message à la Cour de France, demandant davantage de pouvoir pour patrouiller le long des côtes de l'Acadie en insistant pour que le seigneur de Beaubassin soit démis de ses fonctions de gouverneur d'Acadie pour désobéissance civile.

Quelques semaines plus tard, un messager venant de France apportait une missive pour le sieur LaBarre, le nouveau gouverneur général de la Nouvelle-France, de même que pour de Meulles, le nouvel intendant. La Cour de France accordait à Bergier le titre de commandant des côtes acadiennes et elle relevait LaVallière de ses fonctions de gouverneur de l'Acadie. LaVallière serait remplacé par François-Marie Perrot, l'ex-gouverneur de Montréal qui avait été démis de ses fonctions l'année précédente. Ce dernier était aussi le beau-fils de l'ex-intendant Talon, qui avait régné d'une main de maître sur la Nouvelle-France pendant dix ans. Le gouverneur LaBarre aussi bien que l'intendant de Meulles appuyaient LaVallière, mais les contacts de Bergier étaient plus influents.

LaVallière n'attendit pas l'arrivée de son successeur. Il ramassa ses affaires au comptoir de Port-Royal et retourna vivre à Beaubassin. Le nouveau gouverneur arriva à la fin de l'été et aménagea lui aussi son quartier général à Port-Royal. Une de ses premières actions fut d'établir un poste de traite à Port-Royal, comme il l'avait fait à Montréal, pour s'adonner au trafic des fourrures, une activité pourtant toujours considérée illégale par le gouvernement français. Peu de temps après, LaVallière apprit qu'il octroyait lui aussi des permis aux pêcheurs de la Nouvelle-Angleterre. La rumeur courrait même que Frontenac et Perrot étaient complices dans ce trafic illicite des fourrures, et que c'était pour cette raison que tous deux avaient été démis de leur fonction. Devant ces nouvelles, Michel demeurait songeur. Si ces chicanes internes ne cessaient pas, la Nouvelle-France ne réussirait jamais à se développer. De telles dissensions existaient-elles du côté anglais? Si tel était le cas, il n'en avait pas conscience.

À peine de retour à Beaubassin, LaVallière était aux prises avec un autre problème. S'il n'était plus gouverneur d'Acadie, il demeurait le seigneur de Beaubassin, et c'est à ce titre que l'on demandait son intervention. De plus en plus de gens au village se plaignaient des agissements de Campagna, que plusieurs maintenant qualifiaient de sorcier. Le dernier en date à avoir adopté cette opinion était Roger Kessy, un des habitants les plus en vue de Beaubassin. Il se plaignait que plusieurs de ses bêtes avaient été ensorcelées par Campagna et qu'elles en étaient mortes.

— La semaine dernière, expliqua-t-il à LaVallière, Campagna est venu chez moi, à moitié soul, pour me demander la main de ma fille Marie. Je ne pouvais pas prendre une telle décision sans ma femme, qui était partie chez des amis, alors je lui ai dit de revenir le lendemain.

— Et qu'en a dit votre femme? demanda LaVallière, qui voulait en arriver vite au but.

— Elle a dit non, parce qu'il avait une trop mauvaise réputation. Le lendemain, comme convenu, nous lui avons fait part de notre décision.

— Et il n'était pas content, je suppose.

— Non seulement il n'était pas content, mais il a pointé ma femme du doigt en disant: «Bientôt, vous le regretterez!» Et voilà que le lendemain, quatre de mes meilleures vaches et deux jeunes bœufs sont tombés malades et ne voulaient plus manger. Pendant trois jours, les bêtes sont restées ainsi sans manger. J'ai fait venir le père Moireau pour les désensorceler et bénir l'eau et le foin qu'elles avaient devant elles, mais cela n'a servi à rien. Elles ne voulaient même pas y toucher. Le lendemain, elles étaient toutes mortes.

LaVallière se leva d'un bond et se mit à arpenter en long et en large la grande pièce du manoir. Il semblait refouler une terrible colère.

— Je ne peux pas croire, finit-il par dire, que Campagna a fait cela. Il a donc de réels pouvoirs maléfiques! Si encore c'était pour accomplir des actions positives, ça passerait, mais le sorcier se plait dans les malédictions et les opérations sordides. Je vais aller le voir, moi, et dès cet après-midi!

Quelques heures plus tard, LaVallière, accompagné de Michel, partit à travers le champ en direction de la petite maison de Campagna, plus en amont. En approchant, ils virent que Campagna travaillait derrière la seule dépendance adjacente à l'habitation.

— Hé! Campagna! cria LaVallière. Il paraît que tu es allé pratiquer tes talents de sorcier chez Roger Kessy?

— Comment ça, mes talents de sorcier? Je suis allé chez Roger, c'est vrai, pour lui demander la main de sa fille. Mais il a refusé.

— Et tu étais tellement contrarié que tu lui as jeté un sort, c'est ça?

— Mais non, nous avons eu une petite dispute et je suis parti.

— Une petite dispute? Six de ses bêtes sont tombées malades le lendemain et elles en sont mortes. Tu appelles cela une petite dispute, toi?

— Si ses bêtes sont tombées malades, je n'y suis pour rien. Malheureusement, la maladie existe dans ce bas monde.

— Ne me raconte pas d'histoire, Campagna. Les faits sont là. Les bêtes sont mortes. Même le curé Moireau n'a pas pu les désensorceler. Écoute-moi bien. Je ne t'ai jamais accusé de rien, même si des gens bien pensants croient que tu pourrais être responsable de la mort de ma femme, mais cette fois-ci c'en est trop. Si tu te laisses aller à une autre action de ce genre, je te passe mon épée à travers le corps.

LaVallière claqua les talons et entraîna Michel en direction du manoir, laissant Campagna bouche bée. Michel était content de l'intervention rapide de son protecteur. Il fallait que ces actions colériques de Campagna cessent, même si leur côté maléfique s'avérait difficile à prouver. Si l'homme avait effectivement jeté un sort aux bêtes de Roger Kessy, c'était très grave. Il pouvait être accusé de sorcellerie, donc de lèse-majesté.

La nouvelle de la mort des bêtes de Roger Kessy n'avait pas mis de temps à se répandre au village. Dès le surlendemain de la visite du seigneur de Beaubassin à Campagna, une délégation composée de Roger Kessy et de sa femme, de Marie Martin, d'Isabelle Pellerin, de Marie Gaudet et de Pierre Godin se présenta au manoir pour rencontrer LaVallière. Pierre Godin dit Chastillon prit la parole.

— Des voix s'élèvent de partout dans le village contre Jean Campagna. Nous ne voulons plus le voir parmi nous, car ses actions salissent la réputation de notre village et freinent son développement. Les gens ont peur de lui, peur surtout qu'il leur jette un sort.

— Il ne fait pas de doute qu'il a des liens avec la sorcellerie, continua Marie Martin, la veuve de feu François Pellerin, décédé d'après elle par la faute de Campagna. Nous considérons donc qu'il est de votre devoir, en tant que seigneur des lieux, de faire arrêter Campagna pour sorcellerie.

— Vous faites là des accusations graves, répondit LaVallière, mais elles méritent considération. Laissez-moi y réfléchir.

— D'accord, enchaîna Pierre Godin, mais nous vous demandons d'agir vite, car si rien n'est fait, nous pensons que les gens du village vont se charger de se faire justice.

LaVallière ne passa pas beaucoup de temps à réfléchir. C'est à lui que revenait d'administrer la justice dans sa seigneurie, et non pas aux habitants. Comme il avait nommé Michel chef de la milice, il lui ordonna d'aller arrêter Campagna et de l'amener au manoir. Michel n'avait pas particulièrement envie de faire ce genre de travail, mais il savait que cette tâche lui revenait. Personnellement, il préférait régler les problèmes à l'amiable par la discussion au lieu de la confrontation, mais il savait aussi que dans ce cas précis, ce n'était guère possible. En fait, Campagna ne s'était jamais intégré aux habitants de Beaubassin ; il n'avait fait que semer la discorde. En conséquence, une bonne partie des habitants voulaient non seulement qu'il s'en aille, mais qu'il soit traduit en justice. Il se pouvait bien que toutes ces accusations ne soient que des feux de paille, que ces morts ne soient que des coïncidences, mais il valait mieux éclaircir la question afin que les gens du village puissent dormir tranquilles.

Michel réfléchissait à tout cela en marchant vers la maisonnette de Campagna. Lorsqu'il arriva devant l'habitation, celui-ci dormait, couché sur un banc à côté de la maison. Le chef de la milice se demandait pourquoi il ne s'était pas bâti une meilleure maison, car on disait qu'il avait des économies. Il avait même prêté de l'argent à certaines personnes au village. Michel secoua Campagna pour essayer de le réveiller. Tout à coup, il fit un bond et sauta debout. Michel lui fit alors part de la raison de sa visite.

— Je suis chargé, sous l'ordre du seigneur de Beaubassin, de t'emmener au manoir pour t'accuser de sorcellerie.

— Mais qu'est-ce qu'il veut encore, celui-là ? Ne m'a-t-il pas déjà assez fait de mal ? Sorcellerie ! La belle affaire ! Si j'avais des pouvoirs, je les aurais exercés bien autrement. Qu'on me laisse tranquille.

— Je regrette, mais tu dois obtempérer. Si tu n'es pas sorcier, tu ne devrais rien craindre. Je n'ai pas d'arme, je compte sur ta bonne volonté pour me suivre au manoir.

— C'est bon, allons-y. Je vais te suivre. De toute façon, il ne peut pas me faire plus de mal qu'il m'en a fait jusqu'ici.

Tout au long du trajet jusqu'au manoir, Campagna ne fit que fulminer contre les gens de Beaubassin, qui s'étaient tous ligués contre lui. Il en nomma au moins une dizaine qui lui en voulaient pour telle ou telle raison.

Lorsqu'ils arrivèrent au manoir, le seigneur de Beaubassin les attendait. Il avait enfilé son costume d'apparat pour montrer qu'il assumait son rôle de pourvoyeur de justice, qui faisait partie de ses attributions en tant que seigneur de Beaubassin. Il prit un ton pompeux et annonça :

— Monsieur Jean Campagna, résident de ma seigneurie de Beaubassin, je vous accuse de sorcellerie et vous garde prisonnier en attendant votre procès.

— Prisonnier ? En voilà une belle affaire ! protesta Campagna, les bras en l'air. Vous n'allez tout de même pas croire à ces ragots de bonne femme ! Vous voulez m'accuser de sorcellerie ? Eh bien allez-y, prouvez-le.

— C'est exactement ce que nous avons l'intention de faire, répliqua LaVallière. En attendant, j'ordonne que l'on vous mette aux fers.

— Aux fers ! Mais vous n'y pensez pas ! Comme si je pouvais m'évader de ce coin perdu.

LaVallière ordonna à Michel d'aller chercher les fers dans une des dépendances et de les passer au prisonnier. Lorsqu'il voulut les mettre à Campagna, celui-ci commença à se débattre, mais le seigneur l'empoigna si fort à bras le corps qu'il lui fut bientôt impossible de bouger. Le chef de milice n'eut alors aucun mal à lui passer les fers aux pieds. Michel n'avait jamais réalisé que son protecteur était doué d'une telle force.

— Alors, elle est où, votre prison ? lança Campagna sur un air de défi.

— Dans une des dépendances, répondit LaVallière. Et tu vas y rester jusqu'à ce que nous puissions organiser un procès.

— Monsieur le seigneur de Beaubassin, vous regretterez ce geste un jour, c'est moi qui vous le dis.

LaVallière ne voulait pas perdre de temps avec cette affaire ; il avait d'autres projets en tête et des obligations à remplir. Il savait que si l'accusation de sorcellerie se révélait fondée, Campagna devrait être entendu par la Cour supérieure de la Nouvelle-France à Québec. Il rédigea donc une missive et envoya un messager la porter à Port-Royal pour qu'elle parte sur le prochain bateau pour Québec.

En attendant la réponse de Québec quant au moment où la cause pourrait être entendue, si l'accusation s'avérait recevable, il décida de contacter tous les témoins qui portaient des accusations et de les faire apparaître à une cour organisée au manoir afin qu'il puisse recueillir leur déposition. Après avoir discuté avec les personnes qui tenaient à témoigner, il décida de retenir quatre principaux chefs d'accusation : 1) la mort de François Pellerin ; 2) la mort de Marie Denys, sa femme ; 3) l'envoûtement de Pierre Godin ; 4) le sort fatal jeté aux bêtes de Roger Kessy.

LaVallière mit donc une cour en place et demanda à chaque témoin de venir faire sa déposition. Lui-même agirait comme juge du procès, alors que Michel exercerait le rôle de greffier et prendrait en note les témoignages des plaignants.

La première personne appelée à témoigner était Andrée Martin, la veuve de François Pellerin. Elle confia qu'en 1675, Campagna avait voulu la frapper parce qu'elle s'était interposée entre lui et une jeune fille qu'il insultait. Elle l'avait frappé à son tour avec un bâton. Il lui avait alors dit qu'elle regretterait son geste un jour. Trois ans plus tard, alors que l'accusé travaillait pour LaVallière, il avait soufflé dans l'œil de son mari, qui s'était tout de suite trouvé mal. Cette nuit-là, il avait développé une forte fièvre et en était mort. Plusieurs autres personnes, dont Pierre Mercier, Marie Martin et Martin Aucoin, corroborèrent ce témoignage.

En ce qui concernait la mort de Marie Denys, la femme de LaVallière, la première personne à témoigner fut Marie Martin. Elle raconta que la veille de sa mort, madame de LaVallière lui avait dit que la semaine précédente, Campagna était venu lui faire présent d'une livre de beurre et qu'il lui avait dit en riant de faire attention car ce beurre pourrait peut-être l'ensorceler. Marie Martin raconta ensuite qu'après que Marie Denys eut mangé de ce beurre, elle contracta une si forte fièvre qu'elle en mourut. Michel avait de la difficulté à croire cette histoire. Toutefois, il se demandait encore comment Marie avait pu partir aussi vite. Chaque fois qu'il était question d'elle, il se sentait triste, au point d'interroger Dieu sur les raisons de ce départ si rapide.

Quant à Pierre Godin dit Chastillon, il certifia qu'il avait été ensorcelé par Campagna. Il raconta qu'en 1678, alors qu'il travaillait pour LaVallière et qu'il couchait, tout comme Campagna, devant le foyer chez Roger Kessy, l'accusé lui avait manié l'estomac alors qu'il sommeillait. Il s'était senti tout à coup si mal qu'il avait compris que Campagna l'avait ensorcelé. Il s'était alors mis à vomir et avait été pris d'un vilain mal de tête accompagné d'une grosse fièvre. Le matin, on avait fait venir le père Moireau qui, à force de prières et d'incantations, avait fini par le désensorceler. Quelques heures plus tard, il était guéri.

Pour les animaux de Roger Kessy, ils furent plusieurs à témoigner, dont Roger Kessy lui-même, sa femme Françoise Poirier et sa fille Marie, de même que Thomas Cormier, sa femme, Madeleine Girouard, ainsi qu'Isabelle Morin et Marie Godet. Si tous témoignèrent, c'est cependant la déclaration de Françoise Poirier qui fut retenue comme déposition. Celle-ci n'ajoutait pas grand-chose de nouveau par rapport à ce que Roger avait raconté précédemment à LaVallière, sauf que, à la suite du refus de Françoise de lui donner sa fille en mariage, il lui avait proféré des injures et des calamités horribles. Puis, avant de partir, il avait dit : « Dans peu de temps, vous connaîtrez ce qui vous arrivera. » C'est alors que six de leurs meilleures bêtes sont tombées malades et qu'elles sont mortes quatre jours plus tard.

Campagna ne pouvait pas, en tant qu'accusé, faire une déposition. Seule la Cour de Québec était autorisée à l'interroger et à le confronter aux témoignages des plaignants. D'ailleurs, Campagna se disait heureux de ne pas être interrogé par LaVallière et voulait qu'on le transfère au plus vite à Québec. Selon LaVallière, le père Moireau aurait dû témoigner étant donné que le clergé, en Nouvelle-France, ne badinait pas avec les histoires de sorcellerie, mais il avait refusé de le faire en disant qu'il préférait prier pour Campagna et laisser à Dieu le soin de le juger.

Le procès local terminé, les notes de Michel furent transcrites par LaVallière lui-même sous forme de déposition. La réponse tant attendue de la Cour supérieure de la Nouvelle-France n'arriva qu'en décembre. Il était alors trop tard pour faire le voyage à Québec en raison des glaces qui bloquaient le Saint-Laurent à ce temps de l'année. En novembre, Campagna avait été déménagé dans la grande pièce du manoir, la seule qui était chauffée en hiver. Ainsi, il put se distraire avec les employés en racontant des histoires, en jouant aux cartes ou à d'autres jeux de société.

Au mois de mai, après la fonte des glaces, l'accusé fut transféré à Québec sur le bateau du sieur de Bonaventure, un neveu de LaVallière, qui, au retour de France, avait fait escale à Port-Royal et à Beaubassin. En ce lieu, il fut incarcéré à la prison royale en attendant d'être jugé devant la prévôté de Québec.

Le procès ne dura que quelques jours, après quoi Campagna fut acquitté et libéré de prison. Les plaignants de Beaubassin n'étaient pas contents. LaVallière décida donc de les convoquer pour leur expliquer le jugement. Campagna était acquitté de l'accusation de sorcellerie, mais pas des méfaits qu'il avait causés dans la communauté. Il n'était que partiellement libre : on l'assignait à résidence à Québec, puisqu'il devait se rapporter tous les quinze jours à la cour. Cela voulait donc dire qu'il ne reviendrait plus à Beaubassin. La nouvelle ne tarda pas à faire le tour du village. Certaines personnes avaient même le goût d'oublier les morts attribuées à Campagna et de fêter. Mais d'autres craignaient toujours de le voir soudainement réapparaître. Ainsi se terminait une histoire qui avait occupé l'esprit de la plupart des habitants de la seigneurie pendant plus d'une année.

*M*ichel se demandait si LaVallière n'avait pas voulu faire un exemple du cas Campagna. Il était bien possible qu'il ait cherché par là à montrer son autorité. De nombreux problèmes l'accablaient et il avait beaucoup de mal à accepter le fait qu'il exerçait peu de contrôle sur les habitants du village. De plus, il venait de perdre son titre de gouverneur d'Acadie, et sa situation financière, déjà précaire, ne faisait que s'enliser. Le pouvoir lui échappait de tous les côtés. En accédant à la demande de quelques habitants de Beaubassin d'arrêter Campagna, il pensait sans doute montrer aux villageois qu'il était maître de la situation. Ce qu'il ne semblait pas réaliser, c'est que l'exercice du pouvoir devrait être avant tout un outil de développement et d'évolution pour une société donnée, et non pas une série d'accusations et d'oppositions.

Si ce coup de filet avait réussi à calmer quelques esprits, Michel demeurait sceptique quant à l'influence que cette expulsion pourrait avoir sur l'évolution des mentalités. Les dépositions des différents témoins faisaient montre de beaucoup de présomptions. La preuve, c'est que la prévôté de Québec avait blanchi Campagna de l'accusation de sorcellerie qui pesait contre lui. Après tout, n'était-ce pas le propre de la paysannerie d'expliquer la maladie et la mort par des interventions maléfiques? Du moins, c'est cela que les jésuites enseignaient au Séminaire de Québec. Par l'intervention un peu trop rapide de LaVallière, la réputation d'un homme (bien peu commode, il est vrai) avait été détruite. Campagna ne recevrait aucune compensation pour ses mois d'emprisonnement; sa réputation de bon travailleur était anéantie et sa vie se trouvait bouleversée. Il avait tout perdu, même le droit de pouvoir s'installer où il le voulait.

Michel se demandait pourquoi le cas de Campagna le préoccupait tellement. Il avait travaillé quelques fois à ses côtés, mais il n'était jamais allé le visiter. Il n'avait pourtant pas le loisir de réfléchir à toutes ces questions comme il l'aurait voulu. L'été était tellement sec qu'il éprouvait beaucoup de difficulté à maintenir en santé son jardin potager. L'intensité continue de la chaleur avait tari le puits et il fallait maintenant rationner l'eau potable, et même aller en chercher à la source tout au haut du talus. Michel avait dû se fabriquer une espèce de petit chariot à deux roues pour transporter l'eau de la rivière au manoir. L'eau était parfois imprégnée de boue, mais tant que l'on n'en mettait pas trop sur les plantes elles-mêmes, il n'y avait pas de problème. Cette entreprise avait demandé un travail fou, car le temps sec avait duré tout le mois de juillet et une partie d'août.

Pour la culture des champs, le problème était un peu moins grave. On n'avait fait qu'ouvrir le clapet des aboiteaux, ce qui avait permis à l'eau de la rivière de remonter dans les canaux creusés dans les champs. Les cultures de blé, d'orge et d'avoine n'avaient donc pratiquement pas été affectées. Les aboiteaux constituaient de merveilleux systèmes d'irrigation.

Michel était allé par deux fois au campement des Indiens au cours de l'été, mais les deux fois, ni Malika ni Wasacook ne s'y trouvaient. Le sagamo lui avait dit que Malika était partie dans le nord, il ne savait pas exactement où, et que Wasacook était parti pêcher du côté de la baie Verte.

Au début du mois d'août, alors que tout Beaubassin finissait de rentrer la récolte de foin, Michel vit apparaître Wasacook au bout du champ derrière le manoir. Ils ne s'étaient pas vus de l'été. En fait, désespérant de voir ses amis mi'kmaq, il avait renoncé à ses cours de langue avec le père Moireau, mais curieusement, en parlant avec l'Indien, il lui semblait le comprendre mieux qu'avant. Heureusement, il ne restait plus que les instruments aratoires à ranger pour finir sa journée de travail, ce que les ouvriers pouvaient bien faire sans lui. Il n'hésita donc pas à aller rejoindre son ami.

Wasacook arrivait toujours avec des projets en tête. Après les salutations habituelles, il s'informa de l'utilité du foin coupé. Les Indiens ne gardaient pas de bêtes à cornes, donc n'avaient pas besoin de fourrage. Ils ne se nourrissaient que de bêtes sauvages chassées dans les bois, du maïs et des plantes récoltées en forêt. Wasacook prit son ami par le bras.

— Viens ! dit-il. Pêche nigog

— Nigog ? C'est quoi, ça ? Une sorte de poisson ?

— Non ! Non ! répondit-il en riant.

Il lui montra alors l'espèce de petit harpon qu'il portait, fait du cartilage de la tête d'un poisson et formant comme deux petits crochets face à face. Cet instrument permettait de piquer dans le poisson et de le tirer hors de l'eau sans qu'il puisse se détacher du crochet.

Il entraîna Michel à une petite rivière qui se jetait dans la Mésagouèche où les hommes de sa tribu avaient installé ce qu'ils appelaient une trappe à poisson. Il s'agissait de fabriquer un barrage au fond de la rivière avec des troncs d'arbres et des branches jusqu'à mi-chemin entre la marée haute et la marée basse. Ainsi les poissons qui remontaient la rivière à marée haute se trouvaient prisonniers derrière le barrage lorsque la marée descendait.

Les castors aussi faisaient ce genre de barrages, mais beaucoup plus serrés. Ici, l'eau pouvait filtrer à travers les branches, mais pas les poissons. Comme ceux-ci se rassemblaient tout près de cette barrière, il devenait relativement facile de les harponner. On voyait effectivement se promener près du barrage différents poissons, dont des truites, des plies, beaucoup de gaspareaux et d'autres plus petits, qui ressemblaient à des éperlans. Wasacook donna le nigog à Michel et avança dans la rivière, qui n'était pas bien profonde. En un rien de temps, il réussit à sortir cinq ou six poissons de l'eau à mains nues. Il était d'une rapidité incroyable. Il descendait sa main tout doucement dans l'eau, l'immobilisait quelques instants près du poisson et… hop! Il en tenait un qui gigotait dans sa main. Il le tuait aussitôt en lui cassant le cou, car il ne fallait pas les faire souffrir, disait-il, puis l'enfilait sur une branche d'osier ou de vergne. Pendant ce temps, Michel avait péniblement réussi à en prendre deux, trop occupé qu'il était à admirer la dextérité de son ami. Au bout d'une heure, ils rentrèrent au manoir avec une belle brochette de poissons. Avant de se séparer, Michel lui fit comprendre qu'il aurait aimé savoir où se trouvait Malika.

— Elle mariée. Miramichi, dit-il en joignant ses deux index.

— Mariée? Comment ça?

Il ne comprenait plus rien. Il avait cru que leur après-midi intime au bord de la rivière constituait une sorte de serment ou au moins une promesse d'avenir.

— Malika spéciale! répétait Wasacook. Malika belle!

— Elle est à Miramichi?

— Oui. Beaucoup Mi'kmaq là.

Ainsi, le chef du clan n'avait pas menti. Elle était partie dans le nord, avait-il dit, mais il n'avait pas su, ou pas voulu, lui dire qu'elle était partie se marier. Michel se sentit anéanti. Se pouvait-il qu'il ait été berné à ce point ? Ou avait-il tout simplement été stupide ? Elle ne l'aimait pas, alors que lui pensait s'être engagé dans une relation pour la vie.

Wasacook vit son désarroi et sembla comprendre ce qui s'était passé. Il prit donc congé rapidement de Michel en lui donnant une tape dans le dos, comme pour l'encourager, et s'engagea sur le sentier du campement. Michel resta abasourdi. Il avait envie de pleurer. Malika ! Sa Malika ! Sa belle, si douce, si spontanée Malika. Comment avait-elle pu lui faire un coup pareil ? Il sentait encore la chaleur de son corps qui s'abandonnait contre le sien. Mais il fallait qu'il se fasse une raison. Malika se trouvait hors de sa vie maintenant, il fallait qu'il se mette cela dans la tête. Il s'efforça donc de penser à autre chose et prit la route du manoir.

En août, LaVallière était allé à Port-Royal chercher des provisions. Il savait qu'un bateau de marchandise de Boston devait y accoster vers la fin du mois. Une semaine plus tard, il revenait avec plusieurs contenants d'huile et de vinaigre, du sel et du poivre, de même que des fusils et de la poudre à canon. Il avait l'intention d'en vendre aux habitants de Beaubassin, mais il resta pris avec une bonne partie de sa cargaison, car apparemment, les Bourgeois, qui faisaient aussi le trafic avec Boston, lui avaient damé le pion. Ce qui semblait l'irriter davantage, c'est que les Bourgeois s'enrichissaient (ils étaient considérés comme les habitants les plus riches de Beaubassin) alors que lui s'appauvrissait. Il est vrai qu'il ne pouvait pas se livrer entièrement, comme eux, au commerce et à l'élevage, mais quand même, cette constatation le contrariait. Si tous les habitants de Beaubassin avaient voulu se conformer aux exigences d'une seigneurie, il n'aurait pas eu autant de dettes, estimait-il. Michel voyait que cela le rendait irascible, mais il n'y pouvait rien. Ils avaient chacun leurs problèmes.

Vers la mi-novembre, on vit trois canots remplis d'une dizaine d'Indiens descendre la Mésagouèche. Un Blanc se trouvait confortablement assis dans le canot central. En les voyant se diriger à pied vers le manoir, LaVallière reconnut l'intendant de Meulles, qu'il avait rencontré à Québec l'année précédente.

— Quelle surprise! s'exclama LaVallière, qui ne feignait pas son étonnement.

— Surprise en effet, répéta de Meulles. Je m'excuse de n'avoir pas pu vous prévenir, mais quand le sieur de Bonaventure m'a appris qu'il s'arrêtait en Acadie avant de se rendre en France, j'ai sauté sur l'occasion, car j'avais l'intention de venir faire une visite officielle dans cette partie de la Nouvelle-France.

— Mais comment se fait-il que vous arriviez avec des Indiens? Bonaventure vous a-t-il débarqué à la baie Verte?

— Non! C'est que nous avons eu un problème. Le bateau de Bonaventure prenait l'eau, alors il a voulu s'arrêter à Shédaique pour le réparer et il s'est échoué sur un banc de sable. Les Indiens m'ont alors pris en charge et m'ont ramené ici en suivant la côte jusqu'à la baie Verte.

Les Mi'kmaq restaient debout près de l'entrée du manoir. LaVallière alla leur parler et leur offrit une petite partie des provisions qu'il avait rapportées de Port-Royal. Il voulait les remercier correctement d'avoir eu la gentillesse d'escorter l'intendant de la Nouvelle-France jusque chez lui. Sans doute s'attendaient-ils à cette récompense car, étant habitués aux cadeaux des Français, ils restaient plantés à la barrière à attendre. Ils repartirent ensuite en riant et en se tapant dans le dos.

L'intendant de Meulles était venu en Acadie, disait-il, pour faire un inventaire de l'occupation du territoire et voir quel rôle cette partie du pays pourrait jouer dans le développement de la Nouvelle-France. Il comptait passer quelques jours chez le seigneur de Beaubassin, qu'il considérait comme le plus apte à le renseigner sur l'évolution de la colonie. Ensuite, il sillonnerait le pays.

Dès que LaVallière apprit que son hôte allait passer plusieurs jours chez lui, il envoya Michel au campement des Indiens pour voir s'ils y étaient encore ou s'ils avaient déjà déménagé leur campement pour l'hiver. Il voulait qu'ils lui apportent du poisson et des lièvres afin qu'il puisse traiter convenablement son supérieur en Nouvelle-France. Michel s'exécuta rapidement, car il pensait revoir son ami et peut-être en savoir plus au sujet de Malika. Après tout, Wasacook s'était peut-être trompé. Mais il arrivait trop tard. Les Mi'kmaq avaient déjà déménagé leur campement dans la forêt.

On aurait dit qu'ils avaient senti venir l'hiver, car dès le surlendemain, le temps tourna au froid et il se mit à neiger. Le froid ne fit que s'intensifier et il neigea pendant quatre jours d'affilée. De Meulles avait très mal choisi son moment pour visiter l'Acadie. Incapable de retourner à Québec à cause des glaces, il devrait passer l'hiver au manoir.

LaVallière n'avait rien contre, bien au contraire. L'intendant était le représentant gouvernemental le plus important en Nouvelle-France, il se devait de l'avoir de son côté. Ce séjour prolongé allait lui permettre de discuter des problèmes qui guettaient l'Acadie et de lui présenter sa vision de son développement. Il semblait surtout flatté du fait que l'intendant l'avait choisi, lui, pour lui présenter la colonie acadienne, plutôt que François-Marie Perrot, le gouverneur d'Acadie. Il est vrai que LaVallière y habitait depuis presque dix ans alors que Perrot ne s'y trouvait que depuis quelques mois.

Après quelques jours d'ajustement, la vie reprit son cours normal au manoir. Michel avait pu garder sa chambre, où coucherait aussi dorénavant Jacques de Meulles. Les deux domestiques qui avaient la charge des animaux et qui normalement y dormaient s'installeraient dans la grande pièce où couchaient toujours madame Marguerite de même que deux ouvriers nouvellement engagés pour faire la coupe du bois de chauffage. LaVallière avait eu l'intention d'agrandir le manoir pour y ajouter deux autres pièces, mais il y avait renoncé après avoir perdu son poste de gouverneur. Michel se rappelait l'avoir entendu dire que si les choses ne s'amélioraient pas, il n'allait pas faire de vieux os en Acadie.

La semaine suivante, des Indiens de la baie Verte étaient venus au manoir pour informer le seigneur que Bonaventure avait réparé son bateau et qu'il avait décidé de partir tout de suite pour la France par crainte d'être pris par les glaces. Comme d'habitude, ils attendirent que LaVallière leur donne une petite récompense avant de s'en aller.

Le climat social s'était un peu amélioré à Beaubassin après le procès de Campagna et Michel avait réussi à convaincre un bon nombre de villageois de payer leur redevance au seigneur. Il estimait que pour garder la paix au village, il valait mieux qu'ils donnent quelques boisseaux de blé à la seigneurie. Maintenant que les habitants possédaient de plus en plus de terre en culture, il devenait plus facile de partager un peu de leur production sans que cela leur soit dommageable. Cela dit, comme Jacob Bourgeois avait lui aussi installé un moulin à farine, il devenait facile pour les récalcitrants, qui représentaient maintenant une minorité, de se rendre chez lui pour faire moudre leurs céréales, même si, parfois, ils devaient transporter leur grain sur une bien plus longue distance que s'ils avaient accepté de le moudre au moulin de LaVallière.

Les longues soirées d'hiver se passèrent toutes dans la grande pièce du manoir à jouer aux cartes, aux dominos ou aux dés, mais surtout à discuter de l'avenir de l'Acadie. Pour de Meulles, comme pour LaVallière, l'Acadie représentait une grande richesse sur le plan économique.

— D'après ce que j'ai pu voir en venant ici, raconta de Meulles, il y a largement assez de bois pour y établir une indus- trie de construction navale. De plus, les marais qui se trouvent tout autour de la baie Française, dont celui-ci, donnent des terres agricoles très productives, d'après les rapports que nous avons reçus à Québec. Je sais aussi que les eaux côtières regorgent de poissons de toutes sortes.

— Il est vrai, confirma LaVallière, que les terres produisent en abondance et que la forêt est vaste, mais la pêche est mal gérée. Il faudrait un entrepreneur de la trempe de Nicolas Denys pour s'occuper d'établir des postes de pêche un peu partout qui traiteraient le poisson avant de l'acheminer vers la France.

— Mais c'était le but de Louis XIV en établissant la Compagnie de la pêche sédentaire en Acadie.

— Peut-être, mais il a mal choisi son chef. Bergier est incapable de s'entendre avec qui que ce soit.

— Ça, je préfère le voir par moi-même, affirma de Meulles, car je compte bien lui rendre visite à Chedabouctou dès que je le pourrai. Je demeure convaincu cependant que si la France pouvait avoir le monopole du commerce de la pêche, elle exploiterait une véritable mine d'or. Nous verrions alors des bateaux français venir sans interruption sur les côtes d'Acadie pour apporter toutes sortes de marchandises utiles à la colonie et retourner en France avec une cargaison de poissons prêts à la consommation.

— Ce serait d'autant plus intéressant pour la France, ajouta LaVallière, que le fleuve Saint-Laurent est impraticable pendant plusieurs mois par année à cause des glaces, alors qu'à certains endroits d'Acadie, comme à La Hève ou au cap Sable, on peut accoster pratiquement toute l'année.

D'autres soirs, et surtout les jours de tempête où tout le monde devait rester enfermé dans le manoir, on abordait des sujets différents, comme l'éloignement des deux pôles d'attraction de la Nouvelle-France, l'Acadie et Québec. De Meulles était un rêveur qui voyait grand.

— Les marchands de Québec et les détenteurs de capitaux sont trop éloignés de l'Acadie pour pouvoir y jouer un rôle important. Actuellement, on ne peut se rendre d'un point à l'autre que par la mer. Et encore, comme vous le disiez, pendant une partie de l'année seulement. Il faudrait construire une route terrestre. Il conviendrait d'établir d'abord un tracé pour la route, puis d'octroyer des concessions importantes de terre à des colons, que l'on établirait toutes les cinq ou six lieues le long de ce tracé, avec l'obligation d'aménager un chemin qui relierait les habitations les unes aux autres. Ainsi, avec le temps, on aurait une bonne route qui raccorderait Québec aussi bien à la rivière Saint-Jean qu'à Port-Royal et même Beaubassin.

De Meulles aimait bien partager ses ambitions avec LaVallière, mais il ne faisait pas que discuter ; il participait à la vie du village afin de mieux connaître la façon de vivre des colons. Très croyant, il assistait à toutes les cérémonies religieuses et se rendait souvent voir le père Moireau pour connaître le degré de foi des habitants. Il avait été déçu, disait-il, par les mœurs corrompues de certaines communautés aux abords de Québec. Il agira même comme parrain du dernier-né de Pierre Morin et Marie Martin en compagnie de Marie-Josèphe LeNeuf, la fille de LaVallière, qui agissait comme marraine. Il se disait aussi très intrigué par les Indiens Mi'kmaq qui venaient à l'église pratiquement tous les dimanches, même s'ils devaient parcourir une longue distance, et qui semblaient prier avec une grande ferveur.

Puisqu'il s'était donné comme mission de faire le recensement de tous les habitants de la Nouvelle-France, il voulait commencer par l'Acadie. C'est ainsi que, chaque fois que le temps était favorable, il se rendait à pied dans tous les hameaux de la paroisse de Beaubassin pour y recenser les habitants, avec leur âge et les différents animaux qu'ils possédaient, les armes à feu et les arpents de terre en culture. Parfois, il s'absentait du manoir pendant quatre ou cinq jours car les différents hameaux se trouvaient assez dispersés. Il se disait impressionné par l'accueil des Acadiens, qui lui servaient toujours un bon repas et lui réservaient leur meilleure paillasse pour la nuit.

Les jours de tempête, il s'assoyait au coin de la cheminée, un verre de vin à la main, et il se lançait dans de longues diatribes politiques et militaires. Il avait apporté deux petits tonneaux de vin pour donner en cadeau, avait-il dit, mais comme l'hiver s'annonçait long, LaVallière et lui avaient décidé de les ouvrir. Michel était content de constater qu'on lui offrait aussi une coupe de vin alors que l'on n'en offrait pas aux autres. Il commençait d'ailleurs à y prendre goût, l'alcool lui permettait de noyer son chagrin pendant quelques heures. D'après de Meulles, les Anglais constituaient le principal obstacle au développement de la Nouvelle-France.

— Il faudrait trouver moyen de se débarrasser des Anglais, fulminait-il, sans doute grisé lui aussi par le vin. Ce sont eux qui profitent d'un commerce lucratif qui devrait nous appartenir. Je vais suggérer au roi d'acheter les districts de Manhattan et d'Orange. Si la France pouvait contrôler cette région, nous pourrions encercler Boston par le nord, par le sud, et par la mer. Ainsi, les Bostonnais ne mettraient pas longtemps à capituler. Et après, toute la côte atlantique nous appartiendrait et nous pourrions implanter la monarchie sur ce continent.

— La France pourrait commencer par aider l'Acadie à se développer, osa ajouter Michel, qui restait debout chaque soir pour ne rien manquer des discussions alors que tous les autres allaient se coucher. On peut attendre parfois cinq ou six mois avant de voir un bateau français accoster dans les parages, ajouta-t-il.

— Tu as bien raison, jeune homme. Tu as bien raison. Quand j'aurai terminé mon recensement de l'Acadie, je vais me rendre moi-même en France afin de presser le gouvernement de ne rien négliger pour le développement de cette région. Il faut faire sortir les Acadiens de la dépendance économique de la Nouvelle-Angleterre. C'est cela le principal enjeu en ce moment

— Je pense que vous avez bien compris notre problème, renchérit LaVallière. Si la France ne s'implique pas davantage, cette colonie demeurera toujours le parent pauvre de la Nouvelle-France. De plus, nous resterons une proie facile pour les raids des Anglais qui, par la suite, remonteront le Saint-Laurent pour attaquer Québec.

— Oui, vous avez trop raison. Il faut une présence militaire accrue, même l'établissement d'une force navale permanente ne serait pas superflu. Il faudrait aussi mieux équiper en canons quelques frégates pour effectuer la surveillance des eaux acadiennes et d'y expulser tout commerçant ou pêcheur de la Nouvelle-Angleterre.

— Mais à condition que la France nous approvisionne bien plus qu'elle ne le fait actuellement! Il faudrait qu'elle commence à rémunérer certains de ses représentants en Nouvelle-France. Savez-vous que je n'ai jamais reçu un seul écu pour mon poste de gouverneur d'Acadie? Alors à quoi cela servirait-il d'empêcher les navires de commerce anglais de venir en Acadie si la France n'est pas là pour les remplacer? Il nous faut vivre.

Michel constatait que les idées de LaVallière avaient changé. Elles rejoignaient maintenant les siennes et celles des habitants de Beaubassin, partagées également par les habitants de Port-Royal, comme ils avaient pu le constater lors de leur visite dans ce village pour recruter des colons.

Au printemps, après que les glaces eurent quitté le bassin, LaVallière dit à Michel qu'il lui laissait la charge de la seigneurie tandis qu'il emmènerait de Meulles visiter le reste de l'Acadie.

Le seigneur resta absent pendant tout le mois de juin. Il rentra au début de juillet, laissant l'intendant de Meulles à Port-Royal, où il attendait le prochain bateau pour Québec. Pendant son séjour à Port-Royal, LaVallière avait pu déplorer la mort de Pierre Godin, son charpentier attitré qui avait bâti une bonne partie du manoir et de ses dépendances, le four à pain, le moulin et même la chapelle. Son déménagement à Port-Royal ne datait que de quelques mois seulement.

Un événement des plus marquants se déroula également pendant l'absence de LaVallière: le père Claude Moireau, curé de la paroisse, fut rappelé à Québec. Cette nouvelle sema la consternation dans le village. Le père Moireau était estimé de tous pour sa droiture et son travail acharné pour instruire les jeunes, encourager la pratique de la foi catholique et convertir les Indiens. Le dimanche précédant son départ, tout Beaubassin s'était rassemblé dans la chapelle, trop petite pour contenir tout ce monde, afin de faire ses adieux au bon prêtre. Les Indiens y étaient et avaient tenu à exécuter un chant dans leur langue qui lui tira des larmes. Le curé prononça un dernier sermon rempli de sagesse et de conseils pour les chrétiens de Beaubassin. Michel avait été frappé par une phrase en particulier concernant l'entraide : « C'est la responsabilité de chaque habitant d'aider les autres dans la mesure où il le peut. Il convient de restituer un peu de ce que nous avons reçu en venant au monde. C'est là le devoir de tout bon chrétien. »

Michel avait promis à Dieu de suivre ce précepte chaque fois que l'occasion se présenterait. Il était très attaché au père Moireau et attristé de le voir partir. Il l'avait si souvent fréquenté qu'il le considérait comme un ami. À son retour, LaVallière fut lui aussi désolé de ce départ, mais surtout mécontent. Il aurait bien voulu savoir pourquoi il avait été rappelé à Québec. Après tout, c'était lui, le seigneur de Beaubassin, qui l'avait fait venir en Acadie. On aurait pu au moins le consulter. Il envoya un émissaire à Port-Royal pour rencontrer le père Petit afin d'en savoir plus sur le rappel du père Moireau. L'abbé Petit desservait Port-Royal depuis 1676 et l'évêque de Québec l'avait nommé vicaire général en Acadie. Sa réponse fut laconique.

— En attendant que vous ayez un nouveau prêtre, c'est moi qui vais dorénavant desservir la paroisse de Beaubassin.

À peine deux semaines après le retour de LaVallière à Beaubassin, on vit trois Indiens arriver au manoir avec un message pour le seigneur des lieux. Monseigneur de Saint-Vallier, l'évêque de Québec, lui faisait dire qu'il l'attendait au campement des Mi'kmaq de la baie Verte. Il venait à son tour faire un rapport sur les besoins spirituels des habitants de cette partie de la Nouvelle-France.

LaVallière demanda à Michel de l'accompagner pour l'aider à transporter le canot dans le portage. Ils prirent donc le plus grand des deux canots, car l'évêque avait visiblement beaucoup de bagages et était en plus accompagné d'un acolyte. Ils suivirent donc les Indiens pour remonter la rivière Mésagouèche jusqu'au portage, puis jusqu'à la baie Verte.

Monseigneur de Saint-Vallier n'arrivait pas directement de Québec. Il s'était arrêté à Miramichi, Kouchibouguac et Richibouctou, dans les villages indiens desservis par le père Thury. Ce dernier travaillait depuis plusieurs années dans cette région d'Acadie afin de convertir les Mi'kmaq au christianisme. Lorsque l'évêque mentionna le nom de Miramichi, Michel eut un pincement au cœur. Se pourrait-il qu'il ait vu Malika? S'il avait été seul avec lui, il le lui aurait demandé, mais LaVallière l'accaparait tout entier.

Contrairement à de Meulles, monseigneur de Saint-Vallier, un grand homme à l'allure plutôt sévère, ne s'intéressait ni au commerce, ni à l'étendue de la population, ni même aux questions politiques. Il parlait lentement, comme s'il cherchait ses mots.

— C'est la pratique religieuse qui m'intéresse, disait-il, aussi bien celle des Acadiens que des Indiens. Ces derniers m'ont beaucoup impressionné. Leur dévotion est exemplaire. Ils venaient joyeusement chaque jour assister à la messe de même qu'aux offices du soir pendant tout le temps que j'ai passé dans leurs campements.

Dès leur arrivée au manoir, LaVallière installa l'évêque et son acolyte dans la chambre de Michel, celle-là même où l'intendant de Meulles avait couché l'hiver précédent. Pour le jeune homme, cette expérience ne fut pas des plus intéressantes. Monseigneur de Saint-Vallier parlait beaucoup, ronflait très fort et ne semblait intéressé qu'à la pratique religieuse des habitants. Lorsque l'évêque apprit que Michel avait vingt-six ans, n'était pas marié et qu'il avait étudié au Petit séminaire de Québec, il y vit un signe.

— C'est un appel! disait-il. Le Seigneur a besoin de vous pour servir son peuple. Un prêtre acadien, ce serait merveilleux!

Michel ne répondit pas. Il ne faisait qu'ébaucher un sourire. Certes, il se sentait profondément religieux, il aimait le cérémonial, les chants, la ferveur émanant de la prière et l'odeur de l'encens qui le transportait ailleurs. Mais de là à partir évangéliser les nations, il y avait une marge. D'autant plus que le souvenir d'un après-midi de printemps auprès d'une jeune femme occupait encore trop souvent son esprit.

— Non merci! finit-il par dire. Ce n'est pas pour moi.

— Mais mon cher enfant, insista l'évêque, votre état de célibataire signifie que vous n'avez pas besoin de femme et que vous pourriez par conséquent vous consacrer entièrement à un ministère.

Ce « besoin de femme » le fit sourire. Il est vrai que son expérience avec Malika avait quelque peu ébranlé sa confiance en les femmes. Pour l'instant, il n'avait guère envie de se marier, mais avec le temps, cette attitude pouvait changer. Il se souvenait de Marie Denys, qui avait été à ses yeux une femme exemplaire.

Deux jours plus tard, l'évêque revint à la charge en se faisant encore plus insistant.

— Venez à Québec, dit-il. On m'a dit que vous aviez reçu une bonne éducation chez les Jésuites. Vous pourriez entrer directement au Grand Séminaire. Il est important que nous formions des prêtres nés ici et qui seraient par conséquent plus près du peuple, et des Indiens. D'ailleurs, avec votre teint foncé, vos cheveux noirs et votre physique à la fois svelte et musclé, vous pourriez facilement passer pour l'un d'eux.

Cette affirmation le fit sursauter. Était-ce ces particularités qui lui donnait cette sorte d'affinité qu'il ressentait avec Wasacook et Malika ? Il avait envie de lui parler de son aventure avec Malika, de lui dire que cette Indienne était la seule fille qu'il avait aimée, mais cela aurait-il vraiment changé quelque chose ? Il y aurait sans doute vu un autre signe. *Ma chère Malika, où es-tu et que fais-tu ? J'aurais peut-être dû être plus entreprenant. J'aurais dû lui dire que je l'aimais.* Mais comment dire ces choses quand on connaît si peu la langue de l'autre ? Le langage du corps ne peut en aucun cas compenser la communication verbale. Maintenant qu'elle était mariée, ce n'était plus le temps de se faire des reproches.

Pendant les dix jours que monseigneur de Saint-Vallier passa au manoir, il se rendit chaque matin à la petite chapelle pour y dire la messe. La plupart des femmes du village y assistaient car, pour elles, il s'agissait du grand prélat de la Nouvelle-France qui venait leur rendre visite. Elles considéraient cela comme un honneur. Michel s'y rendait aussi quelquefois, mais il devait souvent aller aider les ouvriers avec le train de grange, et en particulier avec la douzaine de vaches qu'il fallait traire tous les matins et tous les soirs, même les dimanches. Ces jours-là, on faisait la traite très tôt afin que les hommes puissent assister à la messe.

Après la messe du matin, accompagné de son accolyte, l'évêque de Québec se rendait, à pied ou en canot, selon l'endroit où habitaient les gens, voir quelques familles de la paroisse. Parfois, il s'aventurait jusqu'au campement indien. En quelques jours, il avait fait le tour de la vingtaine de familles qui habitaient la région de Beaubassin, de même que des campements indiens. S'il admirait la foi innocente de ces derniers, presque tous convertis au catholicisme, il déplorait cependant leur liberté de mœurs et leur brutalité, surtout lorsqu'ils avaient beaucoup bu. Ce sur quoi il fondait ce jugement, il ne le disait pas, mais il insistait souvent sur le fait qu'il était interdit de donner ou vendre de l'alcool aux Indiens. Quant aux Acadiens, il se disait profondément édifié par leur foi et la pureté de leurs mœurs. Michel essayait de comprendre quelle était la nuance entre la pureté des mœurs et la liberté des mœurs. Y avait-il une si grande différence aux yeux de Dieu?

Au bout de dix jours, considérant son travail à Beaubassin terminé, monseigneur de Saint-Vallier demanda à LaVallière de l'emmener aux Mines et à Port-Royal afin d'y continuer ses observations de la société acadienne et de celle des Mi'kmaq de cette partie de la Nouvelle-France. Une telle demande n'était pas pour déplaire à LaVallière, qui éprouvait de plus en plus de difficulté à rester confiné au manoir. Il avait besoin de bouger, de participer à des choses concrètes et surtout de succomber à sa passion de naviguer en mer. Parfois, il racontait à Michel, avec un brun de nostalgie dans la voix, des histoires du temps qu'il poursuivait des bateaux anglais en pleine mer pour s'approprier leur cargaison. Déjà grand et imposant, il redressait alors le buste comme pour afficher sa fierté.

Le jour suivant le départ de l'évêque, Thomas Cormier se présenta au manoir pour savoir si le prélat était toujours là. Sa femme avait donné naissance à des jumelles, Agnès et Marie, et il aurait voulu les faire baptiser par l'évêque. Michel fut désolé de lui apprendre qu'il était parti la veille. Thomas s'en était d'ailleurs douté en voyant que le *Saint-Antoine* n'était pas dans la rade. Michel lui proposa de rester coucher au manoir car l'après-midi était déjà bien entamé, mais il refusa.

— Madeleine est encore fragile, avoua-t-il. Il faut que je retourne la retrouver. Et puis le vent vient de l'est aujourd'hui, alors ma petite barque à voile devrait me ramener à Vechcaque sans problème avant la nuit.

Excellent charpentier, Thomas s'était lui-même construit cette barque alors qu'il habitait encore à La Butte. Madame Marguerite lui prépara un reste de morue avec du pain et Michel l'accompagna jusqu'à la rivière, à l'endroit où il avait laissé sa barque. Il lui promit qu'il irait à Vechcaque voir la famille dès que LaVallière serait de retour. Pour l'instant, il devait voir à ce que les ouvriers fassent leur travail, à ce qu'ils soient rémunérés et à ce que les enfants restés au manoir ne manquent de rien.

En fait, il ne restait que des filles au manoir. Après la mort de Marie Denys, les deux autres garçons, Jean-Baptiste et Michel, avaient été placés chez leurs grands-parents, Jacques LeNeuf de la Poterie et Marguerite LeGardeur, où ils avaient rejoint les deux aînés, Alexandre et Jacques, qui étaient pensionnaires au Petit Séminaire de Québec pendant l'année. Madame Marguerite, aidée de la jeune servante, Marie Lagasse, s'occupait des quatre filles, Marie-Josèphe, Judith, Marguerite et Barbe. LaVallière estimait que les filles étaient plus faciles à élever que les garçons.

Si les plus jeunes des filles étaient effectivement assez dociles, il n'en était pas de même pour Marie-Josèphe. Celle-ci se montrait de plus en plus rebelle et s'opposait presque systématiquement à madame Marguerite. Parfois, elle quittait précipitamment la maison et ne revenait que plusieurs heures plus tard. Lorsque madame Marguerite lui demandait où elle était, elle répondait invariablement :

— J'étais allée au barrage des castors à la rivière !

Effectivement, les castors avaient érigé une construction impressionnante dans l'une des petites rivières qui se déversait dans la Mésagouèche. Les Indiens s'y rendaient à l'occasion et défaisaient leur cabane pour tuer quelques bêtes, car leur peau était très recherchée, mais les castors ne perdaient pas de temps à refaire leur imposante structure. Celle-ci, constituée de troncs d'arbres, de branches et de terre glaise, formait une cabane semblable à un four à pain où ils pouvaient entreposer leur nourriture. Ils y entraient et en sortaient par un trou laissé hors de l'eau ce qui leur permettait d'être toujours au sec. Les Indiens prenaient soin de ne pas tous les tuer afin qu'ils puissent se reproduire.

Marie-Josèphe affichait bien ses quinze ans, avec des seins développés et une allure gaillarde. Michel doutait fortement de son intérêt pour les castors et se demandait si elle ne rôdait pas autour de la rivière aux castors dans l'espoir d'y rencontrer quelques garçons. Il ne voulait pas la surveiller de trop près, mais quand même, il se sentait un peu responsable d'elle, comme on peut se sentir responsable d'une petite sœur.

Beaubassin prenait de plus en plus l'allure d'un village organisé. Michel se rappelait son arrivée dans ce lieu désert, il y aurait bientôt dix ans. Il avait été saisi alors d'une incroyable impression de désolation. Il n'avait jamais imaginé que dix ans plus tard, le paysage aurait pu changer à ce point. Une grande partie du marais se trouvait maintenant en production et plusieurs maisons avaient été construites sur les mornes que l'on distinguait de chaque côté de la rivière. Cet arrangement donnait un accès rapide aussi bien au marais qu'à la mer, ainsi qu'à la forêt qui se trouvait derrière les habitations. Chaque agglomération comprenait quelques maisons (généralement habitées par des familles partageant un lien de parenté) et trois ou quatre dépendances.

Tous les habitants possédaient un bon troupeau de bêtes à cornes, parfois jusqu'à une vingtaine, comme chez Thomas Cormier ou encore LaVallière, et autant de cochons, de brebis et de volaille. L'intendant de Meulles avait recensé vingt-deux maisons en tout, ce qui donnait, avec les parents, les enfants et les domestiques, environ cent trente personnes. On était loin du paysage de 1677, orné presque uniquement par le petit établissement des Bourgeois et le manoir de LaVallière!

Du manoir, on voyait bien le hameau qu'on appelait la Butte à Roger. Au printemps, le spectacle de son verger d'une bonne trentaine de pommiers en fleurs avait été grandiose. Et l'émerveillement n'était pas seulement pour les yeux, car l'odeur embaumait l'air qui se rendait jusqu'au manoir. Roger Kessy avait rapporté de jeunes pommiers de Port-Royal, où il avait vécu avant de s'établir à Beaubassin. Il possédait aussi quelques poiriers et deux pruniers. Beaubassin n'était pas encore le Pays de Cocagne, mais le village offrait beaucoup de possibilités.

En juillet, LaVallière revint au manoir. Il avait laissé monseigneur de Saint-Vallier à Port-Royal, d'où il devait prendre le prochain bateau pour Québec. La rade de Port-Royal était bien plus achalandée que celle de Beaubassin. En été, il ne se passait pas une semaine sans qu'un bateau y accoste. Certains arrivaient directement de France, d'autres des Antilles ou même de Boston; d'autres encore, comme les corsaires, ces mercenaires marins, revenaient avec leur prise, la plupart du temps des bateaux anglais chargés de marchandise, ce qui, curieusement, n'était pas interdit par les gouvernements. Simon-Pierre Denys de Bonaventure, un neveu de LaVallière, était un de ceux qui transportaient des marchandises entre la France, la Nouvelle-France et l'Acadie tout en arraisonnant des bateaux anglais pour les dépouiller de leur cargaison.

— Port-Royal se développe, rapporta LaVallière. Le gouverneur Perrot, chez qui je suis allé dormir, a de gros projets en tête pour l'Acadie. Il veut d'abord reconstruire le fort, puis augmenter le commerce avec la France. Il trouve que les Acadiens sont habiles – ils savent pratiquement tout faire eux-mêmes –, mais il déplore leur manque d'ambition. «Pourvu qu'ils vivent bien, dit-il, ils n'en veulent pas davantage.» Cependant, il estime que, somme toute, ils vivent plus à l'aise ici qu'au Canada et même qu'en France.

— Personnellement, je ne trouve pas qu'ils manquent d'ambition, rétorqua Michel. Ils travaillent pour bien vivre, c'est vrai, mais n'est-ce pas là le plus important, avoir une vie heureuse et bien remplie? Tous ont augmenté leur cheptel et diversifié leurs cultures, et lorsqu'un fils est suffisamment grand pour quitter le foyer, on l'aide à endiguer une nouvelle parcelle de terre. Pour ma part, j'y vois une volonté de bien s'installer et de vivre convenablement. À quoi cela leur servirait-il d'amasser quantité de biens? Ceux qu'ils amassent sont généralement pour leurs enfants.

— Il ne s'agit pas d'amasser des biens, répliqua LaVallière, mais plutôt de progresser. Regarde ce village, il est prospère, mais il n'arrive pas à s'imposer comme lieu le plus important d'Acadie. Au contraire, il se contente d'être bon second, après Port-Royal. Si nous produisions plus, nous attirerions les bateaux français et un véritable commerce s'établirait avec la France.

Michel était d'accord, mais il n'osa pas dire à son protecteur qu'il se trouvait lui-même un peu responsable de ce manque de développement. Il n'avait pas su régler les chicanes internes et créer une atmosphère propice au développement du village. Il aurait dû agir comme un chef, donc un rassembleur, et non comme un représentant du gouvernement français, un gouvernement que la plupart des habitants ne portaient pas dans leur cœur parce qu'il voulait leur imposer des charges sans rien leur donner en échange. Ils auraient aimé être des propriétaires, pas seulement des censitaires ou des concessionnaires d'un terrain qui ne leur appartenait pas.

En fait, toutes ces terres n'appartenaient pas davantage à LaVallière. Comme toutes les terres de la Nouvelle-France, elles appartenaient au roi de France. Les seigneuries étaient des concessions de terre accordées par la Couronne à des membres de la noblesse. En échange, les seigneurs avaient l'obligation de diviser leur seigneurie en parcelles et de les louer à des colons pour qu'ils les mettent en culture. Cet état de fait n'incitait pas beaucoup les habitants à se développer en tant que communauté. Ils se contentaient de s'autosuffire dans la mesure du possible.

De plus, l'attitude de LaVallière n'avait pas aidé au développement du village. *Mais comment faire comprendre cela à un noble issu lui-même d'un système féodal bien ancré dans les mœurs d'une société aristocratique?* se demandait Michel.

L'abbé Petit ne séjourna pas longtemps à Beaubassin. Monseigneur de Saint-Vallier avait décrété qu'il fallait un clergé responsable et plus nombreux en Acadie. Le père Moireau avait été emmené à Beaubassin par LaVallière. Dorénavant, c'était le diocèse de Québec qui allait desservir Beaubassin et les communautés environnantes.

Dès son retour à Québec, l'évêque confirma l'abbé Petit dans son rôle de vicaire général et nomma le père Claude Trouvé, un sulpicien, prêtre résidant de Beaubassin. Il avait la mission de bâtir une église sur le flanc du morne du côté est de la Mésagouèche. De plus, il allait bénéficier de la subvention royale, ce qui voulait dire que les habitants ne seraient plus obligés de subvenir aux besoins du curé.

Lavallière comprenait la logique du lieu choisi, car il y avait plus de monde du côté est de la rivière, mais il regrettait de devoir faire le deuil de sa chapelle, même si sa dimension ne suffisait plus et qu'elle était plutôt mal en point. Pour lui, elle représentait un autre pan de mur qui s'écroulait.

Au même moment, il recevait un message du nouveau gouverneur général, le marquis de Denonville, l'informant qu'on le rappelait en France pour qu'il rende compte de la situation en Acadie et en particulier de ce qui concernait la pêche sédentaire.

Michel estimait que la perspective de s'éloigner de Beaubassin allait lui plaire. Depuis un certain temps, on aurait dit qu'il commençait à percevoir son entreprise comme un échec. Rien n'avait vraiment bien fonctionné dans l'établissement de sa seigneurie. Qui plus est, il n'avait reçu pratiquement aucune aide du gouvernement français. Le jeune homme considérait son récent raid contre les établissements de Bergier comme un geste de désabusé, presque une politique du désespoir. Depuis le décès de sa femme, il n'était plus tout à fait le même. On aurait dit qu'il avait perdu toutes ses illusions. Il semblait n'attendre qu'une occasion de sauver la face, qu'un bon prétexte pour sortir de cette galère. Michel se disait que ce séjour en France allait peut-être l'aider à redorer son blason. Il devait certainement être heureux de reprendre la mer, d'affronter les éléments, de se battre pour une raison supérieure. Michel sortit de sa rêverie lorsqu'il vit LaVallière planté devant lui :

— Alors, mon cher Michel, je te laisse encore une fois la responsabilité de la seigneurie. Je ne serai pas parti longtemps, quelques mois seulement, le temps de faire un aller-retour. Il faudra que je réponde aux accusations que Bergier a portées contre moi.

— Ne vous inquiétez pas, avec l'appui de Frontenac et de Meulles, vous devriez vous en sortir facilement. Quant à la seigneurie, je connais par cœur ce qui doit être fait. Je m'en occuperai de mon mieux.

Deux jours plus tard, LaVallière se rendait à Port-Royal, d'où il devait s'embarquer sur l'une des frégates du roi qui le ramènerait en France.

Peu de temps après l'arrivée du père Trouvé , le gouvernement français envoyait un nouveau gouverneur en Acadie. En effet, en octobre 1687, Louis-Alexandre de Ménéval débarquait à Port-Royal pour remplacer le gouverneur Perrot.

Les rapports de l'intendant de Meulles et de monseigneur de Saint-Vallier avaient apparemment porté fruits, car Ménéval arrivait avec une trentaine de militaires, des munitions et de l'argent pour reconstruire le fort de Port-Royal. De plus, il était chargé d'encourager la colonisation et l'agriculture et, surtout, d'empêcher les Anglais de faire le commerce de la pêche sur les côtes acadiennes.

À peine arrivé, il était déjà convaincu que cette dernière directive allait lui donner du fil à retordre. En effet, il disait avoir vu, en approchant de sa destination, au-delà d'une trentaine de bateaux anglais qui pêchaient le long des côtes acadiennes. Cela voulait dire que les Anglais privaient les Français de plusieurs milliers de quintaux de morues par année. C'était pour lui inacceptable. Il allait avoir besoin de plus de moyens pour réussir ce tour de force.

En voyant les ruines du fort de Port-Royal, il se demanda si sa reconstruction en valait la peine. D'après lui, il aurait été préférable de construire un nouveau fort à Pantagouët, mieux placé que Port-Royal pour protéger les frontières d'Acadie. Port-Royal représentait pour lui un cul-de-sac. Pour y arriver, il fallait remonter une partie de la longue baie Française et entrer dans le bassin par un goulet fort étroit avant de se rendre au village. Il n'y avait pas là de quoi protéger l'Acadie et la Nouvelle-France d'éventuelles attaques des Anglais. Ces derniers, en venant de Boston, n'avaient qu'à contourner l'Acadie pour remonter le Saint-Laurent et aller attaquer Québec, le cœur de la Nouvelle-France.

Les Beaubassinois étaient contents de voir le printemps arriver. L'hiver avait été particulièrement dur. Il était tombé des quantités astronomiques de neige. Celle-ci s'accumulait jusqu'au-dessus des fenêtres. Il fallait la dégager pour laisser entrer la lumière dans les maisons. La coupe du bois s'était donc avérée plus difficile que d'habitude. Michel avait projeté d'aller voir Wasacook au campement d'hiver des Indiens, mais la forêt était tellement dense, et la neige, si haute, qu'il avait abandonné le projet de peur de se perdre et de ne pas pouvoir retrouver son chemin. Il aurait gelé sur place sans que personne ne puisse le secourir.

Le père Trouvé possédait une personnalité difficile et compliquée en comparaison avec celle du père Moireau. Dès le départ, il avait adopté une attitude sévère et très conservatrice. Les sermons qu'il prononçait les dimanches faisaient trembler bien des fidèles. Il prédisait le châtiment éternel de Dieu sur tous ceux et celles qui s'éloignaient du droit chemin. Ses envolées lyriques s'adressaient souvent aux Indiens, qu'il considérait avoir des mœurs libertines, alors que la grande majorité de ces derniers ne comprenaient pas un mot de français. Le père Trouvé, contrairement au père Moireau, ne connaissait que quelques mots de mi'kmaq, alors qu'un de ses devoirs consistait justement à les évangéliser. Il devait s'acquitter de ce travail avec l'aide d'un interprète.

LaVallière ne revint qu'au printemps de son voyage en France, après la fonte des glaces dans le bassin. À la surprise générale, il n'était pas seul. En effet, il avait profité de son séjour sur le vieux continent pour se marier. Il venait d'épouser Françoise Denys, la fille de Simon Denys de la Trinité, une cousine de sa défunte femme. De plus, il avait quelques bonnes nouvelles à partager. D'abord, le gouvernement français l'avait exonéré de tout blâme dans l'affaire Bergier et la Compagnie de la pêche sédentaire en Acadie. Ensuite, on lui avait offert le poste de capitaine des gardes de Frontenac. Ce dernier venait d'être nommé de nouveau gouverneur général de la Nouvelle-France en remplacement du marquis de Denonville.

— Est-ce que cela veut dire que vous allez partir vous installer à Québec ? demanda Michel, inquiet.

— Oui, mais pas tout de suite. Il faut que cette nomination soit officialisée. De plus, j'ai différents problèmes à régler ici avant mon départ, dont celui de trouver un remplaçant.

LaVallière semblait content d'être de retour. Il souriait, entouré de ses enfants qui examinaient Françoise d'un air inquisiteur, mais néanmoins sympathique. Tout allait comme dans le meilleur des mondes jusqu'à ce que madame Marguerite prenne son air de matrone et se poste devant lui pour lui annoncer une bien mauvaise nouvelle. Prenant un ton solennel, elle débita d'un seul trait :

— Votre petite Marie-Josèphe est enceinte.

Michel s'était entendu avec madame Marguerite pour que ce soit elle qui lui annonce la nouvelle. LaVallière ne fit qu'un bond et devint rouge de rage. Il l'avait embrassée en arrivant, comme toutes les autres, mais il ne s'était rendu compte de rien. Il alla se planter devant elle, qui était assise au bout de la table mais qui s'était rapidement levée en voyant son père foncer vers elle comme un taureau enragé.

— C'est qui qui t'a fait ça? demanda-t-il en hurlant.

— Un garçon! répondit-elle en baissant la tête.

— Un garçon? Belle réponse! Comme si ça pouvait être une vache!

Comme elle ne répondait pas, madame Marguerite prit la parole.

— C'est le petit Morin, assura-t-elle.

— Comment ça, le petit Morin? Il est venu ici, dans ma maison?

Il prit son air de gendarme et regarda Michel avec un air de reproche.

— Et toi? Où étais-tu? Ne devais-tu pas voir à la bonne marche de la seigneurie?

— Je ne me suis rendu compte de rien. Je n'ai pas idée d'où ils se sont rencontrés. Elle ne veut rien dire, et lui non plus.

— Mais tu aurais quand même pu être plus vigilant! lui lança-t-il. Le petit Morin, répétait-il. Quelle misère! Faire ça à une gamine de quinze ans! Au fait, lequel des Morin? Pas Louis, tout de même?

— Oui, Louis.

— Louis, en plus. Comme si, à vingt-cinq ans, il ne savait pas mieux. Ti-Louis que j'ai emmené plusieurs fois sur mon bateau, car il aimait la navigation. C'est là la reconnaissance qu'il me manifeste! Va te coucher! hurla-t-il à Marie-Josèphe en levant la main comme pour la frapper. On verra la suite demain. Pour l'instant, ma coupe déborde.

Marie-Josèphe monta à l'étage sans dire un mot. Ses trois sœurs, Judith, Marguerite et Barbe, la suivirent. Depuis plus d'un an déjà, les quatre filles couchaient dans la deuxième chambre du haut, celle qui avait été la chambre de Michel et de divers ouvriers jusqu'à ce que LaVallière construise une pièce adjacente au manoir.

Le seigneur sortit prendre l'air et Michel alla s'asseoir à côté de Françoise Denys. Il ne connaissait même pas l'existence de cette femme, pourtant apparentée à Nicolas Denys, chez qui il avait habité à Saint-Pierre. Il trouvait dommage qu'elle soit arrivée au milieu de tous ces problèmes. Il essaya de la distraire en lui vantant les avantages de Beaubassin, au cas où elle devrait y rester encore quelque temps. Inconsciemment, il cherchait probablement à s'excuser à travers elle de son manque de vigilance. Il déplorait ce qui était arrivé en l'absence de son chef. Elle devina sans doute son désarroi, car elle lui confia :

— Un roturier qui fait un enfant à une demoiselle de la noblesse, cela s'est déjà vu, mais ce n'est pas souhaitable.

Il se demanda si elle était de la noblesse, puis se rappela qu'elle était la fille de Simon Denys de la Trinité, un noble lui aussi, comme la plupart des hommes qui occupaient des postes de hautes fonctions en Nouvelle-France.

Le lendemain, rien n'avait changé. Tout le village était au courant de cette affaire bien avant le retour de LaVallière, mais apparemment, personne n'avait osé informer le père Trouvé. S'il l'avait su, il aurait fait descendre la colère de Dieu sur toute la maisonnée, et peut-être même sur tout le village de Beaubassin. Marie-Josèphe ne voulait plus sortir de sa chambre, et LaVallière n'essaya pas de la faire sortir non plus, bien au contraire.

— Qu'elle reste là, disait-il. Elle est la honte de la famille LeNeuf. Comment a-t-elle pu me faire une chose pareille ?

Il se vêtit précipitamment et somma Michel de l'accompagner chez les Morin, qui habitaient de l'autre côté de la Mésagouèche. Il disait avoir besoin d'un témoin.

— Damnée rivière ! marmotta-t-il en montant dans la barque. Elle représente l'échec de ce village.

Pierre était en train de travailler dans la grange lorsqu'ils arrivèrent. LaVallière ne l'aborda pas avec des pincettes. Il alla droit au but.

— Ton fils a séduit ma fille, une mineure! lui lança-t-il d'un ton enragé.

— Je ne sais pas qui a séduit qui, répliqua Pierre Morin, mais je ne suis pas responsable des actes de mon fils. Il est majeur, lui.

— Alors où est-il, ton Louis impudique, que j'aille lui parler?

— Il est parti aux Mines donner un coup de main à Gabriel Chiasson, qui vient de se marier et qui s'est installé là-bas.

— Alors tu le féliciteras de son beau gâchis. Je te préviens, cette histoire-là va vous coûter cher!

À midi, Marie-Josèphe n'était toujours pas sortie de sa chambre. Marie Lagasse, servante au manoir, avait été lui porter à manger. LaVallière trépignait. On aurait dit que pour lui plus rien d'autre n'existait. Le travail des champs, les bêtes, le bois de chauffage, le rude hiver enfin terminé, même le nouveau curé, rien de tout cela ne semblait retenir son attention.

— Demain matin, j'aimerais voir le gouverneur Ménéval. Je vais faire mettre Louis en prison et peut-être même le déporter. Mais avant, je vais aller m'entretenir avec le père Trouvé. Nous sommes de fervents catholiques, je voudrais avoir son avis sur ce que j'ai l'intention de faire.

LaVallière revint de chez le père Trouvé encore plus agité qu'avant. Il gesticulait et piaffait, l'air complètement perdu. Il ne semblait même pas voir Françoise, sa nouvelle épouse, qui se trouvait dans la pièce.

— L'abbé Trouvé ne fait pas que partager mon avis, assura-t-il, il va encore plus loin. Pour lui, il s'agit d'une faute impardonnable. Il dit qu'il faut frapper fort pour créer un exemple. Le fait que Louis soit majeur et Marie-Josèphe mineure s'ajoute au scandale. Il y voit une faute qui va rejaillir sur toute la communauté. Il faut se débarrasser de cette famille qui n'est plus digne de demeurer à Beaubassin. « Malheur à l'homme par qui le scandale arrive », proclama-t-il en citant la Bible.

— Se débarrasser de toute la famille ! protesta Michel. Ce n'est pas sérieux... Louis a fait une erreur, c'est certain, mais sa famille n'y est pour rien. Le père Trouvé va trop loin, ça n'a aucun sens.

En disant cela, il savait qu'il s'exposait à des remontrances aussi bien de la part de LaVallière que du curé, mais c'était plus fort que lui, la sentence était disproportionnée par rapport à la faute. Même lorsqu'une personne avait tué, on ne condamnait pas toute sa famille. Il espérait qu'il s'agissait seulement d'une menace qui ne serait jamais mise à exécution.

Le lendemain matin, LaVallière dit à Michel :

— Viens avec moi. J'ai besoin de ton aide pour gréer et manœuvrer le *Saint-Antoine*. Nous allons à Port-Royal voir le gouverneur.

Michel était réticent devant ce projet qui lui semblait inconcevable et incompréhensible, mais il n'avait guère de choix. Si Louis avait été à Beaubassin, sans doute LaVallière lui aurait-il demandé d'aller l'arrêter en sa qualité de capitaine de milice. Qu'aurait-il fait alors ? Il préférait ne pas y penser. Il connaissait bien Louis, car ils étaient à peu près du même âge et ils avaient souvent navigué ensemble avec LaVallière. Louis avait même travaillé au manoir à une époque. Comme il était maintenant aux Mines, ce n'était plus à lui d'aller l'arrêter et il s'en réjouissait. Cette arrestation dépendait maintenant de la milice du gouverneur Ménéval.

Ils mirent deux jours pour arriver à Port-Royal, deux longues journées aussi angoissantes que silencieuses. Ni LaVallière ni Michel n'avaient le goût de parler. Ce dernier espérait que le gouverneur verrait les choses d'un autre œil, qu'il serait plus clément, mais ce ne fut pas le cas. Ménéval considérait que Louis avait commis une faute impardonnable. Il fallait donc le faire arrêter et l'accuser d'inconduite envers une demoiselle mineure de Beaubassin.

— Je vais envoyer mon major d'armes l'arrêter et de l'emmener ici, où je le garderai prisonnier. Inutile de le transférer à la prévôté de Québec. La faute est suffisamment grave pour que je m'en occupe moi-même. Je vais le faire passer en France sur la frégate la *Friponne*, qui doit bientôt retourner au pays. Je suis certain que la Cour approuvera ma conduite, car il serait dangereux de le garder ici. Puisqu'il aime la mer, il pourra devenir matelot et bien servir le roi.

— Très bien ! s'exclama LaVallière avec un sourire malicieux. Bon débarras ! Pour le reste, le père Trouvé va venir vous voir, mais je peux déjà vous dire qu'il estime que toute la famille Morin devrait être bannie de Beaubassin. Il considère que le châtiment devrait être exemplaire, et sur ce point, je partage son avis.

Michel écoutait en silence, mais il pouvait à peine en croire ses oreilles. Ce que tramaient ces hommes de pouvoir lui faisait horreur. Comment pouvaient-ils décider ainsi du sort de toute une famille sans le moindre semblant de procès ? Il y avait de quoi s'interroger sur la justice humaine.

Le voyage de retour fut moins silencieux. LaVallière chantonnait, mais Michel ne put s'empêcher de manifester son profond désaccord avec la machination élaborée par Ménéval, le père Trouvé et LaVallière.

— C'est imposer une trop lourde peine, finit-il par dire, pour un acte somme toute assez naturel. Je m'excuse de dire cela, mais la faute pourrait tout aussi bien venir de Marie-Josèphe que de Louis. Vous connaissez comme moi son caractère rebelle et son attitude désinvolte. Elle aurait été très capable de séduire Louis.

En disant cela, il pensait à Malika. Elle l'avait furtivement séduit, mais quel plaisir il avait ressenti auprès d'elle ! Cet instant merveilleux, magique même, hantait toujours son esprit, même après plus d'un an. LaVallière, qui n'avait pas du tout apprécié les remarques de Michel, interrompit le cours de ses pensées.

— Ma fille n'est pas une putain. Elle a un caractère difficile, il est vrai, mais la mort de sa mère l'a beaucoup perturbée. Elle demeure une adolescente, presque une enfant, même. Il n'y a qu'un salaud pour faire une chose pareille. Sans doute que cela s'est produit plus d'une fois. Où étais-tu, Michel, pendant tout ce temps-là ?

— Il y avait beaucoup de choses dont je devais m'occuper, aussi bien pour l'entretien des bêtes que pour la coupe du bois, sans parler des tâches liées à la bonne marche du manoir. Je ne pouvais pas être toujours derrière elle. De toute façon, elle ne m'obéissait pas.

Il pensait cependant qu'il aurait peut-être pu la surveiller un peu plus, mais est-ce que cela aurait changé quelque chose ? Il y avait tellement d'occasions où il ne pouvait tout simplement pas être là ! Après plusieurs minutes de silence, LaVallière ajouta, rêveur :

— En tout cas, il partira, car je ne veux plus le voir ici. Quant à elle, je vais l'amener à Québec la semaine prochaine pour qu'elle finisse sa grossesse dans un orphelinat. Je ne veux pas de ce bâtard dans ma famille.

— C'est quand même l'enfant de votre fille. Il n'a pas demandé à naître, vous ne pouvez pas le tenir responsable de ce qui arrive.

— Mais comment veux-tu qu'elle trouve un mari de son rang avec un bâtard sous le bras ?

— Il y a d'autres bâtards dans la vie qui ont réussi.

— Tu veux parler de toi ?

LaVallière, qui tenait la barre à l'arrière du navire, se retourna en plaquant une main sur sa bouche, comme s'il avait dit quelque chose qu'il n'aurait pas dû.

— Comment ça ? répondit Michel, étonné. Je suis un bâtard, maintenant ? Je croyais que j'étais plutôt un orphelin.

Comme LaVallière ne disait rien, Michel insista.

— J'aimerais savoir pourquoi vous m'avez affublé du nom de bâtard.

— J'aurais sans doute dû t'en parler avant, mais mon père, Marie et moi avions décidé qu'il était inutile de te dévoiler cet épisode de la vie de ton père. Ce dernier était bel et bien Français, tu as vécu assez longtemps avec lui pour le savoir, mais comme il ne t'avait jamais révélé l'identité de ta mère, nous avons préféré garder ce secret. En fait, la femme qui t'a mis au monde était une Autochtone.

— Une Autochtone ?

— Oui, une jeune femme que ton père a connue après qu'Adrienne, sa femme, fut retournée en France. Quand ton père est décédé, Nicolas Denys, pour qui il travaillait, nous a demandé si nous accepterions de nous occuper de toi. Comme nos deux familles étaient très liées et que nous n'avions qu'un enfant, nous avons décidé de te prendre à notre charge. Tu avais alors huit ans. Puisque j'étais pratiquement tout le temps parti en mer, c'est mon père et ma mère qui se sont occupés de toi jusqu'à ce que tu m'accompagnes en Acadie.

— Heureusement que vous ne m'avez pas placé dans un orphelinat ! lança-t-il à LaVallière sur un ton de défi.

Ce dernier sombra dans un profond silence. Visiblement, il n'avait pas apprécié la remarque. Tout naturellement, Michel pensa à Malika, à la façon dont elle l'avait si facilement séduit. Sans doute en avait-il été ainsi pour son père. Cette femme aurait pu être la mère de Malika, qui sait ? Il comprenait maintenant pourquoi il était tant attiré par Wasacook et Malika. Ils partageaient un même héritage.

— Et ma mère ? cria-t-il à LaVallière, soudainement inquiet.

— Ta mère est décédée à ta naissance, d'après ce que l'on nous a dit. Ton père a décidé de s'occuper seul de toi.

Pas un seul mot de plus ne fut échangé par les deux hommes jusqu'à leur arrivée à Beaubassin. Il leur avait fallu presque cinq jours pour faire l'aller-retour sur le *Saint-Antoine*. Marie-Josèphe avait fini par sortir de sa chambre. Françoise, la nouvelle épouse de LaVallière, avait parlé avec elle et l'avait persuadée d'aller s'excuser à son père du fait qu'elle s'était mal comportée, et que sa conduite n'avait pas été digne d'une demoiselle de son rang.

Deux jours plus tard, Michel dit à LaVallière que s'il n'avait pas besoin de lui de manière urgente, il s'absenterait pendant deux ou trois jours pour aller voir des amis. Le seigneur accepta. En fait, il voulait surtout s'évader pour se changer les idées. Ce qu'il venait d'apprendre n'était pas rien, il en rêvait le jour et la nuit. De plus, l'atmosphère du manoir, doublée des intentions du père Trouvé, du gouverneur et de LaVallière, le dégoûtait. Il avait besoin de parler à quelqu'un qui le comprendrait et savait que Thomas Cormier lui avait toujours prêté une oreille attentive. Il le considérait comme un ami, même si celui-ci avait pratiquement le double de son âge. Il marcha donc jusqu'à la rivière pour prendre une des barques. On en comptait maintenant quatre à la disposition des habitants du manoir. Il descendit la Mésagouèche jusqu'au bassin, puis remonta la Tintamarre jusqu'à la hauteur de Vechcaque.

Thomas était assis dans une des dépendances, en train de fabriquer des bardeaux de cèdre à l'aide d'une hachette et d'un couteau à deux manches. Le toit de sa maison coulait, disait-il, et il voulait remplacer le chaume par des bardeaux de bois s'il arrivait à en fabriquer suffisamment avant l'hiver. Il salua Michel avec beaucoup de bienveillance. Il avait l'air encore jeune et plein d'énergie malgré ses cinquante ans passés. Très grand et droit, il regardait toujours son interlocuteur bien en face. Il donnait l'impression de quelqu'un qui savait où il allait et ce qu'il voulait.

— Travailler le bois, confia-t-il, demeure un de mes plus grands plaisirs. J'aime l'odeur qu'il dégage lorsqu'on le travaille. On dirait qu'il est content de se faire transformer pour accéder à une autre vie. Alors j'essaye de lui faire honneur.

— Lorsque tu étais venu au manoir pour voir monseigneur de Saint-Vallier, dit Michel, j'avais promis que je viendrais vous voir plus tard pour prendre des nouvelles de la famille.

— Alors sois le bienvenu. Mais tu as mis longtemps à venir, presque un an. Tout va bien, j'espère?

— Oui, ça va, répondit-il sans grande conviction. Et les bébés, les jumelles, devrais-je dire, elles vont bien?

— Tout à fait bien, mais ma femme est de nouveau enceinte, alors elles ne seront bientôt plus les bébés à la maison! Marie-Madeleine a quitté la maison pour aller travailler dans une famille à Port-Royal. Nous avons parfois des nouvelles d'elle par des passants, mais nous ne l'avons pas revue depuis ce temps-là. Nous aurions aimé qu'elle reste, mais à vingt ans, elle avait bien le droit de faire sa vie. C'est seulement un peu plus difficile pour sa mère… Anne est encore jeune pour s'occuper des petits, mais elle est vaillante.

— Et tes deux aînés, ils sont toujours à la maison?

— Oui, mais François pense à se marier. Il a déjà dix-huit ans, alors nous avons endigué une nouvelle parcelle qui va être à lui. Quant à Alexis, ce n'est pas dans ses plans. Et toi, lança-t-il, quoi de neuf?

— Moi, je suis un peu déprimé ces temps-ci. Il y a eu des problèmes au manoir qui perturbent tout le monde.

Alors Michel lui raconta en long et en large l'histoire de Marie-Josèphe, la colère de LaVallière, la réaction du père Trouvé et les intentions du gouverneur Ménéval, de même que les reproches qu'il avait dû essuyer de la part du seigneur.

— In-cro-ya-ble! s'exclama Thomas. Quand ces hommes de pouvoir se liguent pour comploter, ça devient insoutenable. Et toi, tu supportes tout ce mépris! Tu mérites mieux que ça, Michel.

— Pour l'instant, je n'ai pas beaucoup le choix. J'ai essayé de leur faire comprendre que leur réaction était exagérée, qu'ils n'avaient pas besoin de se lancer dans des actions punitives de cette envergure, mais ça n'a rien donné.

— Pourquoi restes-tu dans ce milieu si méprisant? Pourquoi ne viendrais-tu pas t'installer ici, à Vechcaque? Nous dominons ici un des grands marais de Beaubassin. Si tu le demandais à LaVallière, il t'accorderait certainement une concession. Tu as toujours affirmé que ce paysage te plaisait! Ici, c'est la paix. Nous sommes loin du tumulte du village et des chicanes de clocher. Nous t'aiderions à endiguer une parcelle. Y as-tu déjà pensé?

Michel resta songeur. Une terre qu'il pourrait développer à sa manière. Des animaux à lui. Une maison à lui. Dans un des plus beaux coins de Beaubassin. LaVallière lui devait bien cela. De toute façon, l'idée de le suivre à Québec ne l'enchantait guère, pas plus que celle de demeurer au manoir sous l'autorité de quelqu'un qu'il ne connaissait pas. LaVallière avait l'obligation de nommer quelqu'un pour administrer la seigneurie s'il acceptait un autre poste. Même si Beaubassin demeurait sa seigneurie, il semblait bien peu probable qu'il revienne y habiter. Thomas le fit sortir de sa rêverie en l'entraînant voir son jardin potager.

— Cela aussi, c'est hors de prix, lui confia-t-il en souriant. Il n'y a rien de plus apaisant que de travailler dans un jardin parmi les plantes et les fleurs. Il y a tant de belles choses dans la création!

Il l'emmena ensuite à la maison, où Madeleine l'accueillit à bras ouverts. Elle ne l'avait pas vu arriver, dit-elle, car autrement elle aurait eu le temps de lui faire son repas préféré. Mais elle avait quand même préparé un bouilli de morue avec des oignons et une purée de navet, puis du pain frais. Ils passèrent la soirée à discuter d'autres choses que des problèmes du manoir, dont Michel ne voulait plus entendre parler. Thomas confia à son fils aîné qu'il avait essayé de persuader Michel de venir s'installer à Vechcaque. Alexandre trouvait l'idée intéressante, car il y avait encore beaucoup de marais à exploiter et qu'il serait utile d'avoir plus de monde pour développer ce hameau afin que les habitants se sentent moins isolés.

Cette nuit-là, Michel eut de la difficulté à trouver le sommeil. Il sentait que quelque chose venait de basculer dans sa vie et que les prochains mois allaient être cruciaux pour lui. Avec le départ imminent de LaVallière pour Québec, l'affaire Louis Morin et les révélations sur sa naissance, il ne savait plus où donner de la tête. Comment allait-il pouvoir gérer toute cette perturbation ? Il n'en savait rien, il devrait simplement prendre son mal en patience.

Le passage du temps n'avait rien changé à la situation, bien au contraire. Le père Trouvé avait décrété que Louis Morin représentait l'esprit du mal et qu'il fallait l'éloigner au plus vite de Beaubassin. C'est ainsi que le gouverneur Ménéval l'avait fait embarquer de force sur la frégate de Sa Majesté, qui venait de faire voile pour la France. LaVallière était parti prendre son poste à Québec et avait emmené Marie-Josèphe pour qu'elle aille accoucher incognito dans un orphelinat de Québec. Ce départ était apparu à Michel comme un adieu définitif et il en ressentait une grande tristesse. Après tout, il venait de passer plus de dix ans dans ce manoir en compagnie de LaVallière et y avait vu se développer tout un village. Il n'avait pas toujours partagé l'avis de son maître mais, malgré tout, il avait été bien traité. Le départ de LaVallière allait laisser un vide qui lui semblait difficile à combler, mais il avait beaucoup appris et se sentait maintenant prêt pour de nouvelles aventures. LaVallière avait confié son domaine seigneurial à Claude-Sébastien de Villieu, un jeune noble qui, comme lui, avait embrassé la carrière militaire dans le corps de marine.

Entre-temps, Michel avait pris sa décision. Il avait avisé LaVallière avant son départ qu'il quittait le manoir pour s'installer à Beaubassin. Il avait vu le village grandir et se sentait attaché à cette terre. Il avait le sentiment d'avoir contribué à l'établissement de Beaubassin. Comme il l'avait souhaité, LaVallière lui avait octroyé un vaste marais àVechcaque, en bordure de la rivière Tintamarre, au sud du terrain de Thomas Cormier. Michel était ravi. Il avait l'impression qu'une toute nouvelle vie commençait pour lui. Son protecteur lui avait fait quelques cadeaux personnels, dont une barque, une vache, quelques instruments aratoires et un fusil de chasse. De plus, il avait quelques économies et pouvait continuer à habiter au manoir en attendant de pouvoir construire sa maison.

Thomas lui avait dit un jour qu'une personne pouvait vivre avec une vache pour le lait et le beurre, cinq brebis pour la laine, trois cochons pour la viande, quelques hameçons pour la pêche et un fusil pour la chasse. Cela à condition, bien sûr, d'avoir une terre pour le foin et le blé et de cultiver un jardin potager. Tout le reste représentait un surplus pour la vente ou l'échange. Déjà, Michel faisait des plans pour la maison qu'il allait construire, avec une dépendance pour y garder quelques animaux et un enclos pour les cochons qu'il allait acheter. Les brebis viendraient plus tard. Il avait retrouvé son entrain d'autrefois et éprouvait le besoin de se mettre à l'œuvre.

La seule ombre au tableau était les manigances du père Trouvé et de Ménéval qui, appuyés par LaVallière, venaient de donner un coup fatal à la famille Morin, une des familles les plus en vue de Beaubassin. Leur action était cruelle et injustifiable. Ils avaient expulsé non seulement la famille immédiate de Louis — son père, sa mère et leurs dix enfants —, mais aussi les beaux-frères, belles-sœurs, oncles, tantes, cousins et cousines, bref tous ceux et celles qui avaient un lien de parenté avec la famille Morin. Un total de plus de quarante personnes, soit le quart de la population du village ! Les Beaubassinois étaient sous le choc. Un coup aussi bas ne pouvait que démoraliser tous les habitants et mettre un frein au développement du village. L'indignation était à son comble, les habitants ne voulaient plus rien savoir du père Trouvé. Ce dernier avait commencé la construction de l'église au sommet de la butte à l'est de la Mésagouèche, mais maintenant plus personne ne voulait aller l'aider. Il avait dû faire venir des ouvriers de Port-Royal et les payer. C'était à se demander si l'abbé Trouvé n'avait pas eu maille à partir avec les Morin et utilisé ce prétexte pour se venger. LaVallière n'avait pas participé à l'expulsion, puisqu'il était déjà parti pour Québec, mais il avait très probablement chargé Claude-Sébastien de Villieu d'agir en son mon. C'est d'ailleurs ce dernier qui s'était approprié les terres de tous les expulsés après leur départ.

Michel trouvait cette action regrettable. Cette saisie pouvait peut-être se justifier juridiquement, puisque ces terres n'avaient été que concédées, mais les censitaires auraient dû être dédommagés du fait qu'ils avaient rendu ces terres cultivables. Les gros travaux d'endiguement s'avéraient d'une grande valeur, mais on les avait chassés avec leurs effets personnels et leurs animaux, sans le moindre dédommagement. Un passant avait informé les habitants que les Morin s'étaient réinstallés à Restigouche, près de la baie des Chaleurs, où Richard Denys, le frère de Marie Denys, les avait accueillis dans son établissement de traite et de pêche.

Cette nouvelle ne fit toutefois pas tomber la colère des habitants. Ils se révoltèrent au point où ils obligèrent le père Trouvé à abandonner la cure. Il chercha à se réfugier au village des Mines, qui se développait de plus en plus, mais les habitants, ayant eu vent de ses actions, refusèrent de le recevoir. Il dut se rendre à Port-Royal solliciter la protection du gouverneur Ménéval.

Claude-Sébastien de Villieu venait d'apprendre que l'Angleterre avait déclaré la guerre à la France il y avait déjà quelques mois. En hiver, les nouvelles ne voyageaient pas vite; toutes les communications devaient se faire par voie terrestre. De Villieu disait qu'il avait hâte que LaVallière lui envoie quelqu'un pour prendre la relève pendant quelque temps, car il avait hâte d'aller se battre contre les Anglais.

Michel était souvent allé à Vechcaque au cours de l'hiver pour couper du bois, aussi bien pour sa maison que pour le chauffage de l'année suivante. Heureusement qu'il avait l'aide de François et Alexis, les deux fils aînés de Thomas Cormier, car autrement il ne serait jamais arrivé à en couper une telle quantité. Ils étaient tous deux grands et robustes, comme leur père, et ils avaient l'usage des bœufs de trait de leur père pour tirer les lourds billots hors du bois. Il fallait ensuite les équarrir et les laisser sécher avant de commencer la construction. En tout cas, Michel n'avait que des remerciements à faire aux Cormier, qui étaient toujours prêts à l'aider. Il avait l'intention de bâtir sa maison au sud de celle de ses amis, avec vue sur le le bassin, de même que sur le grand marais que LaVallière lui avait concédé.

Michel était content de voir le printemps arriver. La neige fondait à vue d'œil et l'on entendait partout le ruissellement de l'eau dans les caniveaux. On aurait dit que la nature se réveillait d'un long sommeil. Il aimait se promener dans les champs à ce temps de l'année pour entendre gargouiller l'eau dans les petits ruisseaux qui dévalaient les pentes. Le réveil de la nature faisait remonter en lui une sorte de bouffée d'espoir. Bientôt, l'été serait là avec ses nombreuses possibilités et tout deviendrait réalisable de nouveau. Tout en marchant, il réfléchissait à sa vie future. Se marierait-il un jour? Il pensait à Malika, qui l'avait si amèrement déçu. Il lui semblait difficile maintenant de faire confiance à une femme.

Il s'arrêta au manoir pour quelques jours et Claude-Sébastien de Villieu lui apprit que des forbans de la Nouvelle-Angleterre avaient pillé le fort de Chédabouctou et capturé le *Saint-Louis*, un navire de la Compagnie de la pêche sédentaire en Acadie. La France n'avait pas mis longtemps à riposter. Elle avait envoyé trois frégates faire la chasse aux navires anglais sur les côtes acadiennes. LaVallière et son fils Alexandre faisaient partie de l'expédition.

— Ils viennent de revenir, rapporta-t-il, avec six bateaux de pêche anglais chargés de morue qu'ils ont conduits à Port-Royal.

Je tiens ces informations de LaVallière lui-même, qui est passé ici il y a trois jours. Il voulait revoir ses filles, qu'il comptait bientôt emmener à Québec, et profiter de son court séjour pour aller menacer des colons qui cherchaient à s'installer sur les terres des expulsés sans autorisation. Il m'a aussi aidé à régler quelques chicanes concernant des limites de terrain.

Du manoir, Michel se rendit au village pour recruter des bras de plus pour l'aider à endiguer une parcelle de son marais. Il s'aventura d'abord à La Butte, où se trouvait l'ancien emplacement de Thomas Cormier avant qu'il ne déménage à Vechcaque. Il savait que cet emplacement venait d'être occupé par Sébastien Chiasson avec l'aval du seigneur de Beaubassin. Il s'était déjà construit une petite maison (Thomas avait démonté la charpente de la sienne, qu'il avait transportée par morceaux à Vechcaque dans sa barque). Sébastien avait l'intention d'agrandir sa concession en endiguant une autre parcelle en amont de la rivière.

— Pas de problème, assura Sébastien, je vais aller t'aider. Cette parcelle attendra. Et ne cherche pas plus loin, je vais t'amener d'autres personnes dès la semaine prochaine. En échange, tu viendras m'aider l'année prochaine. Il faut s'entraider ! De toute façon, nous te devons bien cela. Quand tu vivais chez le seigneur, tu nous as toujours traités de façon juste. Je te garantis qu'il y aura du monde pour t'aider.

Lorsque Michel raconta à Thomas l'histoire des bateaux arraisonnés et pillés, il répliqua :

— Pourquoi font-ils cela ? On dirait qu'ils veulent attiser les conflits. Ça ne m'étonnerait pas que la guerre se répande jusqu'ici, comme en 1954, quand les Anglais s'étaient établis en Acadie et nous avaient gouvernés pendant douze ans… J'avais presque vingt ans à l'époque, alors je m'en souviens très bien. On voyait constamment des soldats anglais armés se promener dans Port-Royal. Ce n'était vraiment pas rassurant.

Dès le lundi suivant, Sébastien arriva avec une dizaine de personnes dans trois embarcations. Avec Thomas et ses deux fils, cela faisait du monde. Michel était content, ils allaient pouvoir faire du bon travail. C'est qu'il en fallait, des bras, pour monter ces digues qui devaient, à certains endroits, atteindre facilement la hauteur d'un homme! De plus, ces dernières devaient être faites à une certaine période de l'année, au moment où les marées étaient les plus basses, afin que les ouvriers ne soient pas incommodés par le débordement de la rivière sur le marais. Les hommes avaient apporté des pelles, des fourches et trois brouettes pour transporter la terre glaise, les piquets et les branchages. Thomas, maître charpentier, s'était chargé de préparer les aboiteaux, la pièce maîtresse de ces digues à partir des troncs de pins blancs.

Au milieu de la journée, Anne vint leur apporter à boire et à manger, des mets que sa mère, Madeleine, leur avait préparés dans un grand chaudron en fonte. Elle était habillée d'une longue jupe en lin rayée sur la longueur et d'un chemisier avec un col en dentelle. On aurait dit qu'elle s'était habillée comme pour aller à la messe. Michel lui en fit la remarque, ce qui la fit rougir de gêne. Il observa son visage légèrement souriant et son regard angélique. Pour la première fois, il la voyait comme une femme et non comme la fille de ses amis. Elle n'avait que quatorze ans, mais habillée ainsi elle en paraissait au moins dix-sept ou dix-huit. Son air mature le frappa. Il se dit que dorénavant il allait lui parler comme à une adulte et non comme à une enfant.

Le soir, il prit l'initiative de lui adresser la parole. Il fut surpris par ses réponses sensées. Elle manifestait une assurance qui n'était pas celle d'une enfant. Comment se faisait-il qu'il ne pouvait s'empêcher de la regarder alors qu'il était si souvent venu chez les Cormier? Il habitait là depuis quelques mois, mais il la regardait comme s'il ne l'avait jamais vue auparavant. Après le repas, Thomas alla chercher un grand récipient plein de bière d'épinette qu'il avait lui-même concoctée. Chacun se régala de cette liqueur claire et agréable au palais.

— Cette bière est reconnue pour ses qualités antiscorbutiques, affirma Thomas. Si les premiers colons qui se sont établis à l'île Sainte-Croix au début du siècle avaient connu cette bière, il n'y en aurait pas autant qui seraient morts du scorbut!

— J'aimerais pouvoir m'en fabriquer, avoua Sébastien. La recette est-elle un secret?

— Mais pas du tout. Je ne l'ai pas inventée; je la tiens des Indiens. On met une bonne quantité de sommités de sapin dans une barrique en bois, on ajoute de l'eau, du levain et de la mélasse et on laisse cette préparation fermenter pendant quelques jours. Quand la fermentation s'arrête, on coule le liquide à travers un linge. Il ne reste plus qu'à déguster.

— En tout cas, c'est bien désaltérant, renchérit Sébastien.

La bonne humeur régna pendant un certain temps, mais la fatigue ne tarda pas à venir. Certains des hommes décidèrent de coucher dans la grange pour être plus tranquilles, mais la majorité dormit sur des couvertures, par terre dans la grande pièce. Michel n'arrivait pas à trouver le sommeil. Il essayait d'analyser ce qui s'était passé, de comprendre pourquoi, tout à coup, il avait vu Anne autrement. Il avait envie de se rapprocher d'elle, de lui faire part de ses projets, de ses attentes, mais elle était si jeune! Quoique... Il se rappelait que la mère d'Anne, Madeleine, lui avait confié qu'elle n'avait que quatorze ans lorsqu'elle avait épousé Thomas, alors que lui en avait trente-deux.

Lorsque les hommes se réveillèrent le lendemain matin, Anne et sa mère étaient déjà en train de préparer à manger. Un chaudron de fèves avec des morceaux de lard avait mijoté toute la nuit sur le côté de la cheminée. On les servit à la grande table avec un pain tourteau fraîchement fait. D'autres matins, les femmes leur servaient des œufs cuits avec des grillades de lard. Michel, tout en étant impressionné, se sentait un peu gêné de réaliser que toute cette dépense et ce travail étaient en fait pour lui.

Thomas venait de terminer un aboiteau à partir d'un tronc d'arbre qu'il avait évidé et taillé. Trois hommes l'avaient apporté au chantier pour qu'il soit installé dans la digue, à l'endroit où aboutissait le canal qui devait servir à drainer l'eau de la parcelle. Il fallait aussi ériger des levées latérales afin que l'eau n'entre pas dans le champ par les côtés, mais cela pouvait attendre un peu. Le plus compliqué et le plus pressant, c'était la grande digue qui longeait la rivière

Anne avait continué de leur apporter à manger et à boire au milieu de la journée et, chaque fois, Michel ne pouvait s'empêcher de la regarder comme on regarde une bête curieuse. Il examinait sa coiffure, un chignon tenu en place par une petite coiffe en tissu, car elle n'aimait pas porter les grandes coiffes paysannes qui couvraient toute la tête. Il observait son chemisier aux grandes manches évasées, sa longue jupe rayée, son sourire généreux, ses dents très blanches, sa démarche... Comment se pouvait-il qu'il n'ait rien vu de tout cela auparavant? Il demeurait étonné qu'elle le serve en deuxième lieu, immédiatement après son père. En le servant, elle ne manquait pas de lui adresser un petit mot d'encouragement comme «ça avance bien!», auquel il répondait immanquablement par «oui!», ne trouvant rien d'autre à dire. Il se surprenait aussi à ressentir ce qui semblait être de la jalousie lorsqu'elle parlait aux autres. Alors qu'elle était encore à ramasser les gamelles et ustensiles, il se remettait au travail avec entrain, comme s'il voulait lui démontrer qu'il savait travailler aussi bien que les autres hommes du village.

Lorsque, quelques semaines plus tard, la grande digue fut terminée, Thomas, habile charpentier, proposa à Michel de commencer sa maison. Il avait déjà décidé de son emplacement – une petite butte à quinze minutes de marche des Cormier – et avait rassemblé une grande quantité de pierres des champs, car il tenait à faire une fondation en pierre pour éviter que le bois pourrisse trop vite. Étant donné qu'il n'y avait pas de moulin à scie à Vechcaque, les deux hommes avaient décidé qu'il serait plus facile et moins onéreux d'équarrir les billots à la hache au lieu de les transporter au village pour les faire scier. Ce déplacement aurait représenté une longue course en barque puis une marche interminable pour arriver jusqu'au moulin. Un autre avantage de laisser les billots entiers, soutenait Thomas, était que cela donnait des murs bien plus épais, donc une maison mieux isolée, aussi bien du froid que de la chaleur. Une fois équarris, les billots seraient posés pièce sur pièce, bien isolés avec un bon torchis et tenus ensemble aux angles par des chevilles de bois fixées à des poutres et des sablières.

Michel savait qu'il ne pourrait pas terminer sa maison avant l'hiver, même avec de l'aide, mais Thomas lui avait assuré qu'il pourrait habiter chez lui aussi longtemps qu'il le voudrait. Il ne pouvait pas demander mieux, car il avait toujours hâte de rentrer à la maison pour revoir Anne. Comme la pièce principale servait à la fois de cuisine, de salle à manger, de salle de séjour et de dortoir, elle ne pouvait échapper à son regard. Peut-être s'en réjouissait-elle, car elle jetait souvent un coup d'œil dans sa direction en souriant. Cependant, son jeune âge l'effrayait toujours. Si le père Moireau avait encore été à Beaubassin, il serait allé le voir pour lui demander conseil. Il se souvenait de sa rencontre avec lui après l'échec de sa relation avec Malika. Le bon père était en général assez ouvert aux relations avec les Indiens, les considérant comme les égaux des Blancs en Jésus-Christ, comme il le disait. Toutefois, une de ses remarques avait surpris Michel. « L'amour n'est pas ce qui fait les meilleurs mariages, avait-il affirmé. Dans une relation de couple, la culture est plus importante que l'amour. » Malheureusement, Michel ne savait pas à ce moment-là ce qu'il savait maintenant sur ses origines, car il aurait eu tôt fait de lui répondre que, dans son cas, il y avait les deux, aussi bien l'amour que la culture.

Cette affirmation l'avait fait réfléchir à l'époque. Maintenant, en raison de son attrait pour Anne, ce précepte refaisait surface. Que lui restait-il en fait de la culture indienne? Depuis sa tendre enfance, il avait été élevé par des Blancs francophones. Des blancs assez élevés dans l'échelle sociale, de surcroît, donc à l'antipode de ceux que l'on appelait les sauvages. Lui-même se voyait maintenant plutôt comme entre les deux. Il n'avait aucune attirance pour la carrière militaire ou pour cette classe de privilégiés, même s'il en avait largement profité, mais il ne se voyait pas non plus vivre au rythme des Indiens. Il pensait à tout cela tout en travaillant sur sa maison. Petit à petit, cette habitation lui apparaissait comme le symbole de ce qu'il était devenu : un habitant comme les autres, peut-être un peu plus privilégié en raison de son expérience et de l'éducation qu'il avait reçue.

Lorsque Michel et les deux fils aînés de Thomas se rendirent au village avec la grande barque dans le dessein de rapporter la vache que Michel avait reçue en cadeau, Claude-Sébastien de Villieu leur apprit que Nicolas Denys, le grand entrepreneur acadien, était décédé à Nipiséguit à l'âge de quatre-vingt-dix ans. Michel n'avait qu'un vague souvenir de cet homme, à la fois sérieux et agité, qui semblait être partout en même temps. Il ne l'avait revu qu'une fois après son départ de Saint-Pierre. De Villieu demanda à Michel s'il ne pouvait pas venir s'occuper de la seigneurie pendant quelques semaines, car il avait très envie d'aller lui aussi faire la chasse aux Anglais, comme il se plaisait à dire, le long des côtes acadiennes. Il avait appris que les Anglais préparaient une attaque sur Port-Royal, et peut-être même sur Beaubassin. Mieux valait aller au-devant des coups, prétendait-il. Cette remarque rendit Michel un peu nerveux, mais il ne dévia pas de sa nouvelle voie.

— Je suis en train de construire ma maison, expliqua-t-il. Je ne peux pas abandonner mon projet en ce moment.

Une attaque anglaise ! pensa-t-il. Il espérait que ce ne soient que des rumeurs. Il avait décidé de s'installer à Beaubassin afin de vivre comme tous les autres habitants et ne voulait pas s'écarter de cette trajectoire. Advienne que pourra ! Si jamais une attaque sur Beaubassin devait se concrétiser, il préférait de loin se trouver à Vechcaque qu'au manoir, qui aurait certainement été dans la mire des Anglais, mais ce n'était pas là sa principale préoccupation. Il se souciait avant tout du bien-être des Cormier. S'il avait à se battre, il voulait que ce soit avec eux et pour eux. Il pensait à Anne, qu'il ne pouvait laisser sans défense. Il aurait aimé être un héros à ses yeux !

Du manoir, il se rendit voir Roger Kessy, chez qui il allait souvent lorsqu'il habitait chez LaVallière, pour lui donner des nouvelles de l'avancement des travaux sur sa maison. Il y rencontra Emmanuel Mirande, qui venait de s'installer tout près de Roger, à la pointe Beauséjour. Les Bourgeois l'avaient contraint de quitter la parcelle qu'il occupait depuis son mariage avec Marguerite Bourgeois pour la donner à Pierre Arsenot. Ce dernier avait longtemps été, lorsqu'il vivait à Port-Royal, le capitaine du négociant et chirurgien Jacob Bourgeois. Les deux voisins, Roger et Emmanuel, projetaient maintenant d'exploiter ensemble le grand marais du bout de la pointe Beauséjour.

Michel et ses deux compagnons couchèrent au manoir. Le lendemain matin, ils eurent toute la misère du monde à faire monter la vache dans la barque. En route, quoiqu'elle était bien attachée, elle gigotait tant qu'elle faillit faire renverser le bateau. De plus, elle prenait tellement de place qu'ils n'avaient pas réussi à déployer la voile. Ils avaient donc dû se résigner à faire le trajet de retour à la rame.

— On se croirait dans l'arche de Noé, lança Michel.

— C'est quoi, l'arche de Noé? demanda Alexis.

François ne semblait pas en savoir plus que son frère sur le sujet, alors Michel tenta de leur expliquer à tous les deux cette histoire biblique incroyable.

— Il y a de cela des milliers d'années, les habitants de la terre étaient devenus méchants et injustes, alors Dieu leur dit que s'ils ne s'amélioraient pas, il allait tout détruire ce qu'il avait mis de vivant sur la terre. Personne ne voulut tenir compte de cet avertissement, sauf Noé, qui n'était pas comme les autres. Il était juste et bon. Alors Dieu lui dit que s'il voulait survivre, il fallait qu'il construise une arche, une sorte de grand bateau, assez grande pour qu'il y emmène sa famille, tous les animaux qu'il voudrait et suffisamment de nourriture pour une année, car il allait détruire tous les habitants de la terre par un grand déluge.

— C'est quoi, un déluge? demanda encore Alexis.

— C'est de la pluie, lui répondit François.

— C'est exact, confirma Michel. Alors, comme Dieu l'avait dit, il a plu pendant quarante jours et quarante nuits. Il y avait tellement de pluie que toute la terre a été inondée, même jusqu'au-dessus des montagnes. Il a fallu qu'ils attendent une année dans l'arche avant que la terre sèche et qu'ils puissent descendre de leur grand bateau. C'est ainsi que, grâce à l'arche de Noé, l'humanité a pu recommencer sur de nouvelles bases et les animaux de la terre ont pu survivre.

— Nous, lança François, nous faisons des aboiteaux pour nous débarrasser de l'eau et faire sécher la terre.

— Oui, on pourrait peut-être comparer les deux choses dans le sens qu'il faut se débarrasser de l'eau et que la construction des digues et aboiteaux représente un travail gigantesque, comme ça a certainement été le cas de la construction de l'arche.

Les jeunes posèrent d'autres questions qui montraient leur intérêt à connaître de nouvelles choses. Michel se dit qu'il espérait qu'un jour ces jeunes seraient ses beaux-frères. Cela dit, pour y arriver, il avait besoin de se réveiller, de prendre son courage à deux mains et d'agir avant que quelqu'un d'autre lui ravisse sa princesse. Cependant, pour l'instant, il fallait qu'il revienne sur terre et débarque sa vache, ce qui ne posa pas les mêmes problèmes qu'à l'embarquement. Thomas lui avait dit qu'il pouvait joindre sa vache à son troupeau, qui comptait une bonne trentaine de bêtes.

Trois jours après leur retour, Anne célébrait ses quinze ans. Elle en était si fière qu'elle avait elle-même organisé une espèce de petite fête. Lorsque tout le monde fut à table pour le souper, sa mère prit la parole:

— Normalement, nous ne fêtons pas l'anniversaire des enfants, mais Anne voulait à tout prix souligner l'événement, alors elle a passé toute la journée à faire un gâteau et fabriquer des guirlandes avec des plantes et des fleurs des champs.

Après le bénédicité, récité par Anne même si ce n'était pas son tour, Madeleine sortit son vin de pissenlit, en versa à tout le monde sauf aux plus jeunes et leva son verre à Anne en lui souhaitant succès et bonheur. Puis, elle ajouta, le sourire aux lèvres, qu'elle était maintenant en âge de se marier.

Il n'en fallait pas davantage pour troubler de nouveau Michel. Il lui semblait qu'Anne avait rougi à la remarque de sa mère. En tout cas, elle avait souri et baissé la tête.

— C'est ça, dit la petite Angélique, qui n'avait que sept ans. Tu vas t'en aller puis nous laisser tout seuls, comme a fait Marie-Madeleine.

Tout le monde rit, puis plongea rapidement dans la grosse soupe du jardin afin d'arriver au plus vite au gâteau. Des friandises de ce genre ne se voyaient pas tous les jours. Avec douze personnes à table, il n'en resta que des miettes. Lorsque Anne annonça qu'elle allait chercher de l'eau au puits pour faire la vaisselle, Michel se proposa pour l'aider. Chemin faisant, elle lui fit remarquer qu'elle avait grandi d'un an. Comme il ne faisait que rire, elle continua :

— Tu ne trouves pas que j'ai grandi?

— Oui, répondit-il, bien sûr. J'ai remarqué.

Il ne trouva rien de plus à ajouter et continua de sourire. Lorsqu'ils arrivèrent au puits, il la prit par le bras pour l'écarter gentiment du puits avant de plonger le seau au fond de l'eau. Elle le regarda dans les yeux et le récompensa d'un généreux sourire. En retournant à la maison, il fit exprès pour secouer le seau et renverser un peu d'eau sur ses pieds nus. Elle riait comme une enfant heureuse de ce qui lui arrivait. Cette nuit-là fut pour Michel parmi les plus belles de sa vie.

*D*evant les rumeurs de plus en plus persistantes d'une attaque anglaise et les sentiments de frustration que Michel éprouvait du fait de devoir vivre près d'Anne sans pouvoir lui manifester physiquement son amour, il réalisa qu'il était temps de procéder à la grande demande. Il lui fallait vaincre sa timidité et agir, mais d'abord, il devait s'assurer qu'Anne était d'accord avant d'en parler à son père. Les sourires échangés, la tendresse des regards, les touchers furtifs, tout laissait croire qu'elle avait autant d'attirance pour lui que lui pour elle. Anne était encore bien jeune, mais elle était belle, savait tenir une maison, travailler aux champs et même donner son opinion lorsqu'on la lui demandait. Ainsi, lorsque Michel vit sa bien-aimée se diriger vers le poulailler pour nourrir la volaille, il alla la rejoindre. Comment allait-il aborder la question? Il n'en savait rien. En guise d'introduction, il lui parla de la valeur du fumier de poule pour engraisser le jardin potager. Comme elle le regardait d'un air bizarre, il demanda brusquement:

— Est-ce que tu accepterais de venir vivre avec moi lorsque ma maison sera terminée ?

Elle ne répondit pas tout de suite. Il l'avait vue pâlir, mais elle n'avait pas bronché. Elle avait l'air de se demander s'il s'agissait bien là d'une demande en mariage. Elle lui adressa un sourire plein de tendresse et articula :

— Oui, ça me plairait bien.

Il se sentit soulagé. Enfin. Il pouvait maintenant lui dire qu'il l'aimait. Si elle avait dit non, comment aurait-il fait pour continuer à vivre chez les Cormier ?

— Alors je peux te dire, Anne, que je t'aime et que j'aimerais t'épouser.

— Moi aussi, avoua-t-elle en refrénant un sanglot rieur. Mais mes parents seront-ils d'accord ?

— J'en suis convaincu. D'ailleurs, je vais aller trouver ton père dès ce matin.

Elle le regardait avec l'air de dire « viens m'embrasser », mais elle demeura muette, sans doute par crainte de la réaction de ses parents, qui eux n'étaient pas au courant de leur conversation. Elle répondit simplement :

— J'espère qu'il acceptera.

Michel s'aventura à la grange où Thomas était en train de distribuer du grain aux animaux. Lorsqu'il vit qu'il était seul, il alla le rejoindre.

— Est-ce vrai, demanda-t-il, que Madeleine n'avait que quatorze ans lorsque vous vous êtes mariés ?

— C'est exact.

— Alors, annonça-t-il tout enjoué, je vous demande la main de votre fille Anne. J'aimerais qu'elle devienne ma femme.

— La réponse est oui, répondit Thomas du tac au tac. Il affichait le sourire de satisfaction de quelqu'un qui s'attendait à cette question depuis longtemps. Je ne prends même pas la peine d'aller demander l'avis de ma femme, je sais qu'elle sera ravie. Je dois te dire que j'en suis moi-même très heureux. Tu es pour moi le beau-fils idéal.

Michel jubilait. Pourquoi avait-il été si craintif? Pourquoi ne s'était-il pas déclaré plus tôt? Sans doute que la jeunesse d'Anne et leur différence d'âge y étaient pour beaucoup.

— Quand comptez-vous vous marier? demanda Thomas.

— Aussitôt que possible.

— Alors, il faudra aller voir le père Baudoin pour qu'il publie les bans. L'évêque de Québec avait envoyé le père Baudoin remplacer le père Trouvé, chassé de Beaubassin par les habitants.

Les deux hommes prirent le chemin de la maison pour annoncer la nouvelle à la famille. Lorsqu'ils entrèrent, les deux femmes étaient tout sourire. Anne avait visiblement fait part à sa mère de la demande de Michel. En voyant les deux hommes, eux aussi rayonnants, Anne sut que son père avait dit oui. Elle courut se jeter au cou de Michel et se mit à sangloter. L'émotion était trop forte. D'ailleurs, Michel n'était pas loin des sanglots lui non plus. Une boule s'était formée dans sa gorge et gênait sa respiration. Il pouvait à peine croire ce qui lui arrivait. Il se sentait dépassé par les événements. Madeleine, qui venait d'entourer les amoureux de ses deux bras, dit simplement:

— C'est une bien belle journée.

Le dimanche suivant, Michel bomba le torse en entendant le curé annoncer à la fin de la messe: « Il y a promesse de mariage entre Michel Haché dit Gallant et Anne Marie Cormier, tous deux de Vechcaque dans la paroisse de Beaubassin... »

À la sortie de la chapelle, les félicitations fusèrent. Michel ne cessait de sourire et de manifester son contentement de se trouver à côté de sa future épouse, qu'il considérait comme la plus belle femme de Beaubassin. En effet, elle était rayonnante de bonheur. Il se dégageait de son visage et de son jeune corps bien formé une maturité indéniable.

Le mariage eut lieu à la fin d'août à la chapelle de LaVallière, comme on l'appelait toujours, car l'église n'était pas terminée. Michel d'ailleurs s'en réjouissait, car c'était le lieu de culte qu'il avait toujours connu. Il avait même participé à sa construction. François Cormier servit de témoin pour Michel, alors qu'Anne choisit comme témoin Marie Kessy, la femme de Toussaint Doucet, qui avait le même âge qu'elle.

La noce se déroula dans la grange de Thomas Cormier. Tout le foin avait été entassé dans le fenil, et les animaux avaient été menés dans l'enclos plus loin derrière la grange. Comme l'aire centrale était de belle dimension et recouverte de terre battue, le lieu était idéal pour une fête de cette nature. Michel, Thomas et ses deux fils aînés avaient passé beaucoup de temps à nettoyer et préparer les lieux pour bien recevoir les invités. C'était le premier mariage que Thomas et Madeleine organisaient chez eux. Leur fille aînée, Marie-Madeleine, s'était mariée à Port-Royal, où habitait son mari, Michel Boudrot, le fils du magistrat de Port-Royal.

Les Cormier voulaient fêter l'événement en grande pompe et avaient donc invité la vingtaine de familles qui habitaient dans la paroisse de Beaubassin. Michel aurait aimé y inviter LaVallière, pour qui il avait gardé une profonde estime malgré leur différence d'opinions dans certaines circonstances, mais comment aurait-il pu le rejoindre? Même de Villieu ne savait pas où il se trouvait; probablement en mer. Il savait qu'il commandait maintenant la *Boufonne*, une frégate munie de vingt-six canons. Une autre personne que Michel aurait aimé inviter à son mariage était Wasacook, mais lui aussi était parti, vers la Miramichi apparemment. De toute façon, il y avait déjà suffisamment de monde. Avec les femmes et les enfants, cela faisait bien une centaine de personnes. Heureusement que les Cormier n'étaient pas les moins nantis de

Beaubassin! Ils exploitaient une bonne quarantaine d'arpents, tous en culture, possédaient un troupeau d'une trentaine de bêtes à cornes, une vingtaine de cochons et autant de brebis.

Ils avaient tué un cochon pour l'occasion. La bête rôtissait sur un feu de bois installé à côté de la grange et Madeleine faisait aussi rôtir quatre gros canards dans la cheminée. Ils avaient dressé une grande table au milieu de la pièce, facilement démontable lorsque viendrait le temps de faire place à la danse. On pouvait y asseoir une bonne trentaine de personnes. Les adultes mangeraient d'abord, et ensuite les enfants. Des bouquets de fleurs des champs mêlées à des dahlias que Madeleine cultivait avec amour avaient été installés un peu partout dans la grange.

Michel était allé lui-même voir Roger Kessy pour s'assurer qu'il apporterait son violon. Avec la guimbarde que Jacques Cochu avait léguée à Sébastien Chiasson avant son expulsion de Beaubassin, les cuillers que Thomas avait fabriquées et les pieds et les mains qui battraient la mesure, cela allait certainement produire un joyeux boucan.

Aussitôt la messe terminée, on vit une file de barques et de canots prendre la mer pour se rendre à Vechcaque. La famille Cormier menait le bal avec leur grande barque à voile, mais celle-ci n'était guère utile car le vent venait de l'ouest, donc leur faisait face. Le curé Baudoin était monté dans la spacieuse barque de Pierre Arsenot, car celle des Cormier était remplie. On aurait dit un chapelet de canots et de barques qui remontait la rivière. Une heure et demie plus tard, les premiers bateaux accostaient au petit quai construit l'année précédente en bordure de la Tintamarre, tout près de village de Vechcaque.

Thomas s'était procuré à Port-Royal du rhum de la Martinique qu'il proposait aux hommes et jeunes adultes dès qu'ils arrivaient. Lorsqu'ils furent tous là, il alla chercher son fusil et en tira trois coups dans les airs pour souhaiter bonne chance aux nouveaux mariés. Comme à l'accoutumée dans les fêtes de ce genre, chacun se devait d'apporter son gobelet. Quant aux assiettes, il était toujours possible d'en fabriquer, comme Thomas l'avait fait. Avec l'aide de ses fils, il avait transporté un gros billot au moulin et l'avait fait trancher en galettes d'un pouce, ce qui donnait de jolies assiettes qui pouvaient par la suite être utilisées comme roues de brouettes ou de petits chariots de transport, ou tout simplement être brûlées dans la cheminée.

Pendant que les hommes buvaient et discutaient, les femmes s'affairaient à préparer la table pour le premier service. Alexis était resté à la maison pour surveiller les diverses cuissons de sorte que tout était prêt pour le festin. Il avait été décidé qu'à l'exception d'Anne, la première tablée serait composée uniquement d'hommes. Ces derniers purent donc se régaler à satiété de viande de porc et de canard accompagnée de légumes frais du jardin : chou, navet, haricot. Les hommes profitèrent du fait d'être seuls pour faire des plaisanteries sur les femmes, malgré la présence du curé et d'Anne, qui se sentait visiblement encore plus gênée de se retrouver seule parmi tant d'hommes. Le curé ne disait rien, mais il souriait la tête basse. Il était clair qu'il n'approuvait pas ce genre de comportement. Pour le gâteau, il faudrait attendre que les autres convives aient mangé.

Les hommes ayant terminé, ils cédèrent la place aux femmes et aux jeunes filles. Les mariés, eux, n'avaient pas le choix ; ils devaient rester pour les deux services. Michel remarqua que les femmes n'étaient pas moins bavardes que les hommes, bien au contraire. Il avait hâte que cette partie publique soit terminée pour se trouver seul avec Anne. Chaque fois qu'ils échangeaient des regards de tendresse, il se sentait submergé par un élan de bonheur. Il avait envie de la prendre par la main, et même l'embrasser, mais la pudeur l'en empêchait.

Après les femmes, ce fut le tour des enfants. Cette fois, les mariés n'eurent pas à rester à table. Ils purent s'évader pendant quelque temps à la maison, où ils n'étaient toutefois pas seuls. Les femmes allaient et venaient tandis que les hommes discutaient toujours debout près de la grange. Michel alla se mêler à eux pendant un moment. Il les connaissait tous très bien et était heureux de les voir tous là. Il se demandait s'ils avaient vraiment oublié les chicanes du passé, car ils paraissaient tous contents d'être ensemble. *Il va falloir que je m'implique davantage*, pensa-t-il. *Maintenant que je n'ai plus à répondre à LaVallière et au gouvernement français, je pourrai travailler à ma façon au développement de Beaubassin. Il faut que nous nous donnions tous la main pour bâtir ensemble le plus beau village d'Acadie.*

Dès que les jeunes eurent terminé, les hommes démontèrent la table et préparèrent la pièce pour la danse. Pendant que Roger accordait son violon, les mariés coupèrent le gâteau, qui fut distribué par petits morceaux aux invités. La fête pouvait commencer, mais avant que tout le monde se mette à danser, Marie Boudrot, la femme de Michel Poirier, annonça qu'elle avait préparé une petite chanson pour les nouveaux mariés. Il s'agissait d'une chanson que sa mère lui avait chantée à l'occasion de son mariage. Elle donna l'air à Roger pour qu'il l'accompagne sur son violon.

> *Vous voilà liés, Deux jeunes amants sincères,*
> *Vous voilà liés, C'est dans le mariage,*
> *Vous voilà liés tous les deux,*
> *Et soyez donc toujours heureux (bis).*
> *Ah! Vous avez promis, C'est dans le mariage,*
> *Vous avez dit oui, D'être fidèles et sages,*
> *Devant le Saint-Sacrement,*
> *De vous aimer fidèlement (bis).*
> *Vous autres, mes jeunes garçons, Vous allez voir les filles,*
> *Allez assurément, Soyez fidèles et sages,*
> *On ne se marie pas pour un jour,*
> *Quand on se marie, c'est pour toujours (bis).*
> *Vous autres mes jeunes filles, Qui faites vos difficiles,*
> *Ne vous figurez pas, Que dans le mariage,*
> *Quand on se marie sans être aimée,*
> *On meurt sans être regrettée (bis).*

Tout le monde applaudit en lançant des bravos, surtout l'abbé Baudoin, qui trouvait cette chanson fort appropriée.

— On devrait la chanter à tous les mariages! lança-t-il.

Roger commença à jouer doucement, puis progressivement accéléra la cadence. Le son du violon accaparait tout l'espace. Michel Poirier s'institua maître de danse. Il n'eut aucun mal à convaincre les convives d'entrer dans la danse. Ce n'était pas souvent que tout le village se trouvait réuni pour fêter. Mais il fallait d'abord que les mariés ouvrent le bal, ce qu'ils acceptèrent de bonne grâce, surtout Anne, qui était tout feu tout flamme et pétillante d'énergie. Puis, au bout de quelques minutes, le groupe se joignit au couple pour une gigue endiablée au son du violon de Roger, des cuillers de François, de la guimbarde de Sébastien et du tapage de pieds et des mains des musiciens.

À la troisième contredanse, Michel n'en pouvait plus. Il quitta le groupe pour aller s'asseoir contre le mur de l'étable, alors qu'Anne continuait d'évoluer sur le plancher de terre battue. En regardant tous ces gens se trémousser au son du violon, il ne put s'empêcher de penser à la danse que les Mi'kmaq avaient exécutée au cours de sa visite à leur campement, lorsqu'il était accompagné de LaVallière et du père Moireau. Il réentendait ce tambour qui battait sur un tout autre rythme et revoyait les Indiens danser en rond en sautillant d'un pied. Il réfléchissait à ses origines indiennes et se demandait s'il aurait préféré ce genre de danse à celle-ci. Que lui restait-il de ces origines, si différentes de celles de la grande majorité des habitants de Beaubassin? Il se sentait très près de la nature, mais beaucoup de paysans de Beaubassin éprouvaient certainement la même sensation. Cependant, contrairement à eux, il aimait la nature pour elle-même. Il adorait se promener en forêt, toucher la terre de ses mains, observer les oiseaux et les animaux sauvages. Il avait l'impression de faire corps avec la nature.

Il regardait Anne s'exalter dans la danse. Il se dégageait de son corps svelte et de ses mouvements amples une sensualité exquise.

Physiquement, elle ressemblait à Malika avec ses longs cheveux qui semblaient s'envoler dans les mouvements saccadés de la danse. Mais que de différences également! L'entente mutuelle ne pouvait se limiter aux gestes. Il fallait qu'elle passe par la parole. Sur ce point, Malika était bien loin. Avec Anne, la communication s'avérait tellement plus facile et authentique! Ce n'était plus un jeu, mais du sérieux. Son bonheur était réel et non pas fabriqué par l'imaginaire.

L'approche d'Anne le fit sortir de sa rêverie. Elle venait le chercher pour l'accompagner dans une autre danse. Il aimait son assurance et le fait qu'elle ne paraissait nullement intimidée par leur différence d'âge. Il lui semblait que le rythme accélérait au fur et à mesure que la soirée avançait. Des femmes avaient essayé d'entraîner le père Baudoin sur la piste, mais sans succès. Il pouvait regarder, disait-il, mais pas participer. Comme pour s'excuser d'être là, il ajoutait:

— C'est moi le chaperon ici ce soir!

Il était tard dans la nuit lorsque le violoniste et les percussionnistes s'avouèrent vaincus. Les enfants étaient déjà tous couchés par terre dans la grande pièce de la maison. Les plus chanceux avaient trouvé des manteaux, des morceaux de tissus et même des fourrures pour se couvrir ou au moins pour poser leur tête. Les femmes allèrent les rejoindre alors que les hommes sortaient du foin du fenil pour s'en faire des paillasses et dormir un peu. Il n'était pas question de reprendre la mer en pleine nuit sur de petites embarcations.

Quant à Michel, il avait été entendu qu'il ne passerait pas sa première nuit de noces loin d'Anne, puisqu'elle était maintenant sa femme. Sa maison était loin d'être terminée, mais il avait aménagé un petit coin fermé avec une bonne paillasse pour qu'ils puissent y passer la nuit.

En plus de son trousseau, Anne apportait comme dot un matelas de plumes, mais ils avaient convenu de ne pas l'utiliser avant que la maison soit complétée afin de lui réserver une place de choix. En plus du matelas, Anne avait reçu de son père un jeune veau et une truie qui devait bientôt mettre bas. Michel considérait ces dons comme des immenses cadeaux pour un jeune couple qui s'installait pour cultiver la terre. Les nouveaux mariés avaient aussi reçu plusieurs cadeaux des invités, essentiellement des ustensiles et d'autres petites choses pas facile à trouver mais combien utile pour un nouveau ménage. Cela dit, le cadeau que Michel chérit le plus venait de Roger Kessy. Il leur avait apporté deux petits pommiers greffés. Roger était pratiquement l'unique pomiculteur de Beaubassin. Avec un verger d'une trentaine d'arbres, il pouvait facilement approvisionner tout le village. Le nouveau marié se réjouissait cependant de posséder bientôt ses propres arbres fruitiers.

Michel s'était dit qu'il n'allait pas toucher à sa femme pendant cette première nuit par respect pour son âge, qui le dérangeait toujours un peu. Il voulait tout simplement la serrer bien fort contre lui afin de sentir chaque partie de son corps, mais il fut surpris de sa réaction à elle. Elle s'était tournée vers lui et avait tout de suite commencé à explorer son corps. À la fois timides, émus et passionnés, les deux tourtereaux trouvèrent la nuit bien courte.

Dès qu'il commença à faire clair ce matin-là, on vit les barques reprendre la mer une après l'autre. La fête était défi-nitivement terminée. Il fallait maintenant se mettre à l'œuvre. Michel redoubla d'ardeur pour terminer sa maison avant l'hiver. Il possédait maintenant une bonne parcelle de terre endiguée. Dans moins de deux ans, il pourrait l'ensemencer. En attendant, il pouvait semer sur une parcelle que Thomas lui prêtait. Avec l'aide d'Anne, son jardin potager, qui se trouvait à côté de la maison et non dans le marais, avait bien donné. Elle l'accom-pagnait partout, ce qui ne pouvait que le réjouir. Travailler avec elle à ses côtés s'avérait une partie de plaisir. Ils avaient récolté suffisamment de misotte pour en échanger avec Thomas contre un quartier de bœuf qu'Anne et lui avaient salé pour l'hiver. En outre, Anne avait anticipé sur sa dot en demandant un cochon adulte à son père, qu'elle lui rendrait lorsque leur truie aurait accouché. Ils avaient donc pu saler bœuf, porc et légumes pour l'hiver. De plus, il avait acheté à Port-Royal un baril de morue salée. Michel avait creusé une cave à provisions contre la maison pour y encaver pour l'hiver les légumes qui ne se salaient pas, comme les navets et les carottes. Il constata qu'Anne connaissait mieux que lui les techniques de salage. Avec les deux barils de farine pour le pain quotidien et le bois de chauffage qu'il avait coupé l'hiver précédent, il estimait avoir de quoi passer un hiver agréable.

À la fin du mois de mai, on vit Marie-Madeleine, la fille
aînée de Thomas Cormier qui habitait Port-Royal, arriver
à la maison accompagnée de son mari, Michel Boudrot. Ils avaient
l'air hagard et abattu. Et pour cause : ils venaient de quitter un
Port-Royal en ruines. Des rumeurs avaient circulé à Beaubassin
que Port-Royal avait été attaqué par les Anglais, mais personne
ne semblait savoir exactement ce qui s'était passé.

Madeleine s'empressa de leur préparer un thé chaud et des
tranches de pain beurrées. Ils n'avaient pratiquement pas mangé
depuis deux jours. Ils avaient pris le premier bateau qui partait
pour Beaubassin après le départ des Anglais. Baptiste, le corsaire
acadien qui s'employait, disait-on, à arraisonner des bateaux
anglais qui pêchaient dans la baie Française, s'était arrêté à Port-
Royal en revenant de la rivière Saint-Jean, mais il n'avait pas pu
s'approvisionner, car les Anglais avaient tout emporté. Il avait
donc décidé d'aller faire le plein à Beaubassin avant de repartir
faire la chasse aux Anglais. Après avoir pris quelques gorgées de

thé, Michel Boudrot commença à raconter la triste histoire qu'ils venaient de vivre.

— À la mi-mai, nous avons vu une flotte imposante de bateaux anglais entrer dans le bassin de Port-Royal. Elle comptait sept navires en tout, armés d'une centaine de canons et ayant à leur bord une quantité impressionnante d'hommes, plusieurs centaines certainement. Le gouverneur Ménéval a fait tirer du canon pour avertir les habitants et les inciter à venir défendre le fort, comme il avait été convenu. Malheureusement, j'ai été seul, avec trois autres jeunes, à me rendre à l'endroit désigné. Les autres étaient allés se cacher dans les bois. Ménéval ne disposait que d'une soixantaine de soldats, une quinzaine de canons et un fort dont une partie seulement avait été reconstruite. Il nous a donc avisés que dans ces conditions, il était inutile de nous battre. Il a envoyé le père Petit discuter avec le général William Phips, qui commandait l'expédition, des conditions d'une reddition. Pendant un certain temps, nous avons cru que tout allait bien se passer. Phips ne voulait que désarmer Port-Royal en emportant les canons, la marchandise et les soldats, et en détruisant le fort, mais lorsqu'il a vu la faiblesse de la garnison et la médiocrité des moyens de défense, il a changé d'avis. On aurait dit qu'il s'était senti humilié d'une victoire aussi facile, de gagner sans avoir même tiré un seul coup de canon.

La famille Cormier était bouche bée. Comment se pouvait-il que l'on attaque ainsi un village qui n'avait rien fait ? Décidément, les chicanes entre la France et l'Angleterre n'allaient jamais s'arrêter. Entre-temps, c'est l'Acadie qui en faisait les frais. Michel se demandait ce que la communauté pouvait bien faire pour arrêter cette calamité. Vivre tranquillement et paisiblement en se mêlant de ses affaires ne semblait pas une option valable, parce que c'est justement ce que faisaient les habitants de Port-Royal et ils avaient été attaqués quand même.

— Trois jours plus tard, continua Marie-Madeleine, nous avons vu les troupes anglaises monter la côte vers nos maisons. Puis le pillage organisé a commencé. Pendant douze jours d'affilée, nous avons vécu dans la terreur. Les militaires fouillaient les maisons et les granges, s'emparaient de notre blé, de nos vêtements, tuaient une bonne partie de nos bestiaux, saccageaient l'église et brûlaient nos maisons. C'était l'horreur. Certains sont allés trouver refuge chez les Indiens, mais beaucoup sont restés sur place, comme nous, pour essayer d'aider ceux qui ne pouvaient pas ou ne voulaient pas bouger. Le village a été détruit, et maintenant nous sommes tous ruinés, conclut-elle en pleurant.

La famille Cormier demeurait sous le choc. Comment des êtres humains pouvaient-ils martyriser ainsi leurs semblables ? Était-ce parce qu'ils ne parlaient pas la même langue ou qu'ils ne pratiquaient pas la même religion ? Ce questionnement hantait Michel et le laissait perplexe. Et si Phips décidait maintenant d'attaquer Beaubassin, que ferait-il ? Anne et la famille Cormier étaient devenues pour lui ce qu'il y avait de plus précieux au monde. Pas question qu'il mette leur vie en danger, pas plus que la sienne d'ailleurs, mais pourrait-il s'abstenir d'intervenir ? Il aurait été difficile de fermer les yeux devant tant d'injustices.

— Et maintenant, demanda Michel, que se passe-t-il ? Est-ce que Phips est reparti juste comme ça, sans rien dire ?

— Non, répondit Michel Boudrot. Les Anglais ont quitté Port-Royal après avoir rassemblé les hommes dans ce qui restait de l'église pour leur faire prêter un serment d'allégeance à la couronne d'Angleterre. Phips a alors nommé un conseil de six notables acadiens pour gérer la colonie sous la direction d'un sergent français, Charles LaTourasse. Puis, il a emmené le père Petit, le père Trouvé, le gouverneur Ménéval, les soixante soldats de la garnison, des bêtes à cornes et toutes les provisions qui se trouvaient au comptoir de Port-Royal. Il emmenait tout ce monde à Boston comme prisonniers.

— J'avais bien prédit que c'est ce qui allait arriver après les attaques des représentants du gouvernement français contre les bateaux anglais qui pêchaient près de nos côtes, conclut Thomas. Ce n'était pas logique de leur octroyer des permis de pêche, et ensuite de les attaquer.

— Quand je pense à tout cela, j'en fais encore des cauchemars, ajouta Marie-Madeleine. Je revois constamment ces capots rouges – ils étaient des centaines – venir vers nous, saccager nos maisons devant nos yeux et sortir tout le contenu de nos coffres pour s'emparer de ce qui leur plaisait : les robes, jupes, blouses et chemises d'homme, toutes faites à la main, les couvertures, que nous avions mis des mois à tisser, etc. Le plus pénible et le plus effrayant, c'était de les voir tuer les bêtes à coup de fusil puis mettre le feu à nos maisons. Ils en ont brûlé vingt-huit en tout. J'entends encore le crépitement du feu et l'écho des coups de fusil qui se répercutait dans le marais.

La famille Cormier sanglotait. Tout le monde pensait sans doute qu'un tel massacre aurait bien pu avoir lieu à Beaubassin. Heureusement, se dit Michel, Vechcaque était un peu éloigné du centre du village. Les Anglais n'auraient peut-être pas pensé à remonter la Tintamarre ; les quelques habitants auraient ainsi peut-être eu plus de chance d'être épargnés. En tout cas, ils auraient eu la possibilité de s'évader en remontant la rivière pour aller rejoindre les Gaudet ou les Bourg, ou encore le campement des Indiens. Là, ils auraient été en sécurité, car les Anglais craignaient énormément les Indiens. Vechcaque s'avérait toutefois relativement facile d'accès, car la Tintamarre était suffisamment profonde à son embouchure pour permettre aux navires d'un bon tonnage d'y mouiller, surtout à marée haute.

La destruction quasi totale de Port-Royal avait profondément marqué Michel Boudrot et Marie-Madeleine, comme tous les habitants du village, sans doute. Il n'était donc pas question qu'ils y retournent pour l'instant. Ils avaient toujours une terre, qu'ils étaient sur le point d'ensemencer, mais plus de maison ni de grange. Et les Anglais avaient tout emporté : farine, lard, porc, morue, tout. Ils se demandaient s'ils ne feraient pas mieux de s'installer à Beaubassin, même s'ils devraient tout recommencer. Thomas leur proposa d'attendre quelques jours avant de prendre une décision. Il y avait encore bien des terres disponibles à Beaubassin, et la famille pourrait aider à les endiguer et à construire. Michel avait la certitude qu'il pourrait leur obtenir une parcelle du grand marais, en aval de la rivière, à la suite de la sienne.

La maison des Cormier était grande, mais le partage s'avérait nécessaire. Marie-Madeleine coucherait dans la même chambre que les filles, alors que son mari partagerait la chambre des quatre garçons. Chacun aurait cependant sa propre paillasse. Heureusement pour Michel et Anne, leur maison était habitable, quoiqu'aucune division n'avait encore été aménagée. Le plancher de terre battue était fait à partir de la glaise du marais, et la cheminée, installée du côté nord de la maison, était faite de pierre des champs comme celle de LaVallière. La maison s'avérait suffisamment haute pour y construire ultérieurement une soupente. La misotte avait aussi servi à l'édification du toit de chaume. Michel espérait passer une partie du prochain hiver à fabriquer des bardeaux de bois, comme Thomas le lui avait montré, pour éventuellement remplacer le chaume. Le bardeau offrait une couverture beaucoup plus étanche. Le problème, c'est qu'il fallait énormément de temps pour en fabriquer une assez grande quantité pour couvrit tout un toit.

Marie-Madeleine révéla à sa famille qu'elle était enceinte de quelques mois déjà et que son état lui fournissait une autre raison de ne pas retourner tout de suite à Port-Royal. Elle craignait d'être hantée par la peur des Anglais, la peur que le même cauchemar se reproduise et que cette anxiété lui soit fatale, à elle ou à l'enfant.

— Voir des étrangers qui ne parlent pas ta langue saccager ta maison, fouiller dans tes affaires personnelles avec violence, comme s'ils avaient la rage au corps, cela te laisse avec un sentiment de désespoir, dit-elle. Jamais je ne voudrais revivre tant d'atrocités.

Après mure réflexion, le couple décida d'accepter l'offre qu'on leur faisait et de s'installer à Vechcaque, du moins en attendant de trouver quelque chose de plus proche du centre du village, car le mari de Marie-Madeleine n'aimait pas devoir dépendre des autres. Peut-être qu'un jour Port-Royal deviendrait parfaitement sécuritaire et qu'ils pourraient aller retrouver leur terre. Plus tard, il chercherait un terrain qu'il pourrait exploiter pour lui tout seul et sans dépendre de l'intervention des autres. Mais avant de commencer à construire, maintenant que Marie-Madeleine était en sécurité, il voulait retourner à Port-Royal pendant quelque temps pour aider sa mère à se réinstaller. Celle-ci habitait avec François, son plus jeune fils, et n'avait pas voulu quitter le village où elle avait toujours habité. Le père de Michel, magistrat à Port-Royal, était décédé il y avait déjà deux ans.

Quelques semaines plus tard, la vie avait repris son cours à Beaubassin. Michel regrettait de plus en plus l'absence du père Moireau. Au moins, lui, on pouvait lui parler, et il se dépensait sans compter pour la communauté. Du temps où il habitait Beaubassin, il avait installé une petite école dans la chapelle où les jeunes pouvaient venir le rejoindre les matins, après la messe, pour apprendre à lire, à écrire et à calculer. Maintenant, toute tentative d'instruction avait disparu. Les pères Trouvé et Petit se trouvaient à Boston, prisonniers des Anglais, mais ni l'un ni l'autre n'avait manifesté beaucoup d'intérêt pour l'éducation des jeunes. Michel jugeait cette attitude déplorable pour le développement de la communauté. Si l'on voulait devenir une communauté vivante et progressive, il fallait éviter l'ignorance, croyait-il. Le père Baudoin, quant à lui, n'avait encore rien fait d'autre que dire la messe dans l'ancienne chapelle et s'occuper de la construction de la nouvelle église. Cela ne lui laissait guère de temps pour s'occuper des problèmes personnels des colons.

Quelques semaines plus tard, c'était au tour d'Anne d'annoncer qu'elle était enceinte. Michel jubilait. Il allait bientôt être papa. Il ne s'était encore jamais imaginé devenir père de famille. Maintenant, il se voyait déjà à la tête d'une famille nombreuse.

— Il faut développer ce pays, proclamait-il, et les enfants sont notre meilleur gage de succès.

Mais les perspectives de développement n'étaient pas brillantes. La plupart des habitants de Port-Royal qui s'étaient réfugiés chez de la parenté à Beaubassin repartaient maintenant un à un pour regagner le village. Il fallait ensemencer, reconstruire les maisons et les granges, pratiquement tout recommencer comme au début. Seules les digues n'avaient pas été trop saccagées. Au moins, une bonne partie des terres pouvait être mise en culture immédiatement.

Les Anglais, une fois rentrés chez eux, s'étaient empressés de nommer un gouverneur en la personne du Colonel Edward Tyng. Ce dernier n'était toutefois pas encore venu occuper son poste, de sorte que rien n'empêchait les Acadiens de commercer librement avec les Indiens et, plus craintivement, avec les Anglais de la Nouvelle-Angleterre.

Plusieurs personnes de Beaubassin se rendirent aussi à Port-Royal afin d'aider leurs amis et parents à se reconstruire. À part la douzaine d'hommes emmenés à Beaubassin par LaVallière et qui avaient décidé de s'établir en Acadie, presque tous les autres avaient des liens de parenté avec les familles de Port-Royal. Même si Michel n'était pas de ceux-là, il aurait bien voulu partir lui aussi donner un coup de main à ces gens qui avaient tout perdu, mais vu que sa maison n'était pas terminée et qu'Anne allait accoucher dans quelques mois, il jugea plus utile de rester à Beaubassin.

Les rassemblements devant la chapelle après la messe du dimanche constituaient un véritable journal hebdomadaire. À la fin de la messe, le père Baudoin avait annoncé que l'Acadie allait redevenir française, car le nouveau gouverneur avait été fait prisonnier par les Français, mais il n'en avait pas dit plus. Sur le parvis de l'église, par contre, plusieurs personnes s'empressèrent de raconter ce qui s'était passé. Certaines personnes disaient revenir de Port-Royal, tandis que d'autres racontaient tenir leurs informations par personnes interposées. La plupart des versions convergeaient.

Le gouverneur général de la Nouvelle-France avait fait fi de la victoire anglaise et avait nommé Robineau de Villebon gouverneur d'Acadie en remplacement de Ménéval, qui était prisonnier à Boston. Il avait aussi chargé Denys de Bonaventure, qui commandait la goélette *Soleil d'Afrique,* d'accompagner de Villebon à son poste en compagnie de cinq officiers et de quarante soldats. En entrant dans la baie Française, ils avaient aperçu un navire anglais que Bonaventure et son équipage s'empressèrent d'arraisonner. Par un heureux hasard, le gouverneur Tyng et quelques officiers se trouvaient à bord de ce navire qui devait les conduire à Port-Royal où Tyng allait prendre son poste. Bonaventure ne perdit pas de temps à le faire prisonnier. Ainsi, après avoir déposé le Gouverneur Villebon à la rivière Saint-Jean, où il avait décidé d'installer son quartier général au lieu de Port-Royal, jugé trop risqué, Bonaventure fit demi-tour pour retourner à Québec présenter son illustre prisonnier au gouverneur général.

Chacun se réjouissait de savoir que la parenté de Port-Royal était maintenant délivrée du serment d'allégeance à la couronne britannique prêté sous la menace. L'humeur était à la réjouissance et chacun trouvait que Bonaventure, que tout le monde connaissait puisqu'il avait souvent fait escale en Acadie, avait réalisé un coup de maître. Les Acadiens n'étaient pas particulièrement profrançais, mais ils étaient encore bien moins proanglais.

Au milieu de l'hiver, le ventre d'Anne se mit à grossir à vue d'œil. Michel voulut aller chercher la sage-femme de Port-Royal pour qu'elle vienne l'examiner, s'imaginait qu'elle était bien trop enflée, mais Madeleine le rassura. Tout était normal, sa fille allait bien. Ils avaient cependant tous les deux hâte que l'enfant naisse. Depuis un certain temps, il n'osait plus toucher à sa femme. Les nuits, il ne se collait plus contre elle, comme d'habitude, de peur de faire mal au bébé. Son petit nid d'amour s'était transformé en un repaire d'inquiétudes.

La sœur d'Anne, Marie-Madeleine, venait d'accoucher et tout s'était bien passé. Elle n'avait même pas eu recours à une sage-femme ; sa mère s'en était occupée.

— Après avoir donné naissance à une dizaine d'enfants, et tous en bonne santé, je sais ce que représente un accouchement et je connais bien le travail des sages-femmes, affirmait-elle. En fait, j'ai plus confiance en moi-même qu'en une sage-femme qui ne connaît pas davantage la médecine que moi!

Michel demeurait soucieux. Il se demandait comment un tout petit bébé allait pouvoir supporter le froid du printemps qui tardait à venir. Il lui faudrait plus de couvertures pour le langer, se disait-il. Une belle peau de renard, par exemple, le garderait bien au chaud. Comme il n'aimait pas chasser ce genre de bête non utile à la consommation, il décida subitement de se rendre au campement indien qui se trouvait en amont de la Tintamarre. Il comptait y échanger de la poudre à canon contre une fourrure. LaVallière lui en avait laissé une quantité impressionnante.

Les abords de la rivière étaient encore gelés, mais il put quand même la remonter facilement en canot jusqu'au campement. Cependant, comme il s'y attendait, les Indiens n'étaient pas encore revenus à la rivière. Ils avaient toutefois commencé à faire la navette entre les deux camps, Michel put donc suivre leurs traces jusqu'au campement d'hiver. Des jeunes qui l'aperçurent allèrent avertir le chef Tagahouto. C'est donc lui qui vint saluer Michel et lui souhaiter la bienvenue.

— *Kué! Kuè!* dit-il. *Weli eksitpu'k.*

— *Kué! Kué!* répondit Michel en baissant la tête.

— *Teke'k!*

En effet, il faisait froid. Les deux hommes ne s'étaient pas rencontrés auparavant, mais Michel avait vu le chef à la messe certains dimanches. Il se rappelait que le père Moireau avait parlé en bien du chef Tagahouto, le sagamo du campement de la rivière Tintamarre. Ce dernier invita Michel à le suivre sous sa tente. Le feu qui crépitait au milieu du wigwam lui fit du bien. Il se sentait à l'aise d'être là et de respirer l'odeur qui émanait du feu, une odeur bien différente de celle de la cheminée de sa maison. Pendant un instant, il se demanda ce qu'aurait été sa vie s'il avait épousé Malika, mais il écarta vite cette idée, se félicitant de la tournure des événements qui l'avait conduit à Anne, sa bien-aimée.

Le sagamo lui offrit un breuvage au goût de bois, mais qui n'était pas mauvais après les premières gorgées. Sa femme était assise par terre sur une peau d'animal près du feu et ne bougeait pas, comme si elle était figée sur place. Elle lui avait fait un tout petit salut de la tête lorsqu'il était entré, mais rien de plus. Le chef parlait lentement en détachant ses mots, de sorte que Michel comprenait au moins la moitié de ce qu'il disait. Il s'étonna d'ailleurs de comprendre somme toute assez bien leur langue, même s'il n'avait pas eu beaucoup l'occasion de la parler. Il attribua cette facilité à ses antécédents, mais aussi au père Moireau, il devait le reconnaître. Il se dit qu'à l'été, il irait faire un tour à l'autre campement mi'kmaq, plus près de village, sur la rivière Au Lac, pour voir si Wasacook n'y serait pas revenu. Il aurait aimé le voir pour lui raconter qu'il était marié maintenant et lui montrer comment il avait fait des progrès en langue mi'kmaq.

Après un bout de temps, le sagamo entraîna Michel sur un petit sentier dans la forêt. Là, il lui montra des auges en bois creusées au couteau qui recueillaient la sève de certains arbres à l'aide d'une canule en bois plantée dans le tronc de l'arbre.

— *Kiogjmusi*, dit-il en montrant l'arbre.

— *Kiogimusi*, répéta Michel pour assimiler le mot.

— *Sismoqn!*

Pour faire du sucre! Michel connaissait l'existence de cette technique de fabrication du sucre, mais il n'avait encore jamais vu quelqu'un en faire. Cela lui donna l'idée de se rendre dans le bois en haut de sa terre pour voir s'il n'y avait pas d'érables. Le chef lui expliqua que les arbres venaient de commencer à couler et qu'il allait être occupé, avec son voisin, à faire bouillir et préparer leur sucre pour l'année avant de retourner au campement de la rivière. Michel se dit que s'il trouvait des érables sur sa terre, il n'aurait plus besoin d'acheter du sucre des bateaux venant des Antilles.

Sur le chemin du retour, il aborda avec le sagamo la question de la fourrure de renard qu'il voulait acheter. Comme il ne connaissait pas l'équivalent mi'kmaq pour *peau de renard*, il se dit que *peau d'animal* suffirait, et qu'il pourrait toujours spécifier laquelle il voulait en la pointant du doigt.

— *Anamanske'j*, dit-il avec assurance.

Le chef acquiesça puis invita de nouveau Michel sous sa tente. Il fit signe à sa femme d'aller chercher quelque chose. Quelques instants plus tard, elle revenait avec un jeune Indien. Entre-temps, Michel avait expliqué à l'Indien qu'il voulait procéder à un échange avec de la poudre à canon. Commença alors une discussion animée entre les deux Indiens, à laquelle Michel ne comprit pas un mot. Le jeune sortit en vitesse et revint avec ce qui semblait être une peau de chevreuil.

— *Lentak*, dit le jeune en laissant comprendre qu'il n'avait rien d'autre.

Michel n'avait guère le choix. Il aurait préféré la douceur écarlate de la peau de renard, mais la peau du chevreuil n'était pas mal non plus. D'ailleurs, à bien la regarder, il s'agissait plutôt d'une peau de faon, ou d'un demi chevreuil. Le jeune Indien s'empara du gousset de poudre d'un air sceptique. Il l'examina attentivement et, avant de partir, il s'approcha de Michel, lui fit un grand sourire puis lui tapa sur l'épaule en le remerciant.

— *Wela'lin!* répétait-il. *Wela'lin!*

Michel s'imagina qu'il devait déjà penser à tous les chevreuils et autres animaux qu'il pourrait tuer avec cette poudre. Il ne lui restait plus qu'à prendre congé du sagamo et à retourner à la maison avec son cadeau pour le futur bébé.

Sur le chemin de retour, il se mit à imaginer ce que sa vie aurait été si Nicolas Denys ne l'avait pas emmené à Trois-Rivières après la mort de son père, et s'il n'avait pas été pris en charge par les LeNeuf. Il devait une fière chandelle à LaVallière et à son père de lui avoir donné une éducation même s'il n'avait aucun lien de parenté avec eux. De plus, ils l'avaient par la suite laissé libre de s'installer en Acadie. Maintenant qu'il allait être père, il était le plus heureux des hommes. Il remerciait le ciel de lui avoir donné cette chance de rencontrer Anne et sa famille, qu'il aimait beaucoup. Il sentait que les Cormier étaient devenus sa vraie famille, plus que celle de LaVallière, envers laquelle il avait pourtant une dette de reconnaissance. En effet, même s'il s'était bien entendu avec les membres de cette dernière, il avait toujours su qu'il n'était pas de la même race. La famille Cormier lui apparaissait comme une sorte de compromis entre ses humbles origines et sa participation à la vie des grands de ce monde. *Après tout,* se disait-il, *ne suis-je pas un métis? C'est bien cela, le métissage: un compromis.*

À la fin d'avril, il se mit à pleuvoir avec une telle intensité qu'il devint impossible de faire quoi que ce soit. Michel avait hâte de pouvoir préparer son champ pour semer. Il s'était assuré de l'aide de ses beaux-frères François et Alexis, de même que des bœufs de trait et des instruments aratoires de son beau-père. Pour l'instant, il n'avait d'autre choix que d'attendre la fin du déluge, mais la pluie ne semblait pas vouloir s'arrêter. La terre était tellement imbibée que cette situation augurait bien mal pour la récolte de l'année, mais il fallait à tout prix garder espoir.

C'est au milieu de ces pluies diluviennes, un matin du début de mai, qu'Anne commença à sentir quelque chose d'anormal se passer en elle. Elle éprouvait des douleurs au bas du ventre et de l'eau sortait de son corps malgré elle. Très inquiète, elle fondit en sanglot et se mit à prier. Michel ne savait quoi faire. Il l'aida à s'asseoir dans le fauteuil et lui ordonna, tout énervé:

— Ne bouge pas de là. Je cours chercher ta mère.

Il sortit sous la pluie torrentielle sans se soucier de se couvrir et courut de toutes ses forces chez les Cormier. Heureusement, Madeleine avait tenu prêt son «dispositif d'accouchement», comme elle disait. Elle emballa le tout dans un drap pour le protéger de la pluie et le donna à Michel en lui disant:

— Va-t-en près d'elle et fais bouillir de l'eau en grande quantité. J'arrive.

Michel fila à toutes jambes vers sa maison sans s'occuper des flaques d'eau et de la pluie qui continuait de tomber en torrents. Arrivé à la maison, il trouva Anne qui geignait. Madeleine arriva peu de temps après, trempée jusqu'aux os malgré le fait qu'elle avait pris soir de se couvrir d'un manteau. Anne se plaignait de plus en plus. Madeleine l'installa sur un lit improvisé où elle pourrait recueillir le placenta et le sang. Une bassine contenant de l'eau bouillante se trouvait à ses côtés.

— Le secret d'un accouchement réussi, affirma-t-elle, c'est la propreté.

Michel faisait les cent pas. Il allait et venait de la chambre à la grande pièce. Lui qui était d'habitude si calme, il n'arrivait pas à se contenir. Les cris de douleur d'Anne l'exaspéraient. Il voulait aider, mais ne savait pas comment. Thomas était venu voir si tout se passait bien et était reparti après avoir été rassuré par sa femme. Madeleine suggéra à Michel de ne pas venir dans la chambre, car son énervement ne faisait que rendre Anne davantage nerveuse. Elle l'appellerait si elle avait besoin d'aide. Bientôt, Marie-Madeleine arriva pour aider sa mère.

Michel trouvait l'attente interminable. Il ne voulait pas sortir par crainte de manquer quelque chose, et aussi parce qu'il pleuvait toujours, alors il continuait de marcher de long en large dans la grande pièce, s'arrêtant devant la cheminée pour tisonner la braise bien plus souvent que nécessaire, tant par nervosité que pour inciter l'eau du chaudron à continuer de bouillir.

Vers la fin de l'après-midi on entendit le cri d'un bébé provenant de la pièce. Le nouveau père courut à la porte de la chambre et demanda s'il pouvait entrer. Anne avait l'air d'une vieille femme avec ses cheveux tout ébouriffés, mais elle souriait, et son sourire lui redonnait son air de jeunesse.

— C'est un garçon! lui annonça-t-elle d'une voix tremblante.

Michel était fou de joie. Il embrassa Anne et voulut prendre le bébé dans ses bras, mais Madeleine l'avisa qu'il n'était pas prêt. Il fallait d'abord le laver et le langer. C'est Marie-Madeleine qui allait s'occuper de cette besogne, alors que sa mère prendrait soin d'Anne. Celle-ci ne semblait avoir d'autres envies que de dormir, mais Michel la tenait si fort par les deux mains qu'elle dut lui avouer qu'il lui faisait mal. Il lâcha prise immédiatement, d'autant plus que Marie-Madeleine venait de déposer le bébé sur le ventre de sa sœur. Il aurait voulu le prendre, mais il n'osa pas.

— Il est si petit, constata-t-il. Pensez-vous qu'il est normal?

— Bien sûr qu'il est normal, affirma Madeleine. Tous les nouveau-nés sont petits. Il va grandir, ne t'inquiète pas.

Tout semblait bien aller. Anne et le bébé s'étaient endormis. Il ne restait qu'à faire le nettoyage, en particulier vider les cuves et laver les draps et les serviettes. Michel était impressionné par tout ce sang. Sa belle-mère le rassura encore une fois. Tout était normal. Voyant que tout se passait bien, Marie-Madeleine était retournée à la maison. Madeleine profita de cette accalmie pour se préparer à manger, car elle n'avait rien pris depuis la veille.

— Anne va avoir besoin de quelques jours de repos, confia-t-elle à Michel. Il va falloir s'organiser.

Quelques jours plus tard, la maisonnée avait repris ses airs habituels, sauf que, de temps en temps, on entendait les pleurs d'un bébé qui réclamait le sein de sa mère. Anne venait alors s'asseoir à côté de la cheminée dans la berceuse que Michel avait fabriquée au cours de l'hiver. Ils avaient convenu d'attendre qu'Anne soit rétablie avant de faire baptiser l'enfant, car celle-ci insistait pour être présente. Il avait aussi été entendu, avant la naissance du bébé, que si c'était un garçon, ils l'appelleraient Michel, du même nom que son père, comme c'était généralement la coutume. Le soir, Michel avait pris l'habitude de s'installer dans la berceuse avec le bébé. Il était tout ému lorsqu'il levait les yeux vers lui et pliait sa petite main sur son doigt en le serrant très fort.

Au bout de quinze jours, Anne avait repris ses tâches domestiques. Le petit Michel n'était pas vraiment un ange. Il pleurait beaucoup et avait l'air de se fâcher lorsque tout n'allait pas comme il le voulait. Du moins, c'est l'interprétation que l'on pouvait en faire. Finies, les nuits tranquilles dans leur petit nid d'amour ! Elles seraient dorénavant passablement perturbées. Il leur fallait composer avec une nouvelle réalité qui les obligeait à une réadaptation, mais Michel se rassurait en se disant que c'était là le prix à payer pour avoir une progéniture qui peuplerait le pays. Tant qu'il pourrait participer à cette expansion en compagnie d'Anne, ce sacrifice ne serait qu'une partie de plaisir.

Le baptême eut lieu le dimanche suivant après la messe, en même temps que celui d'un autre enfant de Beaubassin, Joseph, le fils de Germain Bourgeois et Madeleine Dugast. Pour une fois, le petit Michel fut tranquille, comme si la ballade en mer dans la grande barque l'avait calmé.

Sur le chemin du retour, Thomas confia à Michel qu'il était content de sa barque à voile mais qu'il nourrissait l'espoir de faire quelque chose de plus grand, et qu'il voulait que Michel s'associe à lui pour réaliser ce projet.

— J'ai pu constater à quel point tu étais un habile charpentier, lui expliqua-t-il. Je crois qu'à nous deux, nous pourrions construire une petite goélette, pas aussi grande que le *Saint-Antoine* de LaVallière, mais suffisamment pour aller pêcher dans la baie Française et peut-être même faire du cabotage jusqu'à

Boston. J'imagine un genre de ketch avec un grand mât et un mât d'artimon. Nous avons tout le bois qu'il faut en haut des terres. Les matériaux plus spécialisés, comme le goudron, le cordon d'étoupe, les voiles, le câblage, les poulies et les clous, nous pourrions les faire venir de Boston, où ils font beaucoup de construction navale. Pierre Arsenot, qui vient d'emménager à Beaubassin sur les terres que les Bourgeois lui avaient réservées, se rend souvent à Boston pour y acheter des denrées qu'il revend aux colons. Il pourrait nous procurer tout ce dont nous avons besoin. Il suffirait que je vende un bœuf ou deux et nous pourrions tout acheter. Pour le reste, ce ne serait qu'une question de technique et de temps.

— C'est un projet qui me plairait beaucoup. Un bateau pour faire la pêche nous permettrait d'être plus indépendants et de faire du commerce en plus de la culture et de l'élevage. Ce serait certainement aussi une bonne chose pour le développement de cette communauté. Un navire de ce type contribuerait à briser l'isolement géographique de Beaubassin.

Michel était ravi de ce projet. Il aimait les aventures qui demandaient de l'habileté, du travail et de la patience. Il avait hâte de commencer. La première étape serait de trouver un type de bois à la fois malléable et résistant à l'eau et d'en couper en quantité suffisante. Il savait que le chêne constituait le bois idéal pour la construction marine, mais en trouverait-il assez sur ses terres et celles de Thomas? C'était à voir. Thomas et lui iraient arpenter les terres hautes dès le lendemain pour évaluer la quantité et la qualité du bois pouvant convenir au projet.

*D*e bonnes et de mauvaises nouvelles arrivaient régulièrement de Port-Royal. Comme le gouverneur Villebon
s'était installé à Naxouat sur la rivière Saint-Jean, donc loin de
Port-Royal, il n'y avait plus de gouverneur sur place, ni anglais
ni français. Les gens se sentaient libres de commercer avec la
Nouvelle-Angleterre, et la plupart des habitants en profitaient.
Ils échangeaient surtout des céréales contre des biens qui leur
manquaient, comme du sucre, du sel, des pièces de textile et des
produits manufacturés. De plus, ils n'avaient aucune redevance
à payer à qui que ce soit. Mathieu des Gouttins, nommé lieutenant-général de la justice et conseiller du roi en Acadie, donc
le plus haut fonctionnaire de l'Administration française après le
gouverneur, était installé à Port-Royal depuis quelques années.
Il avait épousé une Acadienne, Jeanne Thibodeau, la fille de
Pierre Thibodeau, le meunier de Port-Royal. Même s'il était le
représentant du roi, il défendait presque invariablement la cause
des Acadiens contre l'Administration française. Cette situation
irritait le gouverneur Villebon mais profitait aux Acadiens.

On avait appris aussi que Phips, après avoir détruit Port-Royal, s'était aventuré jusqu'à Québec avec trente-deux navires et deux mille hommes pour faire subir un sort semblable à la ville, mais Québec n'était pas Port-Royal. La ville avait résisté et Phips avait dû rebrousser chemin. Au moins, les colons de Québec avaient eu plus de chance que ceux de Port-Royal. Il est vrai que Québec constituait une place forte, plus facile à défendre en raison de ses remparts naturels que Port-Royal, qui se trouvait logé au fond d'un cul-de-sac avec un fort en ruine. De ce point de vue, Beaubassin n'était pas davantage sécuritaire, situé tout au fond d'un bassin. La seule solution, en cas d'attaque, était de fuir à pied ou en canot vers le nord, en empruntant l'une des rivières.

Le gouverneur Villebon était un de ceux qui appuyaient les actions de Pierre Maisonnat, dit Baptiste, le corsaire acadien. Il avait, paraît-il, capturé huit bateaux anglais en six mois. Anne, qui avait horreur des chicanes, désapprouvait ces affrontements.

— Ne vont-ils jamais arrêter de harceler les Anglais ? Ces disputes vont les inciter à riposter et, encore une fois, c'est l'Acadie qui constituera leur champ de bataille.

— Je sais. Moi non plus, je n'aime pas cette politique d'œil pour œil, dent pour dent. Surtout qu'il est clair que le nombre d'habitants et de militaires de la Nouvelle-Angleterre est bien supérieur à celui de la Nouvelle-France. Je suis d'accord pour que l'on prenne les armes si l'on est attaqué, mais il faut arrêter de provoquer les attaques.

Il estimait que même l'attaque de Port-Royal constituait une riposte aux trois expéditions que Frontenac avait organisées l'hiver précédent, avec l'aide des Abénaquis, pour détruire des établissements à la frontière des colonies américaines.

Les chances que la situation s'améliore paraissaient donc plutôt minces. Il était clair pour Michel que tout ce que dési-raient les Acadiens était la paix, et que si les dirigeants français ne cessaient pas d'inciter les Indiens à se joindre à eux pour attaquer les Anglais, il n'y aurait jamais de paix.

— Les Mi'kmaq sont par nature des gens paisibles. S'ils se battent, c'est parce que les Français les mettent dans des situations où ils sont obligés de se défendre.

Décidément, le grand rêve de LaVallière de faire de Beaubassin la plus prospère des seigneuries de la Nouvelle-France paraissait chaque jour plus loin de se réaliser.

Un jour que Michel se rendait au village chercher du sel pour mettre dans la saumure un porc qu'il voulait tuer, il décida de passer au manoir rendre visite à Claude-Sébastien de Villieu, qui administrait toujours la seigneurie. Par hasard, le gouverneur Villebon se trouvait là, car il était venu passer quelques jours à Beaubassin. De Villieu informa Michel qu'il avait l'intention de se marier dès cet automne à Québec avec Judith, la deuxième fille de LaVallière. Michel eut envie de dire « elle est encore bien jeune », mais il pensa à son propre cas, puis à celui de Thomas, et se tut. Dans le cas de Judith, le mariage devait être encore plus pressant. Les familles de nobles n'étaient pas nombreuses en Acadie, et comme ces gens ne se mariaient qu'entre eux, le choix devenait vite limité. Il fallait donc faire vite pour ne pas être pris au dépourvu.

Michel apprit que Marie-Josèphe s'était mariée l'automne précédent avec le lieutenant Jean-Paul LeGardeur de Repentigny. Il se demandait ce qu'elle avait fait de son enfant. Sans doute l'avait-elle laissé à l'orphelinat ; Lavallière n'aurait pas voulu de l'enfant d'un Morin, un simple roturier, dans sa famille. Il s'interrogeait aussi sur le sort que l'on avait réservé au reste de la famille Morin. C'était quand même incroyable que l'on ait embarqué Louis de force sur un bateau en destination de la France et expulsé toute sa famille de Beaubassin ! Étaient-ils toujours installés à Restigouche ? Il espérait pouvoir leur rendre visite un jour, ne serait-ce pour leur montrer qu'il y avait encore des gens à Beaubassin qui pensaient à eux.

Quant à LaVallière, de Villieu lui apprit qu'il passait plus de temps à faire la chasse aux Anglais entre Canseau et Cap Sable qu'à Québec, où il portait toujours le titre de capitaine des gardes de Frontenac, la milice nationale en Nouvelle-France. D'après de Villieu, il allait bientôt venir passer quelques jours à Beaubassin pour régler certains problèmes relatifs à la seigneurie. Alexandre, son fils aîné, l'accompagnait très souvent. C'était parfois aussi le cas de son fils Jacques, mais celui-ci s'intéressait moins à la marine.

Le gouverneur Villebon, dont c'était la première visite à Beaubassin, se disait enchanté de rencontrer des gens du pays qui semblaient connaître tous les rouages de la seigneurie. De Villieu se garda bien de lui dire qu'il avait vécu une bonne dizaine d'années au manoir, et Michel n'en fit pas mention non plus.

À l'évocation des aventures en mer de LaVallière, le gouverneur ne put s'empêcher de parler des exploits du corsaire Baptiste, dont Michel avait entendu parler, entre autres sur le parvis de l'église mais que personne ne connaissait vraiment. Villebon disait avoir été tellement impressionné par son intelligence et son audace qu'il l'avait équipé de deux petits navires et d'une cinquantaine d'hommes.

— Depuis qu'il est à mon service, il n'a cessé de capturer des bateaux anglais, dont un, la semaine dernière, qui contenait quarante-cinq tonnes de sel.

— N'est-ce pas de la piraterie? avança Michel.

— Mais non, continua Villebon. Étant donné que les actions de Baptiste sont cautionnées par notre gouvernement, il est un corsaire et non un pirate qui, lui, pille pour son propre compte.

Michel essaya d'argumenter que de telles actions ne pouvaient qu'aggraver la situation à plus ou moins long terme, car elles ne feraient qu'inciter les Bostonnais à se venger. Comme ces derniers étaient beaucoup plus nombreux, on ne pouvait pas espérer en sortir gagnant, soutenait-il. Mais le gouverneur défendait son point de vue.

— Les Anglais n'ont pas le droit de pêcher sur nos côtes ni de commercer dans la baie Française, mais ils n'arrêtent pas de le faire malgré tous les avertissements qui leur sont donnés. Nous essayons simplement de les en dissuader en effectuant quelques coups spectaculaires. D'ailleurs, Frontenac, le gouverneur général, approuve nos actions, à tel point qu'il compte envoyer Baptiste en France cet automne pour rencontrer le ministre de la Marine française, afin de le renseigner sur nos actions victorieuses et solliciter plus de moyens pour faire respecter la loi.

Son argumentation paraissait sensée dans une certaine mesure, mais Michel n'était pas convaincu. C'était une hache à deux tranchants. Il fallait convaincre les Anglais de respecter les lois, mais si on le faisait par des coups sporadiques en arraisonnant et pillant leurs bateaux, ce n'était guère mieux. Ces raids impromptus en mer ne pouvaient que déboucher sur la violence, car personne ne se laisse capturer sans se défendre. Il lui semblait de plus en plus évident que cette guerre entre l'Acadie et le Massachusetts, en particulier, s'avérait moins une guerre idéologique qu'une guerre commerciale pour s'accaparer le contrôle de la pêche et du commerce.

Michel retourna songeur à sa barque. Il lui était difficile d'accepter cette façon d'agir. On aurait dit qu'au lieu de s'efforcer de trouver un terrain d'entente, chacun cherchait à se nuire. En réalité, il ne semblait pas exister de plan d'ensemble qui aurait permis d'aboutir à un règlement pacifique. Il lui semblait que la France ne jouait pas son rôle de leader dans le développement de sa colonie acadienne.

Lorsqu'il accosta au petit quai de Vechcaque, Michel se rendit compte que quelque chose d'anormal se passait au hameau. Il y avait un va-et-vient inhabituel autour des maisons. Lorsque François l'aperçut qui montait la côte, il lui fit signe de se dépêcher et courut vers lui.

— Mon père vient de s'effondrer! cria-t-il. On l'a trouvé par terre dans le hangar à bateaux.

— Mais il n'est pas mort, au moins? demanda Michel, incrédule.

— Je crains que oui. Il ne respire pas et son cœur ne bat plus.

Thomas Cormier, mort! C'était impossible. Inimaginable, même. Michel entra à la maison, où toute la famille était en pleurs. Anne courut se jeter dans ses bras. Personne ne pouvait dire ce qui s'était réellement passé. On l'avait trouvé couché par terre, sans vie. Michel se reprochait d'être parti au village et d'avoir laissé son beau-père seul dans le hangar à bateaux. Il s'approcha du corps de Thomas et prit celui-ci par la main. Instinctivement, il chercha son pouls et écouta sa respiration, mais il fallait qu'il se rende à l'évidence: Thomas Cormier n'était plus qu'un cadavre livide. La possibilité qu'il meure un jour ne l'avait même jamais effleuré. Il le considérait comme un ami et n'avait jamais fait attention à son âge. Cet homme tranquille et affable l'avait accueilli comme un des siens et lui avait servi de guide. Michel était penché sur le corps et baisait sa main en sanglotant. Il ne pouvait pas s'imaginer vivre sans la présence de cet être avec qui il se sentait en sécurité. Il n'avait jamais hésité à lui confier ses problèmes, il savait qu'il serait écouté. Il se reprochait de ne pas lui avoir dit de son vivant toute l'estime qu'il avait pour lui et toute l'influence qu'il avait eue dans ses choix de vie depuis qu'il l'avait connu. Maintenant, il était trop tard. *Si j'avais su...* se disait-il. Mais justement, il ne pouvait pas savoir. Jamais il n'avait envisagé que la mort viendrait à les séparer.

Lorsqu'il releva la tête, il s'aperçut qu'Anne avait la tête appuyée sur son épaule et qu'elle le tenait par le bras. En face de lui, Madeleine serrait l'autre main de son mari. Les enfants sanglotaient. Seul François, l'aîné des garçons, restait calme. Son regard ne pouvait cependant pas dissimuler sa tristesse et son inquiétude. Il devait se marier dans un mois avec Marguerite LeBlanc. La construction de sa maison était bien avancée, mais la mort de son père allait certes changer la donne. C'était lui, maintenant, le chef de famille. C'était à lui que revenait la charge de la faire vivre. Mais il ne serait pas seul. Michel considérait trop cette famille comme la sienne pour lui refuser son aide. Tant qu'il vivrait, il serait à leur côté.

Il n'y avait maintenant plus rien à faire contre la volonté de Dieu. La mort représentait bien le sort des hommes sur cette terre. Michel décréta qu'il fallait donner au disparu une sépulture digne de cet homme qui avait tant marqué sa vie. Il demanda à François d'aller prévenir le curé pendant que lui s'appliquerait à confectionner un cercueil. Pour ce faire, il puiserait à même les matériaux destinés à la fabrication de la goélette de leurs rêves. Il y avait là de belles planches de cèdre. Utiliser ce matériau permettrait à Michel de rendre un hommage à cet homme avec qui il avait conçu ce projet d'envergure et auquel il se sentait intimement lié. Madeleine, qui semblait commencer à accepter cette fatalité, demanda à Alexis d'aller prévenir Marie-Madeleine et son mari. Elle-même s'occuperait de laver le corps et de préparer Thomas pour son grand voyage.

Michel avertit la famille qu'il ne voulait voir personne et alla s'enfermer dans le hangar à bateaux près de la rivière, qu'ils avaient agrandi pour faire de la place pour la goélette. La construction n'était pas encore vraiment commencée, mais ils avaient accumulé une bonne partie des matériaux. Il alla s'asseoir sur le grand billot qui devait servir à fabriquer la quille et fondit en larme. Ils avaient tous les deux envisagé ce projet avec tant d'enthousiasme que le fait de le voir interrompu lui brisait le cœur. Allait-il pouvoir continuer seul cet ouvrage à peine commencé? Thomas avait fait un plan détaillé du projet. Il avait déjà participé à la construction d'un bateau lorsqu'il vivait à Port-Royal, et avait par la suite examiné de près la goélette de LaVallière. Michel aussi l'avait examinée, sans savoir qu'un jour cette observation lui servirait. Le plan de Thomas n'était fait que de lignes, de courbes et de flèches, mais il avait l'impression de tout comprendre. Le défunt aurait sans doute voulu le voir continuer la construction du navire. Son gendre n'allait pas le décevoir.

Il rassembla donc les plus belles planches qu'il put trouver et des clous que Thomas venait d'acheter d'un négociant de Port-Royal en même temps qu'une scie à main, et il se mit à l'œuvre. En quelques heures, il avait réussi à fabriquer un cercueil digne d'un noble. Comme il trouvait intéressante la méthode des Indiens pour enterrer les morts, il ajouta dans le cercueil quelques petits bouts de planches, des clous et un maillet de bois avec lequel Thomas aimait beaucoup travailler. *Ainsi, il sera équipé pour participer à l'édification de sa maison là-haut,* se dit-il avec un petit rictus, parce qu'il n'y croyait qu'à moitié.

Cette nuit-là, Michel et Anne la passèrent enlacés et bien serrés l'un contre l'autre, comme si elle devait être leur dernière nuit ensemble. Anne sanglotait par moments, tandis que Michel essayait d'imaginer ce qu'allait être la vie sans cet homme intègre qu'il avait profondément aimé.

La nouvelle de la mort de Thomas Cormier avait fait le tour du village, de sorte que l'église de Beaubassin, maintenant terminée, était bondée pour l'enterrement. On remarquait même une famille d'Indiens qui était venue rendre hommage à un homme qu'ils avaient connu. Le père Baudoin fit un sermon élogieux en évoquant les mérites de cet être tranquille et foncièrement chrétien qui s'était attiré l'estime de tous. Après la messe, chacun vint offrir ses condoléances à la famille. Michel se chargea de clouer le cercueil avant la mise en terre, qui fut un moment des plus difficiles pour toute la famille.

De retour à la maison, Michel décida de marquer l'emplacement de la fosse par une croix en bois avec identification, même si ce n'était pas la coutume. Généralement, les gens étaient enterrés sans épitaphe, ou bien alors leur lieu de repos était marqué par une simple croix sans inscription. Seul le curé notait les informations dans le registre paroissial. Il prit donc un bout de planche et traça au crayon le nom et l'année du décès de son beau-père : Thomas Cormier, 1692. Il dénicha ensuite un ciseau à bois appartenant à ce dernier et creusa dans le bois en suivant les lignes tracées précédemment, puis il attacha le tout sur une autre planche verticale pour en faire une croix, qu'il alla planter sur la fosse, dans le cimetière, un peu en aval de l'église.

Quelques semaines plus tard, la vie avait repris son cours, mais pour Michel, rien n'était comme avant. Il manquait d'audace. Même s'il avait presque juré de continuer la construction de la goélette, il n'était pas une seule fois entré dans le hangar à bateaux. Les deux barques et le canot que Thomas avait achetés aux Indiens étaient restés amarrés au petit quai.

Par contre, Michel était content de la récolte de l'été. Anne et lui s'étaient arrêtés pour faire le bilan de leurs biens. Les légumes avaient très bien donné : pois, fèves, oignons, choux en abondance, carottes, navets, etc. Ensemble, ils contemplaient les champs récoltés qui s'étendaient jusqu'à la rivière et qui avaient regorgé de blé, de froment, de seigle, de lin, d'avoine et de blé d'Inde. Cette dernière graminée ne se voyait pas dans tous les jardins acadiens, mais constituait pratiquement la seule plante que cultivaient les Indiens. Michel en avait mangé grillé avec Wasacook à son campement et il avait aimé son goût. Frais, ils le faisaient rôtir sur la braise, attaché à un bâton, jusqu'à ce qu'il soit pratiquement noir de tous les côtés. Un vrai régal. Il appréciait aussi la sorte de pain qu'ils faisaient avec cette farine. C'est en partie pour cela qu'il en avait planté, pour varier de la farine de blé.

Michel demanda à Anne si elle savait d'où venait l'expression *blé d'Inde*. Lui-même ne le savait pas avant d'être allé au séminaire à Québec.

— Quand les premiers explorateurs français sont arrivés dans ce pays, ils croyaient avoir découvert les Indes, qu'ils cherchaient depuis un certain temps, et comme les Autochtones faisaient de la farine avec cette graminée pour fabriquer un pain plat et sec, ils conclurent que c'était leur blé, alors ils l'appelèrent blé d'Inde.

— Vraiment ?

— Et ce n'est pas tout. C'est pour cette raison que l'on a appelé les Autochtones les Indiens, parce que l'on se croyait en Inde.

— Intéressant. Tu en connais des choses, toi !

— Le hasard a voulu que je reçoive une éducation qui n'est pas donnée à tout le monde, c'est tout.

Une légère brise faisait bouger les branches des arbres qui bordaient le terrain du côté nord. Des bêtes broutaient tranquillement dans le champ. Michel pensait à sa récolte. Il aurait aimé que Thomas soit là pour constater son succès. Pour quelqu'un qui n'était pas né fils de cultivateur, il était content de sa réussite.

Côté terrain et animaux, ils possédaient une douzaine d'arpents de terre en culture, deux bœufs de trait, six vaches laitières, cinq taures, dix brebis, six cochons, et une quantité de volaille : oies, canards, poules et poulets. Ils se félicitaient tous les deux de ce beau début après à peine quatre ans d'exploitation.

Petit à petit, Michel acceptait la perspective de vivre sans son beau-père. Il était entré quelques fois dans le hangar à bateaux où la future goélette devait prendre forme, mais il n'avait encore touché à rien. En 1693, un nouvel enfant était né, à qui ils avaient donné le nom de Joseph. Il était nettement plus tranquille que le petit Michel qui, lui, à un an et demi, avait toujours son tempérament belliqueux.

Un autre décès venait d'ébranler la communauté de Beaubassin. En effet, Guyon Chiasson, un des habitants les mieux nantis du village, venait de mourir, à l'âge de cinquante-quatre ans. Il laissait dans le deuil Marie-Madeleine, sa deuxième femme encore très jeune, de même que huit enfants de son premier mariage et quatre de son second. Michel connaissait bien la famille ; il avait même assisté au second mariage de Guyon, à Québec, et avait travaillé aux côtés de Gabriel, son fils aîné, alors qu'il était domestique chez LaVallière. La famille habitait non loin du manoir, à la pointe Beauséjour, et Guyon allait souvent au manoir.

Le jour où Michel décida finalement de mettre en branle le projet de la goélette, il aperçut Wasacook qui se dirigeait vers l'endroit où il travaillait. Quelle surprise! Les deux hommes ne s'étaient pas vus depuis quatre ou cinq ans. Ce fut les grandes embrassades avec tapes dans le dos. Il était vêtu d'une chemise de cuir qui semblait être la même que celle qu'il portait autrefois.

— Je croyais que tu m'avais abandonné! s'exclama Michel, tout surpris de voir qu'il savait encore parler un peu mi'kmaq.

— Non! Non! Moi, parti à Miramichi pour marier, dit-il dans un français compréhensible.

Puis, il expliqua à Michel à quel point il avait été occupé. Selon la tradition, après avoir demandé à un père la permission d'épouser sa fille, il lui avait fallu vivre avec la famille pendant un certain temps et démontrer qu'il était capable de faire vivre toute la maisonnée, et même parfois la parenté, en fournissant poisson et gibier pendant toute l'année. Il avait donc dû passer toutes ses journées à chasser et pêcher, en plus confectionner tout l'équipement nécessaire à un ménage: canots, toboggan, outils, etc. La fiancée avait elle aussi dû prouver qu'elle était apte à tenir un ménage, c'est-à-dire cuisiner, faire des vêtements, dépecer le gibier, tanner les peaux, etc. Ce mariage à l'essai, comme l'appelait Wasacook, pouvait durer plusieurs années.

— Moi, avoua-t-il, attendre plus longtemps car arrivais pas à tuer grosse bête pour faire fête à tout village. Plus, elle, famille nombreuse. Mangé beaucoup. Maintenant, pas problème. Parents jugé moi bon pour marier fille, alors grande fête pour prochaine lune. Moi viens inviter toi à mariage.

— J'aimerais vraiment cela, ajouta Michel, mais... Je suis marié, maintenant, j'ai trois jeunes enfants et pas de moyen de transport adéquat.

— Mais pas problème. Toi, grande barque à voile. Toi, suivre côte, Facile emmener toute monde. Moi, seulement canot, et arrivés à baie Verte, avec ami, en moins quatre jours. Ami resté campement.

— Je vais y penser, dit Michel. Peut-être que je pourrais trouver quelqu'un avec un plus grand navire pour nous y conduire.

Michel emmena Wasacook voir sa maison et rencontrer sa femme et ses enfants. Anne ne connaissait pas encore l'Indien, mais elle en avait souvent entendu parler ; elle était donc ravie de le rencontrer. Après la visite des bâtiments, Michel invita son hôte dans le hangar à bateaux, où une goélette allait un jour prendre forme. Wasacook était surtout impressionné par la quantité d'épis de blé d'Inde suspendus par deux au plafond, en train de sécher à l'air libre sur des tiges de bois.

— Ça, c'est ton influence, affirma Michel. Sans toi, je n'aurais peut-être jamais appris à aimer autant le blé d'Inde.

Wasacook riait. Il semblait content de voir que d'autres que les Indiens pouvaient apprécier un élément de sa culture. Ce qu'il ne savait pas, c'est que son ami était en partie issu de cette même culture. Michel n'en avait en effet parlé à personne, sauf à Anne. Non pas parce qu'il en avait honte, bien au contraire, mais parce qu'il estimait que cela ne concernait que lui. Pour les autres, ses parents étaient décédés, voilà tout. D'ailleurs, cela n'avait rien d'extraordinaire dans ce pays où les gens décédaient souvent jeunes. De toute façon, c'était la vérité. Il était orphelin. Lorsqu'il vivait au manoir, tout le monde pensait qu'il avait un lien de parenté avec LaVallière.

— Quand moi marié, conclut Wasacook, serai libre de voyager hors campement, alors emmènerai femme au campement ma famille et viendrai ici. Mais toi premier vient mon mariage. Nous va fêter une semaine.

— D'accord ! lança Michel en riant. Je ferai l'impossible pour m'y rendre.

Il regarda un bon moment son ami monter dans son canot d'écorce et se diriger vers l'embouchure de la Tintamarre. Il était impressionné de voir qu'il avait parcouru une telle distance pour l'inviter à son mariage. Comme il aurait aimé y assister ! Surtout par amitié, mais aussi par curiosité. Par ailleurs, il aurait aimé faire connaître davantage la culture indienne à Anne. Du moins, ce qu'il en connaissait, ce qui représentait sans doute bien peu. Malgré sa détermination et sa bonne volonté, il ne pouvait pas partir pour Miramichi en laissant Anne à la maison, et emmener les enfants était hors de question, surtout que Marie, leur troisième enfant, venait tout juste de naître. Il fallait bien qu'il se rende à l'évidence : il ne pouvait pas assister au mariage de Wasacook.

Anne était une excellente cuisinière. Elle aimait innover en essayant des combinaisons inhabituelles. Un jour que Michel alla à la pêche avec son beau-frère, ils revinrent avec une grande quantité de poissons et de mollusques : des saumons, des flétans, des moules et des huitres. Ils en avaient tellement qu'ils se rendirent directement au village pour en vendre et en échanger. Par exemple, chez Roger Kessy, ils échangèrent du poisson frais contre des pommes.

Le soir, Anne évida un saumon et le remplit d'une farce composée de pain émietté, d'une douzaine d'huitres, d'oignon émincé et d'épices. Elle fit cuire le tout sur un grillage dans la cheminée et servit ce poisson avec une sauce aux moules et à la crème, le tout accompagné de pain frais. Michel en mangea à s'en rendre malade.

Comme six vaches laitières produisaient bien trop de lait pour une seule famille, Anne s'était mise à faire du beurre et du fromage pour donner à sa famille, mais aussi pour vendre et échanger. Le beurre était facile à fabriquer. On n'avait qu'à laisser monter la crème à la surface du récipient, à la retirer pour la mettre dans la baratte avec un peu de sel, puis à brasser le tout avec une espèce de pilon jusqu'à ce que le lait se sépare du gras et forme du beurre.

Pour le fromage, le processus était un peu plus compliqué, surtout qu'Anne y apportait beaucoup de soin, car son fromage était très prisé et elle ne voulait pas perdre sa réputation. Il suffisait de laisser passer le lait à travers un linge pendant une longue nuit pour donner un fromage à pâte molle, mais Anne avait ses petits secrets. Elle ajoutait de l'oignon râpé dans le lait avant qu'il s'égoutte pour donner une saveur différente. Une fois le lait passé, elle ajoutait différentes épices au fromage, puis un peu d'huile de loup-marin. Elle mélangeait délicatement le tout et le mettait dans des petits récipients d'écorce de bouleau, cousus de façon étanche selon la méthode indienne. Il ne restait plus qu'à aller les vendre, souvent au marché que Michel et d'autres habitants organisaient sur le parvis de l'église chaque samedi matin. Même les Indiens y venaient pour vendre des paniers, des petits récipients en écorce de bouleau, des œufs, du canard et des oies sauvages. Michel allait aussi parfois à la baie Verte échanger les fromages d'Anne contre de la morue salée. Il connaissait bien les gens qui tenaient le poste de pêche.

L'arrivée du père Trouvé, que les Anglais avaient libéré de prison en même temps que le père Petit (ils avaient tous deux été échangés contre des officiers anglais emprisonnés à Québec), était imminente. On se demandait s'il tolérerait ces activités commerciales devant l'église ; il s'était montré par le passé très sévère sur tout ce qui concernait la morale et l'utilisation des biens de l'église.

Baptiste était parti en France, mais il n'était malheureusement pas le seul à provoquer les Anglais. On venait d'apprendre que d'Iberville et Bonaventure, accompagnés de Claude-Sébastien de Villieu et du baron de Saint-Castin (ce dernier avait épousé la fille d'un chef Abénaquis et, après la mort de ce dernier, il s'était proclamé chef de la tribu), avaient complètement détruit le fort William Henry situé à Pemaquid, du côté nord de la rivière Kennebec. Pour le gouvernement français, cette rivière servait de frontière entre la Nouvelle-France et la Nouvelle-Angleterre, mais le gouvernement de Boston ne le voyait pas d'un même œil. Ils avaient bâti ce fort du côté français de la rivière pour montrer qu'il s'agissait d'une limite artificielle qui n'existait que dans la tête des Français. Le gouvernement du Massachusetts disait avoir bâti là une forteresse imprenable, avec des murs d'une épaisseur encore jamais vue. Iberville et Bonaventure, qui commandaient deux frégates et une centaine d'hommes, étaient accompagnés de quelques centaines d'Abénaquis que le père Thury et le gouverneur Villebon avaient auparavant incités à la guerre contre les Anglais et qui étaient menés par de Villieu et Saint-Castin. Michel avait de la difficulté à comprendre que le père Thury, qui depuis long-temps vivait avec les Indiens mi'kmaq et que certains qualifiaient de saint homme, puisse agir ainsi. Les assaillants avaient donc contraint le capitaine Chubb, commandant du fort, à se rendre. Cette reddition s'était effectuée rapidement lorsque les Anglais avaient aperçu tous ces Indiens qui encerclaient le fort. Une fois la garnison sortie des lieux, les Français avaient incendié le fort, détruisant toutes les installations.

— Encore un coup porté aux Anglais, soupira Michel. De nouveau, ils voudront se venger, et qui seront les prochaines victimes ? Encore les Acadiens. Il faut que quelqu'un mette un frein à ce cycle infernal.

L'été qui s'achevait avait été particulièrement chaud. Il avait fallu à plusieurs reprises charroyer des récipients d'eau de la rivière pour arroser le potager. Heureusement, la source n'avait pas tari, de sorte que l'on avait pu disposer d'eau potable tout l'été. Malgré la sécheresse, la récolte s'annonçait encore meilleure que l'année précédente. La moitié d'un des champs était couverte de choux pommés et de navets. Michel se demandait même s'il ne devrait pas creuser une deuxième cave à côté de la maison pour y conserver tous ces légumes. Les pois et les fèves avaient déjà été récoltés et étaient gardés dans des récipients d'osier achetés aux Indiens. Restaient les oignons, les carottes, les panais et le blé d'Inde. Anne avait déjà mis à sécher des fines herbes de son carré d'épices, en particulier de la sarriette et du thym, mais aussi de l'estragon et de l'origan.

Anne était de nouveau enceinte, mais on aurait dit que son état ne la dérangeait aucunement. Elle travaillait avec une énergie incroyable. Elle confectionnait des vêtements pour les enfants, veillait à ce qu'ils soient propres et bien habillés, cousait des mocassins et, de plus, trouvait le temps de cuisiner et de s'occuper de son jardin. Le plus souvent, elle emmenait les enfants pour qu'ils prennent de l'air et du soleil. Michel avait fabriqué un petit charriot en bois peu de temps après la naissance du petit Michel, mais maintenant que ce dernier avait cinq ans, il pouvait marcher de ses propres pieds. Et il insistait pour le faire. Pas question qu'il monte dans le charriot, où il y aurait pourtant eu assez de place. Quand on voulait le faire monter, il criait que c'était juste pour les bébés. Par contre, Joseph, qui avait trois ans, et Marie, qui avait un an et demi, aimaient se faire promener en charriot dans la nature.

— Ils sont sages comme des anges, ces deux-là, affirmait Anne.

Le petit Michel, par contre, voulait toujours suivre son père et se fâchait lorsque celui-ci lui interdisait de le suivre aux champs, jugeant que ces sorties pouvaient s'avérer parfois dangereuses. Toutefois, lorsque la misotte avait été rentrée, il le laissait aller dans la grange, où il aimait se rouler dans le foin en criant. Michel le regardait s'amuser et rire avec tendresse. Pas de doute, il serait un cultivateur, celui-là.

Pour Anne, le soin des enfants représentait sa priorité. Son esprit maternel se manifestait à tout instant. Par contre, le soir, lorsqu'elle n'avait pas à se lever pour nourrir le dernier-né, son affection se portait sur son mari. Michel se sentait rempli de bonheur lorsqu'elle appuyait sa tête contre son épaule et passait son bras autour de son torse. Avant de s'endormir, ils échangeaient ainsi sur le travail de la journée et les projets du lendemain. Cette tendresse le rassurait et lui faisait davantage aimer la vie. Ces instants étaient pour lui parmi les plus beaux de la journée.

Dernièrement, le sujet de conversation qui animait tout le village était le retour de France du capitaine Baptiste. Apparemment, le ministre de la Marine avait répondu favorablement à sa demande, car il était revenu de France à la barre d'une corvette, *La Bonne*, tout équipée pour la guerre. Ce qui faisait le plus parler les habitants, cependant, n'avait rien à voir avec ses activités de corsaire, mais avec sa conduite condamnable. Le problème, c'est qu'il était revenu de France avec une femme et une fille, femme qu'il avait apparemment épousée là-bas avant de venir en Acadie. Le hic, c'est qu'il avait épousé, peu de temps après son arrivée en Acadie, une jeune fille de seize ans de Port-Royal, Madeleine Bourg, la fille de François Bourg et Marguerite Boudrot, qui lui avait également donné un enfant. Évidemment, le scandale faisait rage à Port-Royal, où vivait Madeleine. L'abbé Petit, qui représentait le vicaire général en Acadie, s'empressa d'envoyer une lettre à monseigneur de Saint-Vallier, à Québec, lui demandant d'annuler le mariage de Baptiste avec Madeleine, car il se trouvait déjà légalement marié à Isabeau Soubirau. Ce qui dérangeait le plus les Beaubassinois, c'est que l'on aurait dit qu'il avait l'intention de s'installer à Beaubassin pour s'éloigner des « langues de vipère de Port-Royal ».

À la messe du dimanche, même l'abbé Trouvé aborda la question de Pierre Massinat, dit Baptiste. Il semblait content de voir que ce n'était pas à lui que revenait la décision d'annuler le mariage, mais à monseigneur de Saint-Vallier, évêque de Québec. Quant au capitaine Baptiste, on apprit qu'il était déjà reparti en mer faire la course aux Anglais et qu'il venait de rapporter à Port-Royal un navire anglais arrivant des îles de la Caraïbe chargé de sucre, de mélasse et de rhum.

Un jour que Michel était en train de faucher son champ de blé avec deux de ses beaux-frères, il vit un Indien arriver vers eux en courant. Il était très énervé et faisait de grands gestes en pointant vers l'embouchure de la rivière. Il voulait leur faire comprendre ce que Michel soupçonnait déjà : une flotte de bateaux anglais remontait la baie Française, et comme elle ne s'était pas arrêtée à Port-Royal ni au village des Mines, cela voulait dire qu'elle se dirigeait droit vers Beaubassin. Lorsque les trois hommes comprirent dans quelle situation ils se trouvaient, ils ne mirent pas longtemps à réagir.

— Allons réunir tout le monde, ordonna Michel. Il faut vite s'organiser.

— Sont-ils nombreux? demanda François.

— Beaucoup! Beaucoup bateaux ouverts et beaucoup hommes, même Indiens! Des Iroquois!

Si des Indiens faisaient partie de l'expédition, il était impensable que ce soient des Mi'kmaq ou des Malécites, ni même des Abénaquis, que les Anglais avaient essayé de séduire sans succès. Ces derniers étaient toujours restés fidèles aux Français, malgré le fait que leur territoire ait été situé à la frontière de la Nouvelle-Angleterre. L'Indien, qui disait s'appeler Makokis, leur fit comprendre qu'ils devaient fuir vite, car les attaquants étaient très nombreux.

Michel, François, Alexis et Makokis coururent aux maisons pour avertir les autres de ce qui se passait. Pendant un instant, Michel pensa qu'il ferait mieux de rester sur place au cas où il devrait défendre son patrimoine, mais il réalisa vite que cette option n'avait pas beaucoup de sens. Anne ne l'aurait pas acceptée de toute façon.

— Il faut tous fuir, ordonna Anne. C'est la vie de nos enfants qu'il faut d'abord protéger.

Marguerite, la femme de François, était elle aussi enceinte et pensait la même chose, tout comme les familles Doucet et Bernard, toutes deux nouvellement installées à Vechcaque. Anne était très énervée.

— Fuyons vite avant qu'ils n'arrivent! s'écria-t-elle.

— Ça semble en effet être la seule option, consentit Michel, mais cette fuite ne peut pas se faire dans le désordre. Nous avons le temps de nous organiser. Il y a de fortes chances pour qu'ils s'attaquent d'abord au centre du village avant de remonter la rivière Tintamarre. Notre seule option, c'est de nous diriger vers le nord, en haut de la Tintamarre. Mais allons-nous monter avec les chaloupes et les canots ou emprunter la voie terrestre ? Nous pourrions suivre la trace indienne en haut des terres, à la lisière du marais.

Makokis pensait qu'il valait mieux remonter la rivière en bateau et aller se réfugier au campement indien, en face de Pré-des-Bourg. Michel, par contre, trouvait cette option peu rationnelle. Il est vrai que le choix des bateaux aurait permis de se rendre plus rapidement au campement, mais le problème, c'est que l'on ne pourrait pas apporter grand-chose. Finalement, il fut entendu que l'on utiliserait les deux modes de transport et que l'on se rencontrerait à Pré-des-Bourg, en face du campement des Indiens, situé sur l'autre rive, à une courte distance de la rivière. Michel, François et le jeune Jean Doucet partiraient en charrette et essaieraient d'emmener, avec l'aide des chiens, une partie du troupeau. Les autres partiraient en chaloupe.

— Moi je pars avec toi, Michel, annonça Anne. Tu n'arriveras pas à t'occuper de la charrette et des bêtes tout seul.

— Et les enfants ? objecta Michel.

— Nous les mettrons dans la charrette.

Michel n'eut d'autre choix que d'accepter. Chacun se mit donc à ramasser ses effets. Michel attela un des bœufs de trait sur la charrette et s'activa à la charger en prévoyant une petite place pour les enfants. Il tenait à apporter ses outils de construction au cas où ils devraient tout recommencer, comme ce fut le cas à Port-Royal. Il fallait aussi prévoir de la nourriture au cas où l'exil durerait longtemps. Heureusement, Anne avait fait du pain le matin même, alors ils auraient de quoi se nourrir en route.

— Fais de la place pour mes deux coffres de vêtements, cria Anne à Michel. J'apporte aussi les peaux d'animaux et mon matelas de plumes en souvenir de notre mariage.

Elle avait roulé le matelas de façon à ce qu'il puisse constituer une sorte de fauteuil pour les enfants. Ensuite, elle essaya de rassembler tout le troupeau avec l'aide des chiens, mais elle se rendit vite compte que la chose était impossible. Il fallait vite choisir, car le temps pressait. Comme les cochons n'obéissaient à aucune commande, elle ouvrit la porte de l'enclos et les laissa partir à l'aventure. *Peut-être que quelques-uns réussiront à se cacher,* se dit-elle. Les brebis, par contre, étaient faciles à guider, et les chiens aimaient les poursuivre. Anne les dirigea du côté de la charrette qui déjà se mettait en branle. Michel appela son épouse pour qu'elle vienne tirer le bœuf, alors que lui irait rassembler les bêtes à cornes les plus proches.

Anne guiderait la caravane, et François et Jean suivraient à la queue leu leu avec leurs charrettes chargées à bloc. À la dernière minute, Germain, le frère d'Anne, annonça qu'il resterait pour voir ce qui allait se passer.

— Quoi? cria Anne. Tu ne peux pas faire ça. Nous sommes une famille et devons rester unis devant le danger.

— Mais qui nous dit qu'il y a danger? D'abord, nous ne savons pas ce qu'ils veulent. Peut-être cherchent-ils simplement à nous faire prêter un serment d'allégeance à la couronne anglaise! Et puis Vechcaque est loin du centre du village; ils ne viendront probablement pas jusqu'ici.

Michel essaya à son tour de le convaincre, mais il vit bien que tout argument s'avérait inutile. Germain Cormier avait vingt ans et n'était jamais sorti de Beaubassin. Il n'avait donc pas connu d'événements exceptionnels. L'année précédente, il s'en était fallu de peu pour qu'il parte se joindre à l'équipe du capitaine Baptiste, mais cela ne s'était jamais concrétisé. Michel se rappelait ses dix-sept ans, comme il rêvait à cette époque d'aventures extraordinaires. Il comprenait donc la réaction de Germain. Il fallait le laisser faire ses expériences.

L'autre groupe, monté dans les chaloupes, bénéficiait d'une bonne longueur d'avance. Il remontait la rivière guidé par Makokis dans son petit canot d'écorce. On ne disposait plus de temps pour tergiverser. Alexis, le frère d'Anne, venait d'apercevoir dans la brume une armée de petits bateaux, apparemment des barques à une voile, qui se trouvaient déjà à l'entrée du bassin. Il pouvait en compter une bonne vingtaine, précédés de deux gros navires qui semblaient être des corvettes, apparemment armées. Au même moment, deux Indiens sortirent du bois et se dirigèrent vers Michel. Ils avaient vu Makokis et la file des bateaux remonter la rivière et avaient deviné ce qui se passait. Ils venaient offrir leur aide pour faire avancer les bêtes plus rapidement. Michel les accueillit avec plaisir, car il trouvait qu'effectivement, la colonne n'avançait pas assez vite. Les bœufs de trait marchaient, comme toujours, à pas égal, mais très, très lentement.

Heureusement, la pluie n'était pas tombée depuis une dizaine de jours, de sorte que le chemin était bien sec, mais il demeurait hélas très cahoteux. Le petit Michel, fatigué, avait finalement demandé à monter dans la charrette. Les deux autres, Joseph et Marie, s'étaient endormis malgré le cahotement de la voiture.

Au bout de sept ou huit heures de route, le groupe était à peine rendu à Anse-des-Bourg. Ils venaient de passer sur un pont de rondins pour traverser une rivière qui se jetait dans la Tintamarre et avaient failli perdre la moitié de leur charge. Il restait encore un bon bout de chemin à parcourir avant d'atteindre Pré-des-Bourg. Anne pensait qu'ils étaient peut-être suffisamment loin du village pour s'arrêter, mais Michel n'était pas de cet avis.

— À Port-Royal, les Anglais sont restés douze jours et ont remonté toutes les rivières et détruit toutes les habitations qu'ils ont pu trouver. Il vaut donc mieux prendre toutes les précautions possibles.

François et Jean, toutefois, pensaient la même chose qu'Anne.

— Il commence à faire noir, observa François, et nous sommes tous fatigués. Il vaut mieux s'arrêter et continuer de bonne heure demain matin.

Les deux Indiens s'affairèrent donc à couper des branches et des arbustes pour fabriquer un abri de fortune, tandis que Michel et François s'activèrent à allumer un feu pour faire bouillir un peu de morue salée qu'ils mangeraient avec le pain d'Anne non entamé. Les Indiens n'en voulurent pas, assurant qu'ils n'avaient pas faim. Ils allèrent se poster à deux endroits différents derrière les bêtes qu'ils avaient pu emmener pour qu'elles ne s'échappent pas à la faveur de la nuit.

Le lendemain matin, dès le premier rayon de soleil, le groupe reprit la route en direction nord. Comme ils se trouvaient maintenant assez loin de Vechcaque, la plupart se sentaient déjà plus en sécurité. À l'heure du midi, ils arrivèrent au hameau de Pré-des-Bourg. Il ne leur restait qu'à bifurquer vers l'est pour rejoindre et traverser la tortueuse Tintamarre et se rendre au campement des Indiens. Le groupe qui avait fui en bateau était arrivé la veille et avait été hébergé par les Mi'kmaq. Des Indiens qui avaient vu le groupe de Michel arriver vinrent à leur rencontre pour leur faire traverser la rivière en canot. On résolut, pour cette deuxième nuit, de laisser les bêtes brouter dans le marais, à côté de la rivière. Mais après, il faudrait les éloigner de la rivière au cas où les Anglais remonteraient la Tintamarre. Alexis, Makakis et deux autres Indiens s'installèrent pour les garder, avec l'aide des chiens. Un des Indiens avait apporté son fusil au cas où ils seraient attaqués par des bêtes sauvages.

Des Indiens qui étaient partis chasser arrivèrent avec quelques canards sauvages qui furent aussitôt préparés et mis à cuire sur la braise. Comme il était encore tôt dans l'après-midi, ces mêmes Indiens allèrent ensuite à la pêche en haut de la rivière, où le poisson abondait. Le chef désirait nourrir convenablement ses hôtes, mais il s'assurait toutefois que la plupart des hommes en état de se battre restent au campement au cas où ils auraient à se défendre. Des mousquets, des hachettes et des flèches se trouvaient dans l'habitation du chef, prêts à être utilisés.

Sous l'ordre du sagamo, deux familles laissèrent leurs wigwams aux voyageurs et allèrent s'installer dans l'un ou l'autre des onze autres qui composaient le campement. Michel et sa belle-famille s'établirent dans l'un, laissant l'autre aux Doucet et aux Richard. À peine étaient-ils installés qu'Anne commença à se sentir mal. Elle avait des étourdissements et éprouvait des douleurs au ventre.

— Le voyage a été long, dit Michel. Tu n'aurais pas dû marcher autant. Il aurait été préférable que tu t'installes parfois dans la charrette.

— J'ai essayé, mais les cahots de la route me donnaient des douleurs au ventre et j'avais peur de perdre l'enfant.

— Espérons que ce n'est pas l'enfant qui cherche à sortir, lui dit sa mère. Il serait alors bien prématuré.

Les Indiens firent venir la guérisseuse du village malgré les protestations d'Anne. Celle-ci examina Anne de la tête aux pieds, puis partit sans dire un mot. Madeleine tenait sa fille dans ses bras. Elle se sentait impuissante, mais elle avait confiance dans les méthodes de guérison des Indiens.

— Ces gens savent se guérir de la plupart des maladies, dit-elle.

La guérisseuse revint avec une décoction faite de pommes de pin, de gomme de sapin et de pointes d'épinette, servie dans une tasse d'écorce de bouleau. Anne trouva le breuvage infect, mais elle le but. Ensuite, l'Indienne fit brûler des feuilles de sauge séchées mélangées à du foin d'odeur et, de la main, dirigea la fumée vers le visage et le ventre d'Anne, tout en récitant des incantations. Michel l'observait attentivement. Elle avait le visage buriné et le regard perçant. On aurait dit qu'elle était en dehors du monde des vivants. D'ailleurs, une étrange atmosphère régnait dans tout le wigwam, une sensation de relaxation et de bien-être. Après un moment, elle fit comprendre à la famille que tout allait bien se passer, puis elle fit un large sourire à l'assistance avant de se pencher et de disparaître par la petite ouverture du wigwam.

Quelques heures plus tard, les douleurs avaient cessé. Était-ce dû aux remèdes de l'Indienne ou simplement aux bienfaits de la relaxation ? Difficile à dire. L'essentiel, c'était qu'Anne se sentait bien.

À la brunante, un groupe d'Acadiens de la pointe Beauséjour arrivèrent au campement, dont les familles de Roger Kessy, d'Emmanuel Mirande et de Gabriel Chiasson. Ils avaient fait exactement comme les familles de Vechcaque. La majorité avait remonté la rivière Au Lac en chaloupe alors que le reste avait suivi la lisière du bois en charrette, emportant les biens et menant une partie des troupeaux. Ils avaient ensuite utilisé les chaloupes pour traverser la rivière Au Lac et ainsi rejoindre le campement par le côté sud-ouest.

— Nous sommes partis tardivement, confia Roger, car nous voulions être certains que les Anglais avaient bien l'intention d'attaquer Beaubassin. Nous sommes restés hier toute la journée au sommet de la pointe Beauséjour pour tenter d'interpréter le va-et-vient des officiers anglais en discussion avec Germain Bourgeois, qui s'était fait le porte-parole des habitants. Lorsque nous avons vu les officiers faire signe aux hommes des autres navires de débarquer, nous avons compris qu'il n'y avait plus d'espoir et qu'il valait mieux partir. Nous avons cependant eu le temps de constater qu'un bon nombre d'Indiens faisaient partie de l'expédition.

Le sagamo fit libérer deux autres wigwams pour accueillir les nouveaux arrivants, et deux Indiens se rendirent à la rivière chercher du poisson qu'ils gardaient dans une cage d'osier qui trempait dans l'eau afin qu'il conserve sa fraîcheur. Ils firent cuire un gros flétan sur un feu de braises et le servirent avec une grande galette de farine de blé d'Inde. On aurait dit que les Indiens prenaient plaisir à recevoir tous ces gens, comme s'il s'agissait d'une fête. La grande différence, c'est que les tambours restaient muets. Il fallait éviter de se faire remarquer de l'ennemi. Roger Kessy avait son violon à ses côtés car il y tenait comme à la prunelle de ses yeux, mais il n'avait guère envie d'en jouer.

Michel admirait la générosité de ces gens qu'il considérait un peu comme ses frères. Il s'estimait honoré d'avoir des antécédents mi'kmaq. Malgré son inquiétude, il se sentait très à l'aise étendu dans son wigwam avec sa femme, ses enfants et sa belle-famille. Cependant, il n'aurait pas vraiment voulu vivre là. Ses jours s'écoulaient et s'écouleraient dorénavant avec Anne, qu'il adorait, et la famille de cette dernière. Son seul souhait était que les Anglais n'arrivent pas à les débusquer.

Gabriel Chiasson disait avoir aperçu au loin, pendant leur fuite, de la fumée qui semblait venir de Beaubassin. Avait-on mis le feu au village comme à Port-Royal, six ans auparavant? C'est ce que chacun redoutait. L'attente était longue et fébrile. On lisait l'inquiétude et l'anxiété sur tous les visages. Il existait un va-et-vient continuel à l'intérieur du campement. Les Indiens criaient et gesticulaient. On aurait dit qu'ils se préparaient à être sur le pied de guerre.

Le cinquième jour, on vit Germain Cormier et trois autres jeunes arriver au camp. Ils étaient restés pendant trois jours près de l'embouchure de la rivière Au Lac, d'où ils avaient une vue sur tout le bassin de même que sur une bonne partie du village.

— Nous avons vu les hommes débarquer des bateaux anglais. Nous avons distingué des Indiens parmi eux par leur habillement et leur façon de courir. Un groupe de soldats s'est tout de suite dirigé en courant et en criant vers l'église. Arrivés là, ils se sont empressés d'y mettre le feu. Il n'y avait pas d'Indiens parmi eux. On aurait dit que les Anglais voulaient marquer pas là leur différence idéologique et religieuse. Les autres ont remonté par groupes vers les maisons. La plupart des habitants étaient partis. Ceux qui avaient cru bon de rester pour protéger leurs biens ou pour d'autres raisons ont été chassés de leurs maisons à la pointe du fusil. Nous avons vu les Anglais sortir des habitations tout ce qui les intéressait, puis ensuite mettre le feu aux bâtiments avec tout leur contenu.

Les familles rassemblées sur la petite place au centre des wigwams étaient médusées. Personne ne parlait. On aurait dit qu'ils avaient la langue coupée. Stoïque, chacun semblait pleurer de l'intérieur.

Le chef, qui comprenait assez bien le français, expliquait par moments à ses semblables ce que Germain Cormier racontait. Les Indiens éprouvaient de la difficulté à tenir en place. Ils se levaient, gesticulaient, parlaient fort, criaient toutes sortes de mots que Michel ne comprenait pas, puis retournaient s'assoir par terre, les jambes croisées. Les femmes indiennes étaient restées dans leur wigwam alors que plusieurs Acadiennes étaient assises parmi les hommes et participaient à la conversation.

— Finalement, c'est exactement comme à Port-Royal, résuma Michel. Reste à voir s'ils vont, comme à Port-Royal, remonter les rivières pour atteindre les habitants installés à La Coupe, à Au Lac, à Pré-des-Bourg et à Pré-des-Richard. S'ils montent jusque-là, il est évident que Vechcaque ne sera pas épargné.

— Nous sommes passés presque en face de là en venant ici, dit Gabriel, et tout paraissait calme.

— Alors il y a encore de l'espoir, constata François.

Chaque matin, deux ou trois Indiens partaient à la chasse, et lorsqu'ils étaient revenus, d'autres partaient à la pêche afin de nourrir tout ce monde. D'autres encore restaient aux aguets, au cas où les Anglais ou les Indiens, que le chef supposait être des Iroquois, remonteraient les rivières Au Lac ou Tintamarre, car on pouvait rejoindre le campement à partir des deux rivières.

Germain Cormier et deux Indiens, qui étaient allés faire le guet aux abords du village, arrivèrent le sixième jour en confirmant que tout Beaubassin était en feu.

— Les Anglais détruisent tout, rapportèrent-ils, même les animaux, qu'ils abattent à coup de fusils. Les granges brûlent avec tout leur contenu. Le village est un immense brasier. Cependant, nous n'avons vu aucun bateau remonter les rivières. Les petits bateaux à fond plat sont tous en rade à l'embouchure de la rivière Mésagouèche.

— Des petits bateaux à fond plat? demanda Michel. Ils ont donc certainement l'intention de remonter les rivières. À marée basse, ils n'iraient pas loin en goélette, et encore moins en corvette. Mais avec un bateau à fond plat, on peut monter très loin.

Cette constatation n'annonçait rien de bon. Tout le centre du village de Beaubassin était en feu. Bientôt, ce serait le tour des hameaux l'entourant. L'inquiétude avait fait place au désespoir. Les femmes, surtout, se demandaient ce qu'elles avaient fait pour mériter un tel châtiment.

— Où sont le capitaine Baptiste et les autres corsaires de son espèce? s'écria Anne. Quand il s'agit de faire la guerre aux Anglais, ils sont tous présents, mais quand il s'agit de protéger les habitants d'un village comme Beaubassin, ils sont tous absents.

Tout le monde acquiesça, mais il n'y avait rien à faire. Le sort avait été jeté. Certains disaient que Baptiste se trouvait à la rivière Saint-Jean, où le gouverneur Villebon lui avait octroyé une terre, mais comment faire pour se rendre à la rivière Saint-Jean avec un bassin si bien gardé à traverser?

Une ambiance indéniablement défaitiste s'était installée progressivement dans le campement. Même les Indiennes, qui ne devaient pas bien comprendre tout ce qu'il se passait, avaient la mine basse. Sans doute ressentaient-elles le sentiment de désespoir qui ébranlait toute la colonie.

Au dixième jour, on vit quelques Indiens courir vers le campement en criant et gesticulant.

— Anglais partis! criaient-ils. Anglais partis!

Pour eux, il s'agissait d'une victoire. La crainte de devoir se battre venait de disparaître. Cependant, ils n'avaient pas de bonnes nouvelles pour les gens de Vechcaque et de Pré-des-Bourg. Les bateaux s'étaient partagé les quatre grandes rivières qui se jetaient dans le bassin. Deux petits bateaux étaient remontés jusqu'à Pré-des-Richard en détruisant tout sur leur passage. Heureusement, soit ils n'avaient pas vu le camp indien, qui se trouvait quand même pas tout à côté de la rivière, soit ils n'avaient pas osé s'y aventurer. Chacun savait que la façon des Indiens de faire la guerre pouvait s'avérer bien déroutante, même pour les combattants les plus aguerris. Personne n'avait perdu la vie, c'était cela l'essentiel.

Le lendemain matin, les différentes familles se réunirent sur la place du campement. Ils voulaient remercier leurs hôtes de leur formidable accueil, mais aussi offrir une prière à Dieu pour lui rendre grâce de les avoir protégés des fusils anglais. Le temps n'était cependant pas aux réjouissances. Ils voulaient en plus demander au Seigneur la force de ne pas succomber au désespoir devant le désastre qui les attendait. Avant de partir, chacun s'embrassa, l'air affligé, remerciant les uns et souhaitant bon courage aux autres. Les charrettes et les chaloupes reprirent la route, accompagnées de plusieurs Indiens. La belle-famille de Michel avait exhorté Anne de retourner en bateau car le trajet à pied serait long et pénible, mais elle voulait absolument revenir à Vechcaque avec Michel pour ne pas avoir à constater seule les dégâts.

La famille de Michel arriva à Vechcaque au milieu d'une grande désolation. Le spectacle s'avérait désastreux, bien au-delà de tout ce qu'ils avaient pu imaginer. Il ne restait plus rien du tout ; même le hangar à bateaux, plus près de la rivière, n'avait pas été épargné. Le domaine des Haché dit Gallant n'était plus qu'un champ de fumée et de cendre. Mais le plus désolant était de voir, au milieu de ces ruines, les animaux ensanglantés joncher le sol. Quatre beaux porcs, une dizaine de volailles, deux taures et le bœuf de trait qui n'avait pas pu être emmené avaient apparemment tous été tués au fusil et achevés à coups de hachette. Cela semblait être le fait des Indiens, reconnus pour être des experts de la hachette. Les enfants pleuraient, effrayés sans doute aussi bien par le spectacle qu'ils avaient devant les yeux que par la réaction de leurs parents. Anne, à travers ses pleurs, maudissait les Anglais.

— Plus de six ans de labeur pour aboutir à cela ! Pourquoi avez-vous permis cette dévastation, Seigneur ?

Michel, les yeux fixés sur son gros bœuf de trait étendu par terre, décapité et les jambes coupées, essayait d'encourager sa femme.

— Il nous reste encore une bonne partie des animaux. Ils pourront donc se reproduire. D'accord, nous avons perdu presque toute la récolte, mais les champs sont intacts, et les digues n'ont pas été défoncées. Nous pourrons donc avoir une récolte l'année prochaine. Et l'on trouve largement assez de bois sur les terres hautes pour reconstruire les habitations. Nous nous en sortirons, tu verras. Le reste, c'est une question d'heures de labeur. Nous travaillerons plus fort, voilà tout. Nous nous en sortirons, je te le jure. Nous serons au chaud avant l'hiver, c'est garanti.

Le petit Michel, qui ne cessait de tourner en rond depuis un moment, l'air inquiet, s'exclama tout à coup :

— Où allons-nous coucher ce soir ?

Il avait posé la question comme si c'était lui, le chef de famille chargé d'organiser la suite des événements. Makokis, qui avait compris les appréhensions du jeune garçon, lui dit de ne pas s'inquiéter, qu'il allait lui organiser quelque chose.

Makokis et l'autre Indien qui l'accompagnait disparurent dans le bois et revinrent un peu plus tard avec une dizaine de longues perches et des rameaux et des racines d'osier pour lier les poteaux de la structure. Le petit Michel comprit vite qu'ils allaient leur fabriquer un wigwam et en fut tout excité. Évidemment, ça ne serait pas un wigwam comme ceux des Indiens, commenta Makokis, car il aurait fallu énormément de temps pour trouver et récolter de larges feuilles d'écorces de bouleau afin de couvrir la structure, puis pour coudre les feuilles de façon étanche. Cependant, en utilisant des branches de conifères et en récoltant des tiges de chaume dans les champs qui n'avaient pas été brûlés, ils réussiraient à en faire un endroit convenable pour dormir temporairement à l'abri des intempéries.

Entre-temps, Michel avait fait le tour de sa propriété pour constater l'ampleur des dégâts. Évidemment, il n'y avait rien là de réjouissant, mais il fallait néanmoins garder l'espoir.

— Ne t'inquiète pas, répétait-il à l'intention d'Anne. Nous survivrons. Il est vrai qu'il nous a fallu plus de six ans pour construire ce domaine, mais à l'état actuel, il nous en faudra moitié moins pour nous retrouver au même niveau. Courage, nous y arriverons!

Un étranger qui serait arrivé à Beaubassin en octobre 1696 aurait sans doute été étonné de voir tout un village en construction en même temps. Beaubassin avait pris l'allure d'un vaste chantier de construction bourdonnant comme un nid d'abeilles. On apercevait, sur le flanc des collines en haut des marais, une quantité de charrettes tirées par des bœufs, certaines vides et d'autres chargées de billots. De plus, on distinguait sur la baie de Beaubassin une multitude de petites embarcations chargées elles aussi de billots à peine en équilibre et qui se dirigeaient vers le moulin à bois des Bourgeois, le seul resté intact. On entendait de loin le son des haches, des marteaux et de la scie qui ne dérougissaient pas. Bref, chacun, avec la patience d'une fourmi, s'affairait avec courage et détermination à reconstruire son nid.

Les wigwams bâtis par Makokis et son ami Tomacho étaient très utiles, et même confortables. Après en avoir construit un pour la famille, ils en avaient construit un second pour y placer le contenu de la charrette. C'était aussi dans celui-ci que dormaient les Indiens. Ils avaient aussi érigé une installation pour disposer du feu à l'extérieur des wigwams et non pas à l'intérieur, comme chez les Indiens. Cette structure servait à cuire les aliments dans le grand chaudron de fonte suspendu en quasi-permanence au-dessus du feu.

L'aide des Indiens s'avéra précieuse. Ils étaient très habiles à certaines choses, surtout lorsqu'il s'agissait d'un travail qui les intéressait, mais beaucoup moins pour d'autres. Pas question, par exemple, qu'ils travaillent à la construction. Cette tâche ne les intéressait aucunement. Leur plaisir, c'était de partir à la pêche ou à la chasse afin de nourrir tout le monde, car ils en donnaient aussi aux Cormier et aux autres voisins les plus proches. Parfois, ils allaient en porter au campement. En canot, ils pouvaient faire le trajet en moins de trois heures. Cet apport était d'une grande utilité, car il permettait à Anne d'épauler Michel.

La priorité d'Anne, c'était son four à pain. Heureusement, il n'avait pas été trop abîmé ; on en avait défoncé l'arrière seulement. Avec des branchages et de la glaise, Michel avait pu le réparer en une journée. Il ne restait plus qu'à le laisser sécher et y mettre le feu pour cuire la glaise. Dans une dizaine de jours, il serait prêt à être utilisé.

Pour Michel, c'était la maison qui importait le plus. Il voulait être en mesure de loger convenablement sa famille avant l'hiver. Pour la coupe du bois, il s'était associé à François, son beau-frère. C'était un travail qui se faisait mieux à deux, et puis il était plus sécuritaire de n'être pas seul, en cas d'accident. Ils travaillaient deux jours chez l'un, puis les deux suivants chez l'autre. Pendant ce temps, Anne se promenait dans les champs pour ramasser des pierres qu'elle déposait en tas et qui serviraient plus tard à refaire les fondations de même que la cheminée.

Malgré la reconstruction qui pressait, avant d'entreprendre quoi que ce soit, Michel s'était débarrassé des bêtes mortes en les traînant dans le bois avec son bœuf de trait. Il n'aimait guère l'idée de laisser ces corps aux bêtes sauvages, craignant que cela les incite à s'approcher des maisons, mais il n'avait guère le choix. Les enterrer aurait pris trop de temps, et qui sait si les bêtes n'auraient pas réussi à les déterrer...

Contrairement à ce que tous avaient cru, tout Beaubassin n'avait pas passé au feu. Curieusement, les fermes de Germain Bourgeois et de ses voisins, tous apparentés, étaient restées intactes. Michel se demandait bien ce que cette exception pouvait signifier. Il savait que Germain, comme son père, avait toujours trafiqué avec Boston, mais cette grâce l'agaçait. Depuis que LaVallière n'habitait plus dans sa seigneurie, Germain s'était en quelque sorte approprié le titre de chef de Beaubassin.

— Arrête d'y penser, lui disait Anne en riant. Tu vas te rendre malade!

— Je sais, je sais! Mais c'est curieux quand même!

Après un moment de réflexion, il enchaîna:

— Je pense bien qu'il faut un chef partout, et comme de Villieu n'est pas souvent ici, c'est sans doute un peu normal que Germain prenne la relève. Je me rappelle que quand je travaillais au manoir, je prêchais l'importance d'une hiérarchie aux habitants qui refusaient de contribuer à la seigneurie, leur répétant que nous ne pouvions pas vivre dans l'anarchie. Je le crois toujours, d'ailleurs. Une certaine forme de hiérarchie est nécessaire afin de créer un élan de développement dans l'ordre et l'harmonie.

— En fait, reprit Anne, ni LaVallière ni de Villieu se sont montrés ces derniers temps. Vivons-nous encore dans une seigneurie?

— LaVallière est toujours le seigneur de Beaubassin, et il le sera aussi longtemps que le gouverneur de la Nouvelle-France ne révoquera pas sa concession. Il ne sait probablement pas encore que le manoir a lui aussi été rasé, de même que toutes les dépendances. Ça m'a fait un drôle d'effet de ne plus voir cette structure imposante dans le paysage lorsque je suis allé au village, l'autre jour. C'était comme si j'avais été amputé d'une petite partie de moi-même.

— Ce n'est pas surprenant qu'il ait été rasé. Même si LaVallière ne participait pas directement aux opérations de destruction contre les Anglais, il est quand même un officier militaire français, et cette guerre semble être une guerre d'officiers.

— Tu as tout à fait raison. Ils devraient se battre entre eux et nous laisser en paix, ce serait plus logique. Mais hélas, les guerres n'ont pas beaucoup le sens de la logique.

Michel et Anne se demandaient si les autorités françaises allaient répliquer encore une fois à ces attaques. On disait au village que le colonel Benjamin Church, qui commandait l'expédition, avait été très clair à ce sujet. Son travail de destruction terminé, il avait réuni Germain et quelques autres personnes restées sur place pour leur expliquer que s'il y avait un autre raid contre les Anglais de la Nouvelle-Angleterre, il reviendrait lui-même avec des centaines d'Iroquois qu'il laisserait libres pour qu'ils scalpent et tuent tous les habitants français de la région, parce que c'étaient eux, les véritables responsables de ce mal.

— Mais qu'avons-nous fait pour mériter une telle punition ? se demandait toujours Anne. Nous n'y sommes pour rien dans la destruction du fort à Pemaquid et les attaques contre les villages anglais. Ils auraient dû s'attaquer au fort Saint-Jean, au gouverneur Villebon et à son équipe. Pas à nous.

— Ainsi va la guerre ! lança Michel. Ce sont le plus souvent les innocents qui en font les frais.

La destruction n'avait pas été partout égale. À certains endroits, surtout aux abords de la rivière Mésagouèche, les digues avaient été défoncées, sans doute parce qu'elles étaient à portée de canon. Pour ces gens-là, la réparation rapide de leurs digues s'avérait une priorité. L'arrivée imminente des grandes marées pouvait de nouveau inonder leurs champs. Michel se trouvait chanceux dans sa malchance : ses digues n'avaient pas été touchées et son champ de choux et de navets était intact. Comme les Anglais étaient apparemment passés à Vechcaque à la fin de leur incursion, ils devaient avoir déjà pris ailleurs toute la nourriture dont ils avaient besoin. La tuerie des animaux à laquelle ils s'étaient livrés constituait un acte de pure barbarie, un manque de respect total pour la vie, se disait Michel. *On ne devrait pas tuer pour tuer, mais pour vivre.*

À peine trois jours après l'entrée d'Anne et de Michel dans leur maison encore en chantier, la jeune femme commença à se plaindre de douleurs au ventre.

— Je pense que je vais accoucher, dit-elle calmement.

Elle demanda à Michel d'aller chercher sa mère et d'emmener les enfants avec lui.

— Mais je ne peux pas te laisser seule, répondit-il, inquiet. Si le bébé venait alors que je suis parti, qu'est-ce qui se passerait ?

— Ne t'inquiète pas. Les douleurs sont très faibles et pas très régulières. Ce n'est donc pas pour tout de suite.

Michel empoigna Joseph et Marie, prit le petit Michel par la main et se rendit à toute vitesse à la maison des Cormier tout en réfléchissant à l'état de sa maison. Le toit avait été recouvert de planches, mais il fallait encore le couvrir de chaume pour qu'il soit plus chaud et plus étanche ; les murs n'avaient pas été bousillés ; la cheminée n'était qu'un trou béant, tout comme les deux fenêtres et la porte ; les meubles étaient inexistants. On y vivait mieux que dans les wigwams, mais maintenant, c'était différent. Un nouveau-né avait besoin d'être davantage protégé. Il aurait aimé pouvoir installer des fenêtres en vitre, comme dans certaines maisons, mais pour l'instant il devait se contenter de volets de bois, car la vitre coûtait cher. Dommage, car, avec la vitre, on pouvait laisser les fenêtres fermées en tout temps, ce qui empêchait les moustiques d'entrer.

Madeleine prépara vite son matériel d'accouchement et confia les trois enfants à Angélique, qui avait maintenant treize ans, et aux jumelles Marie-Jeanne et Agnès, âgées de dix ans. Quand elle partit chez sa fille, Michel était déjà presque rendu chez lui.

Quand il entra à la maison, Anne était en train de laver du linge dans une cuve.

— Qu'est ce que tu fais là ? cria-t-il. Je croyais que tu étais sur le point d'accoucher.

— C'est vrai. Mes douleurs sont régulières, mais j'ai encore du temps, alors je ne voulais pas rester à rien faire.

— Mais voyons, le linge peut attendre ! Il faut que tu mettes toutes les chances de ton côté.

— Je ne pensais pas accoucher si tôt, dit-elle à sa mère lorsque celle-ci entra.

— Moi, ça ne m'étonne pas, répliqua Madeleine. J'y ai pensé hier soir lorsque j'ai vu que nous étions à la pleine lune.

Le bébé ne se présenta que le lendemain matin. Un petit garçon déjà braillard, comme le dit Madeleine en le regardant, et à la chevelure bien garnie. Anne, l'air fatigué, l'observait intensément. Elle était visiblement contente, puisque son visage affichait un large sourire. Michel se réjouissait d'avoir un troisième garçon. Cela voulait dire plus de bras pour travailler aux champs et agrandir le domaine. Comme ils avaient déjà Joseph et Marie, ils décidèrent de l'appeler Jean-Baptiste.

Michel avait dû vendre une vache pour terminer sa maison et acheter de la nourriture pour les bêtes et du bois de chauffage pour l'hiver, car les Anglais avaient aussi mis le feu à sa pile de bois sec. Certaines personnes étaient venues lui offrir leur aide, surtout maintenant qu'Anne venait d'accoucher, mais il refusa, trouvant qu'il était moins à plaindre que beaucoup d'autres. Heureusement que les gens s'entraidaient, car certains travaux étaient difficilement réalisable seul, comme la réparation des digues et l'édification des bâtiments. Les Bourgeois avaient même ouvert leur maison pour accueillir les enfants afin de libérer les parents pour qu'ils puissent mieux travailler à la reconstruction de leurs habitations. Les marguilliers, dont Michel faisait partie, avaient décrété que les Beaubassinois n'auraient pas suffisamment de temps libre cet été pour travailler à l'édification d'une nouvelle église. Les Bourgeois accueillaient aussi les fidèles pour la messe du dimanche, car on n'avait pas l'intention de reconstruire l'église avant l'été suivant.

Au début de décembre, Anne et Michel avaient fait boucherie en tuant un des jeunes bœufs. Cette entreprise leur permettrait de profiter de la viande fraîche pendant au moins une petite partie de l'année. Michel avait érigé sur le toit de sa nouvelle maison une boîte en bois pour y placer l'équivalent d'un quart de bœuf qui pourrait être mangé plus tard, s'il n'y avait pas trop de dégel. Un autre quart avait été salé dans un grand tonneau, tandis que le reste, un demi-bœuf, avait été porté au campement des Indiens et offert au chef Tagahouto en remerciement de leur accueil.

Heureusement, l'hiver n'avait pas été trop rude. Ainsi, personne n'avait réellement souffert du froid. Les animaux non plus, puisqu'ils avaient été parqués dans la grange des Cormier, reconstruite en un temps record avec l'aide de la belle-famille et de quelques voisins.

L'hiver avait beau avoir été doux, tous furent contents de voir le printemps arriver. Michel n'avait pas eu un moment de repos pendant tout l'hiver. Avec de grandes planches coupées au moulin à scie des Bourgeois, il avait fabriqué des tables et des bancs, des étagères pour la cuisine et la chambre, une monture en bois pour le matelas de plume d'Anne et une autre pour la paillasse des enfants.

Alors que Michel envisageait de vendre une autre vache pour se procurer entre autres les semences de printemps, il apprit que le gouverneur d'Acadie, Robineau de Villebon, avait réussi à obtenir de Québec des graines pour la colonie de Beaubassin. La nouvelle fut accueillie avec enthousiasme par toute la communauté. Les labours du printemps avaient été plus lents que d'habitude. Michel ne possédait maintenant qu'un seul bœuf de trait pour tirer la charrue, mais avec du travail, de la patience et un peu d'aide, tous ses champs cultivables avaient été ensemencés.

Quelque temps après la fin des récoltes, on apprit que la France, l'Angleterre et d'autres pays européens venaient de signer le traité de Ryswich, dans lequel il était dit que l'Angleterre rendait, entre autres, l'Acadie à la France. Michel était perplexe. Il avait souvent entendu LaVallière dire que l'Angleterre avait officiellement cédé l'Acadie à la France lors du traité de Bréda et que c'était pour cette raison que les Anglais n'avaient plus le droit de faire la pêche sur les côtes acadiennes à moins de posséder un permis de pêche du gouverneur d'Acadie. Il est vrai que la Nouvelle-Angleterre avait toujours prétendu que l'Acadie leur appartenait. Ils l'avaient même annexé au Maine à un moment donné. Cependant, cela s'était fait unilatéralement, sans entente officielle, mais les Anglais avaient leur façon d'interpréter les traités : ils les ignoraient.

LaVallière et son beau-fils, Claude-Sébastien de Villieu, étaient venus à Beaubassin après la tourmente pour constater les dégâts. Devant l'ampleur des dommages, le seigneur avait décidé de suspendre les redevances pour les deux prochaines années. Michel se rappelait les difficultés qu'il avait eues à amener les habitants à payer la rente seigneuriale en nature. Pourtant, elle n'était pas énorme : un à trois boisseaux de blé, selon le cas, deux ou trois poules, un peu d'avoine, du beurre ou quelques légumes. Il se demandait si de Villieu réussissait mieux que lui à persuader les habitants de verser la redevance à la seigneurie.

Michel se disait qu'après tout, le règne de LaVallière en Acadie n'avait pas été si néfaste. Il ne s'était jamais livré à des attaques contre les Anglais, ce qui avait permis aux habitants de Beaubassin de vivre relativement en paix. D'accord, il accordait aux Anglais des permis de pêche sur les côtes acadiennes alors que le traité de Bréda leur interdisait la pêche dans ce secteur, mais il ne s'attaquait pas physiquement à eux et n'incitait aucunement les Indiens à leur faire la guerre, comme le faisaient maintenant le gouverneur Villebon et le père Thury, ce qui lui paraissait toujours incompréhensible.

Bientôt, on apprit que les Anglais n'avaient pas fini de frapper la colonie : ils avaient capturé de Villieu en pleine mer et l'avaient emmené à Boston comme prisonnier. Un mois plus tard, ce fut au tour de Baptiste d'être fait prisonnier et emmené à Boston.

— Bon débarras ! clama Anne lorsque Michel lui apprit la nouvelle en revenant du village.

Son mari n'en pensait pas moins, mais pour lui, ces emprisonnements ne représentaient que la pointe de l'iceberg. Son rêve était de sortir de ce marasme politique, de s'éloigner aussi bien de la France que de l'Angleterre, car ni l'un ni l'autre de ces grands pays ne s'intéressait vraiment aux Acadiens. Chacun semblait vouloir gagner du terrain, mais pourquoi ? Le contrôle ? Le pouvoir ? Le prestige ? Leurs actions ne favorisaient aucunement le développement humain des communautés. L'Angleterre semblait toutefois l'avoir davantage compris que la France. Elle envoyait du monde pour peupler le pays et des denrées pour que les habitants puissent vivre convenablement et se développer.

Michel aimait discuter de ces questions avec Anne, même si parfois elle semblait peu réceptive à ses réflexions, les qualifiant de rêveries. Mais elle acquiesçait quand même, étant donné que son désir à elle aussi était que les gens arrêtent de se chicaner pour que sa famille et tous les villageois puissent vivre en paix.

Michel se disait que, si les Acadiens de Beaubassin, des Mines, et de Port-Royal pouvaient s'unir et former un gouvernement, ils pourraient peut-être négocier la paix, aussi bien avec les dirigeants de la Nouvelle-Angleterre que de la Nouvelle-France. Cette dernière ne s'intéresse pas plus à l'Acadie que la Nouvelle-Angleterre. Si nous avons pu survivre, c'est que nous avions les moyens de nous autosuffire et que Boston nous fournissait ce que nous ne pouvions pas produire. Ce sont ces dirigeants français, assoiffés de pouvoir, qui provoquent les représailles qui nous font tant de mal. Mais qui prendra la responsabilité de former un gouvernement ? Et même si nous parvenions à mettre sur pied un gouvernement acadien, sa réussite ne serait pas garantie ; il existe beaucoup de dissensions entre les Acadiens eux-mêmes…

Malheureusement, les luttes intestines avaient en effet toujours divisé la colonie. Michel se rappelait l'hiver que de Meulles avait passé au manoir, et ses vues sur le développement de la colonie. Pour lui, l'Acadie était née dans la contestation. Les premiers chefs, comme d'Aulney, LaTour, Ratzilly, Denys et LeBorgne, s'étaient tous fait la lutte, à un moment ou un autre, pour s'approprier le contrôle de ce territoire ou d'une partie du territoire. Il fallait que ces luttes cessent. De Meulles envisageait d'ailleurs un destin grandiose pour l'Acadie avec l'aide de la France. Hélas, la France n'avait pas été à la hauteur de ses espérances.

À Beaubassin, la lutte pour les meilleurs emplacements et la liberté d'exploiter une terre sans payer de rente s'était souvent présentée. Même l'emprise des Bourgeois sur toute une partie de Beaubassin pouvait être considérée comme une lutte de pouvoir. Et maintenant, ce même manège recommençait à Chipoudie. De Villieu en avait parlé à Michel lors d'une de ses visites à Beaubassin pour régler des problèmes de bornes et de droits seigneuriaux, car il avait toujours la charge d'administrer la seigneurie.

Tout comme les Bourgeois l'avaient fait plusieurs années plus tôt à Beaubassin, le meunier Pierre Thibodeau, qui était aussi cultivateur et marchand, cherchait à s'approprier les alentours de la baie de Chipoudie pour y fonder une colonie afin d'y installer quelques-uns de ses dix-huit enfants, de même que ses amis.

— Je les ai prévenus, disait de Villieu, que ce territoire faisait partie de la seigneurie de Beaubassin et qu'ils ne pouvaient pas s'y installer sans mon autorisation ou celle de LaVallière. Néanmoins, au printemps, Pierre Thibodeau y avait organisé une expédition avec quatre de ses fils et de son ami Guillaume Blanchard. Après avoir exploité les abords de la rivière Petcoudiak et de la rivière Memremkooke, ils s'étaient installés du côté nord du bassin de Chipoudie et avaient commencé à endiguer les abords du bassin avec l'aide de plusieurs employés qu'ils avaient fait venir de Port-Royal. À la fin de l'été, Pierre y avait laissé deux de ses fils et s'était rendu avec les deux autres à Naxouat, au haut de la rivière Saint-Jean, pour y rencontrer le gouverneur Villebon. Ils voulaient lui demander l'autorisation de fonder un nouvel établissement à Chipoudie.

De Villieu avait vu dans cette requête une usurpation des droits seigneuriaux de LaVallière. Chipoudie faisait partie de la seigneurie de son beau-père et le gouverneur Villebon n'avait aucune autorité pour accorder une concession sur son territoire. D'ailleurs, d'après les renseignements qu'il avait obtenus, Thibodeau avait l'intention d'aller plus loin et de demander au gouverneur général de la Nouvelle-France, de lui accorder toute cette région comme seigneurie afin qu'il puisse bénéficier des droits seigneuriaux.

Guillaume Blanchard, un autre habitant de Port-Royal qui s'était d'abord associé à Pierre Thibodeau, avait choisi d'exploiter plutôt la rivière Petcoudiak. Il avait commencé à y développer un site sur la rive est à l'aide de deux de ses fils, non loin du site des Thibodeau. De Villieu avait avoué avoir fini par entamer des poursuites judiciaires contre ces deux individus, convaincu qu'ils s'étaient installés sans autorisation sur la concession de Beaubassin. Sa seule inquiétude était l'influence politique que pourrait exercer Mathieu des Gouttins, le beau-fils de Pierre Thibodeau, qui agissait comme lieutenant-général de la justice et conseiller du roi en Acadie. Il était reconnu pour être un homme assez querelleur qui avait souvent des démêlés avec ses supérieurs.

En l'espace d'un mois, en 1698, Beaubassin perdit deux hommes d'Église. D'abord le père Thury, un prêtre missionnaire qui œuvra auprès des Indiens pendant une quinzaine d'années. Il fut pris d'une maladie soudaine qui l'emporta en quelques jours alors qu'il exerçait sa mission à Chibouctou. Les Indiens le vénéraient. Michel l'avait rencontré à deux reprises et comprenait la réaction des Indiens, car le père Thury avait toujours vécu avec eux et comme eux. Cela dit, il ne pouvait pas oublier le rôle qu'il avait joué à Pemaquid, surtout, en incitant les Abénaquis à la haine des Anglais. Ce n'était pas là ce qu'il considérait comme une démarche particulièrement chrétienne. Un homme de Beaubassin qui était allé à Chibouctou rapportait que les Mi'kmaq lui avaient érigé un monument impressionnant. Celui-ci était constitué de solides pieux accolés les uns aux autres en forme de rectangle et recouverts d'une espèce de voute en écorce de bouleau. De gros cailloux recouvraient la fosse.

Un mois plus tard, ce fut au tour de l'abbé Jean Baudoin de mourir. Ce dernier, qui vivait depuis une dizaine d'années à Beaubassin, remplaçait souvent le père Claude Trouvé, que les Beaubassinois n'aimaient pas particulièrement. Ils n'appréciaient guère sa rigidité et se souvenaient du rôle odieux qu'il avait joué dans l'expulsion de la famille Morin. Le chirurgien Jacques Bourgeois, qui vivait temporairement chez son fils Germain, était venu à son chevet mais n'avait rien pu faire. Les remèdes indiens n'avaient pas non plus réussi à le soulager. Il souffrait depuis quelques mois d'une maladie inconnue qui finit par l'emporter. Le père Baudoin ne laissait pas un souvenir sans tache lui non plus. Il avait été sévèrement critiqué par Villebon, en particulier, pour ses nombreuses interventions dans le domaine civil, et aussi parce qu'il incitait les Indiens à se battre contre les Anglais. Il avait dû retourner en France pour défendre sa conduite dont il fut blanchi. On l'enterra au cimetière paroissial.

En moins de deux ans, Beaubassin avait retrouvé son visage d'avant la destruction orchestrée par le Benjamin Church. Rien n'avait réellement changé. La plupart des colons s'étaient reconstruits exactement comme avant. Curieusement, peu de gens avaient choisi de quitter Beaubassin pour s'installer ailleurs par crainte de nouvelles représailles. Seuls quelques-uns avaient suivi cette voie, dont Pierre Gaudet dit l'Aîné, qui après avoir quitté le fief des Gaudet à Port-Royal pour s'établir à Beaubassin avait maintenant choisi d'aller s'installer en amont de la rivière Memramkooke, près d'un campement mi'kmaq. Il faut toutefois dire que ce relogement était apparemment davantage motivé par le fait que les Bourgeois l'avaient obligé à s'établir sur un tout petit terrain, que par la crainte d'une nouvelle attaque. Pierre serait bientôt rejoint pas ses frères Abraham, Claude et Augustin.

Entre-temps, Anne avait donné naissance à un cinquième enfant, Charles. Encore une fois, Michel s'était réjoui d'avoir un quatrième fils.

— Nous sommes bien partis, ma belle, avait-il dit à Anne. Je vais pouvoir un jour développer notre grand marais, qui s'étend jusqu'à l'embouchure de la rivière, et en même temps contribuer à l'expansion de ce beau pays.

— Qu'est-ce que tu veux dire? avait rétorqué Anne, le sourire aux lèvres. Que les femmes ne peuvent pas contribuer au développement d'un pays?

— Mais non! Tu sais bien que non! Ce sont généralement les hommes qui exploitent de nouvelles terres pour constituer des domaines, mais sans les femmes, les habitants ne pourraient se multiplier et le pays stagnerait. Regarde-nous. Qu'est-ce que je serais sans toi? Un petit ouvrier employé par un grand seigneur. Non, ma vie a pris une autre tournure depuis que je suis avec toi. Mon bonheur est ici, sur cette terre, avec toi et nos enfants. Je remercie le ciel chaque jour de ce cadeau qui m'a été donné.

Avec le temps, Michel avait fini par s'installer aussi bien qu'avant, et même mieux, puisqu'il avait agrandi la maison et mis deux arpents de terre de plus en culture. Pendant l'hiver, alors que les tempêtes se multipliaient et que le temps était trop mauvais pour qu'il aille couper du bois de chauffage, il décida qu'il était temps d'apprendre aux plus vieux de ses enfants les rudiments de la langue et de l'arithmétique. Le petit Michel avait maintenant huit ans; Joseph, six; Marie, cinq; Jean-Baptiste, trois; et Charles, à peine un an.

Avant qu'il commence, Anne l'avait aidé à fabriquer une grande bougie de suif avec trois mèches, comme celle que possédait son père à Saint-Pierre lorsqu'il avait commencé à lui apprendre à lire et écrire. Il voulait essayer de retrouver l'atmosphère de son enfance, pensant que cela l'inspirerait, mais c'était peine perdue avec tous ces cris et ces poursuites autour de la grande table, qu'Anne occupait en partie pour préparer la soupe du lendemain. La soupe, accompagnée de pain, constituait souvent le repas principal de la journée. Anne essayait d'apporter un peu de variété en changeant chaque fois un ou deux ingrédients. Elle avait mis son tablier, ce qu'elle ne faisait que pour préparer les repas, contrairement aux autres femmes acadiennes qui portaient leur tablier à longueur de journée.

Michel voulait commencer par enseigner une semaine les mathématiques, puis une semaine l'alphabet. Les enfants commenceraient par apprendre à compter. Pour que l'exercice soit un peu amusant, il avait passé tout un après-midi à fabriquer de petits blocs de bois sur lesquels il avait écrit les chiffres à l'encre de Chine. Les enfants criaient tous ensemble les chiffres : un, deux, trois… jusqu'à dix, tout en les visualisant et en essayant de les retenir. Lorsque ce serait acquis, il leur montrerait comment compter jusqu'à cent avant de leur apprendre à calculer. Anne connaissait ses chiffres et savait calculer grâce à Michel, mais elle prenait plaisir à crier elle aussi les chiffres pour encourager les enfants.

L'apprenti professeur croyait dur comme fer aux bienfaits de l'éducation. D'après lui, c'était là la base du développement d'une société : savoir lire et écrire engendrait une fierté de soi et aidait à trouver sa place dans une communauté culturelle. Si cette expérience s'avérait concluante, il nourrissait le projet de donner des cours à tous les enfants de Vechcaque l'hiver suivant.

Le printemps était enfin arrivé et la neige fondait à vue d'œil. Michel appréciait beaucoup cette saison où l'on éprouvait partout un sentiment de renouvellement. En travaillant ou en se promenant dans les champs, il avait l'impression de faire corps avec cette nature qui s'éveillait. Il aurait voulu inculquer ce sentiment à ses enfants. C'est pour cela que, lorsqu'il avait un moment de libre, il prenait le petit Michel et Joseph par la main et les emmenait faire une marche dans les champs.

— Alors, ça sent bon la terre, non?

— Oui! crièrent-ils ensemble.

— On va plus loin?

— Oui! On va loin, loin!

Michel aimait s'arrêter à côté des petits ruisseaux dans les champs creusés par la neige qui fondait et écouter le ruissellement de l'eau qui se précipitait vers le bas de la côte. Les enfants manifestaient leur ravissement en pataugeant dans l'eau.

— Un autre jour, on ira à la pêche aux éperlans. Est-ce que ça vous intéresse?

— Oui. C'est bon les éperlans. J'aime ça.

— Alors on ira la fin de semaine prochaine.

Michel avait passé pratiquement tout le mois de mai à labourer ses quinze arpents cultivables. Il avait hâte que le petit Michel soit assez grand pour tirer les bœufs. Pour le moment, c'était Anne qui devait guider les bœufs pendant que Michel tenait la charrue, une charrue en bois qu'il avait confectionnée lui-même à partir d'un tronc d'arbre. Il avait taillé la grosse branche de façon à en faire un puissant soc tranchant. Le problème, c'est qu'Anne devait avoir recours à sa mère pour garder les enfants alors qu'elle-même en avait quatre à la maison, un peu plus grands tout de même.

Michel, qui pratiquait la rotation des cultures, avait déjà déterminé où il allait semer quoi: le blé, l'avoine, l'orge, le lin et le chanvre en quantité suffisante pour sa consommation personnelle. En ce qui concernait le blé, toutefois, il allait en ensemencer cinq arpents supplémentaires afin d'en avoir suffisamment pour vendre et échanger. Cette céréale était très prisée. Les colonies anglaises en redemandaient et payaient bien. Anne lui reprochait parfois de trafiquer avec les Anglais, qui les avaient tant fait souffrir, mais Michel se justifiait.

— Il faut bien vivre. J'aspire à la liberté de commercer avec qui je veux, mais que l'on me laisse par ailleurs la possibilité de vivre en paix. Le commerce et la politique sont deux choses différentes. Ce sont les administrateurs qui détruisent Beaubassin, pas les commerçants.

Une goélette anglaise chargée de produits de première nécessité était venue accoster à Beaubassin à la fin d'avril. Les bateaux français qui transportaient des biens ne venaient presque jamais à Beaubassin. Ils s'arrêtaient à la rivière Saint-Jean, où le gouverneur Villebon avait son quartier général. S'il restait quelque chose après que le gouverneur et ses amis de la garnison s'étaient servis, on acheminait le reste par barque à Port-Royal, aux Mines ou à Beaubassin. Michel y avait acheté quelques cuillers, un couteau de boucherie, un chaudron en fonte, des aiguilles et du fil, du sel, du sucre et du vinaigre, qu'il avait échangés contre deux peaux de castor, des peaux très recherchées qu'il avait obtenues des Indiens en échange de dix livres de grains de blé d'Inde séchés.

Comme tous les printemps, il avait fallu tondre les brebis avant l'arrivée des chaleurs. Là encore, ce n'était pas un travail qui se faisait seul, car il fallait attacher la bête par les pattes afin qu'elle ne bouge pas pendant la tonte. François et Michel avaient acheté en commun l'année précédente une nouvelle paire de forces, ce qui facilitait le travail. Avec l'aide de son beau-frère, il avait pu tondre ses quinze brebis en l'espace de deux jours. Ensuite, il fallait laver cette laine, souvent malpropre, avant de la faire bouillir, puis la laisser sécher au soleil avant de pouvoir la carder, un travail qui se faisait le plus souvent en groupe. Après, elle était prête à être filée au rouet, puis à utiliser pour confectionner des vêtements chauds pour l'hiver. C'était là un long processus, mais qui en valait la peine puisque l'on pouvait tricoter des bas, des mitaines, des bonnets, des vêtements de corps pour toute la famille. Pour faire plus joli, on teignait souvent la laine avec des fleurs, des racines ou de l'écorce de certains arbres mélangée à du vinaigre. La laine constituait ce qu'il y avait de mieux pour se protéger des rigueurs de l'hiver. C'était donc un produit qui se vendait bien tel quel, mais Anne préférait vendre les vêtements qu'elle en confectionnait, comme les mitaines et les chaussettes, parce que cela rapportait plus.

Anne était enceinte de six mois, mais cela ne la gênait aucunement dans ses activités journalières. Elle possédait une énergie et une détermination qui faisaient l'admiration de son mari. Dès le temps des fraises des bois, elle laissait le petit Michel à son père, embarquait Charles et Jean-Baptiste dans le petit charriot, prenait Marie et Joseph d'une main et se dirigeait vers le talus à l'orée du bois pour cueillir les petites fraises sauvages qui y poussaient en abondance. Plus tard, on trouverait des framboises un peu plus haut, près de la clairière, et encore plus tard, des bleuets. Anne mettait tous ces fruits en confitures que les enfants adoraient sur du pain sortant du four.

Le gouvernement français venait de faire un recensement de toute l'Acadie. D'après les recenseurs, Beaubassin comptait vingt-huit familles, ce qui, en comptant les parents et les enfants, faisait un total de cent-soixante-dix-huit personnes. Michel savait, pour avoir vu arriver et grandir tout ce monde, que la plupart des familles partageaient des liens de parenté. Anne et lui, étant un mariage relativement jeune, n'avaient pas encore eu la possibilité de se disséminer. Par contre, sa belle-famille, en incluant la veuve Cormier, comptait déjà cinq ménages. On ne pouvait pas trouver à Beaubassin de meilleure illustration des liens de parenté que celui de la famille Cormier. En effet, les quatre fils de Thomas Cormier, François, Alexis, Germain et Pierre, avaient épousé – ou étaient sur le point d'épouser, dans le cas de Pierre – quatre des filles de Jacques LeBlanc de Port-Royal, Marguerite, Marie, Marie-Marguerite et Catherine.

Michel n'en revenait pas de voir à quel point Beaubassin avait mis peu de temps à se relever de l'attaque des Anglais. Physiquement, tout paraissait comme avant, mais psychologiquement, une inquiétude et une méfiance s'étaient installées dans l'esprit des gens. Lorsque l'on apercevait un navire approcher du bassin, s'il battait pavillon anglais, on devait s'assurer qu'il était seul. De plus, on surveillait de près l'action des corsaires, des commandants militaires et même du gouverneur Villebon qui, de son propre aveu, menait une guerre secrète contre les Anglais. Il avait même des espions, tel Abraham Boudrot, qui commerçait de façon régulière avec Boston depuis des années et informait le gouverneur Villebon de tout ce qui se tramait là-bas d'un point de vue militaire. C'est même lui qui, en 1694, avait fourni à la marine française, par l'entremise de Villebon, le plan détaillé du fort William Henry de Pemaquid, ce qui avait facilité sa prise et sa destruction. Malheureusement, cette action avait eu comme conséquence la mise à sac de Beaubassin.

Une des truies de Michel venait de mettre bas, au plus grand plaisir des enfants. Elle avait été placée dans un enclos séparé pour que les autres cochons ne piétinent pas les porcelets. Les enfants étaient montés sur le bord du parc et riaient à gorge déployée.

— Regarde! Regarde! disait Joseph. Ils courent d'une tétine à l'autre avec la queue en l'air.

— Papa, viens voir! s'écria le petit Michel. La truie ne bouge pas. Est-ce qu'elle est morte?

— Mais non. Elle se repose seulement. C'est fatigant de mettre au monde une pareille portée. Et puis il faut qu'elle reste couchée sur le côté pour que ses petits puissent boire.

Michel était content d'avoir une si belle portée: neuf porcelets en tout, tous bien vivants. Avec les sept cochons qu'il engraissait, ils n'allaient pas manquer de viande de porc pendant les prochaines années.

Claude-Sébastien de Villieu était passé en France après avoir été libéré de sa captivité sur les insistances de Frontenac. À son retour de France, il s'était arrêté à Naxouat, sur la rivière Saint-Jean, où Frontenac lui avait confié le commandement du fort.

Au mois d'août, il vint s'installer au manoir pendant quelques jours, le temps vérifier l'état des travaux et de régler quelques problèmes d'ordre administratif. Lorsque Michel aperçut un bateau de la marine française ancré dans le bassin, il se douta bien que de Villieu était de retour. Il se rendit au manoir le jour même, au cas où il repartirait rapidement.

— Par un curieux hasard, raconta de Villieu à Michel, je suis arrivé à Naxouat alors que le gouverneur Villebon venait de mourir. J'ai été fort attristé par cette nouvelle, car je le connaissais très bien. Je regrette de n'avoir pas été là au moment de son décès.

Les deux hommes avaient en effet étroitement collaboré durant les neuf années du règne de Villebon comme gouverneur.

Dès le début de son mandat, de Villieu avait été nommé lieutenant en Acadie. Celui-ci avait ensuite participé à plusieurs expéditions contre les Anglais en compagnie du baron de Saint-Castin, de d'Iberville et de Bonaventure.

Quelques jours après son arrivée à Beaubassin, de Villieu apprenait d'un messager venant de Québec que le nouveau gouverneur général de la Nouvelle-France, Louis-Hector de Collière, le nommait commandant par intérim de la colonie acadienne. C'est donc dire qu'il devenait dans les faits gouverneur d'Acadie sans en avoir le titre. De plus, il exerçait le rôle de seigneur de Beaubassin sans en avoir le titre. À ce propos, il informa Michel que LaVallière n'était pas à la veille de revenir à Beaubassin.

— Le mois dernier, il a été nommé major de Montréal, dit-il, un titre bien plus prestigieux que celui de seigneur de Beaubassin ou de capitaine des gardes de Frontenac. Le gouverneur général vient de lui donner la responsabilité de se rendre à Boston pour négocier le rapatriement des prisonniers français encore détenus là-bas. Ses fils ont presque tous suivi le même chemin que leur père, continua-t-il, et embrassé la carrière militaire. Alexandre est capitaine, Jacques est lieutenant et Michel est officier de garnison à Plaisance. Seul Jean-Baptiste a dévié de cette voie. Il est entré en religion chez les Récollets. Quant aux filles, Marie-Josèphe vient de se marier à Jean-Paul Le Gardeur de Repentigny, Marguerite a épousé Louis-Joseph de Gennes de Falaise et Barbe est toujours célibataire. Judith et moi, comme tu le sais, vivons à Québec. Sais-tu cependant que nous avons eu un enfant dernièrement? Un autre Sébastien.

Michel se demandait si tous ces mariages entre nobles ne faisaient pas l'objet d'une entente conclue entre eux. Y avait-il de la place pour l'amour à l'intérieur d'une telle classe aristocratique aussi restreinte?

Cela faisait plus de dix ans maintenant que Michel avait quitté le manoir pour voguer de son propre chef. Même si toute cette belle noblesse appartenait à un autre monde que le sien, un écart qui s'était encore creusé avec le temps, il était très content de recevoir de leurs nouvelles, car il avait fait partie de leur vie pendant de nombreuses années. Qu'Alexandre soit militaire ne l'étonnait pas du tout; par contre, il était surpris de voir que Jean-Baptiste était entré dans les ordres. Il n'avait pas l'air particulièrement pieux. Michel se demandait toujours ce qui avait bien pu arriver de l'enfant de Louis Morin et Marie-Josèphe.

Au mois de septembre, Michel, accompagné de François Cormier, se rendit à la baie Verte chargé d'un baril de farine et d'un demi-baril de viande de porc salée. Il avait toujours gardé un bon contact avec les pêcheurs de la baie Verte, qu'il visitait de temps en temps pour échanger des denrées alimentaires. Les deux hommes revinrent à la maison avec un baril de morue salée et un autre de hareng salé.. Arrivés au ponton de Vechcaque, ils constatèrent un va-et-vient inhabituel autour de la maison, comme si quelque chose d'anormal se passait. Michel pensa tout de suite à Anne, qui était sur le point d'accoucher, et il prit peur.

— Je cours à la maison, dit-il à François. Sécurise le canot, je viendrai t'aider avec les barils plus tard.

Il courrait de toutes ses forces vers la maison lorsqu'il vit le petit Michel courir vers lui.

— Papa! Papa! cria-t-il. On va avoir un autre bébé!

Ce commentaire le rassura un peu, mais il demeurait tout de même agité. Arrivé à la maison, il vit que Madeleine était là et que tout était prêt pour l'accouchement. Il prit un petit banc, alla s'asseoir auprès d'Anne et la prit par la main. Ils souriaient tous les deux.

— Allez vous reposer, ordonna-t-il à la mère d'Anne. Je vous appellerai dès que les contractions seront plus rapprochées.

Entre-temps, François était allé chercher son frère Germain et ils avaient apporté les deux barils à la maison avec la brouette.

— J'espère que cet enfant-là va aimer le poisson salé, dit-il à Anne avec un sourire en coin, car nous en aurons pour un bon moment!

Anne voulut se lever pour aller préparer le souper. Michel eut tout le mal du monde à lui faire comprendre qu'il ne fallait pas courir le risque de compromettre l'accouchement. Une naissance représentait un événement trop important – et en même temps quelque peu risqué, puisque certaines femmes en mourraient – pour que l'on ne soit pas très prudent.

Germain entra à la maison pour dire qu'il venait traire les vaches et faire le travail de grange. Angélique, la sœur d'Anne, était venue chercher les enfants pour les emmener chez elle, et Marie-Madeleine, leur sœur aînée, arriva au milieu de la soirée pour assister sa mère. Elle l'avait aidé chaque fois qu'Anne avait enfanté, alors elle ne voulait pas manquer cet accouchement-ci.

Vers les petites heures du matin, un autre garçon sortit du ventre d'Anne. Michel n'osa pas dire qu'il était content d'avoir d'autres bras pour la ferme, de peur d'offenser Anne.

— J'aurais volontiers accepté une fille pour faire changement, finit-il par avouer, le sourire aux lèvres. Celui-ci, j'aimerais qu'on l'appelle Pierre, en souvenir de Saint-Pierre, au Cap-Breton, l'endroit où je suis né.

— D'accord! J'aime le nom de Pierre, répondit faiblement Anne, alors qu'elle cherchait surtout à voir si l'enfant était normal et ne présentait pas d'infirmités.

Michel pensait à son beau-père. Il aurait sans doute été très heureux de jouer son rôle de grand-papa auprès de tous ces petits qui se multipliaient avec les années. On comptait maintenant une bonne quinzaine de petits-enfants alors qu'il n'y en avait pas un seul lorsqu'il est décédé, dix ans auparavant. La région progressait. Beaubassin pourrait bientôt dépasser Port-Royal et les Mines. C'était son grand rêve: faire de ce beau coin de pays un village prospère peuplé de gens heureux.

— Nous avons tout ici pour devenir autosuffisants, disait-il. Il suffirait que l'on y attire plus de monde et que l'on nous permette de commercer aussi bien avec les Indiens qu'avec les

Anglais et les Français. Dans ces conditions, nous aurions un beau et grand pays dans lequel il ferait bon vivre.

Michel regrettait toujours la disparition de son beau-père. Il lui semblait que leur collaboration s'était terminée trop brutalement. Il éprouvait le sentiment de quelque chose d'inachevé. Il leur restait bien des choses encore à réaliser ensemble, dont la construction d'une goélette, ouvrage qu'il espérait pouvoir entreprendre de nouveau un jour, lorsque sa famille serait mieux établie.

Encore une fois, Anne insista pour être présente au baptême de l'enfant. Michel irait rencontrer le père Trouvé pour voir quand le baptême pourrait avoir lieu. Il aurait préféré un autre prêtre, mais il n'avait guère le choix. Il n'en pleuvait pas en Acadie.

De nouvelles personnes s'ajoutaient chaque année à la communauté de Beaubassin. Le plus souvent, ces ménages additionnels provenaient de mariage avec des filles d'ailleurs, généralement de Port-Royal, mais dans certains cas, il s'agissait de nouveaux mariés, comme Claude Bourgeois et Anne Blanchard, qui venaient de s'installer à Beaubassin. Michel ne pouvait s'empêcher de penser à ce que serait devenue la région si la grande famille Morin n'avait pas été chassée du village en 1687. LaVallière s'était senti déshonoré parce que sa fille de seize ans était enceinte d'un roturier, et il avait agi de façon irraisonnée. Il aurait pu empêcher le père Trouvé d'inciter le gouverneur Ménéval à entreprendre cette horrible chasse aux sorcières. Le fait d'expédier le jeune Louis en France malgré lui constituait déjà une punition hors proportion. Il n'existait aucun motif raisonnable pour expulser d'Acadie père, mère, frères, sœurs, oncles, tantes; une famille complète, soit une quarantaine de personnes en incluant les enfants.

Où était tout ce monde maintenant? De Villieu, qui les connaissait, lui avait dit qu'après avoir séjourné quelque temps à Restigouche, ils étaient presque tous allés à Québec. Quant au jeune Louis Morin, plus personne n'avait entendu parler de lui. Michel se demandait s'il était resté en France ou s'il avait trouvé le moyen de revenir en Nouvelle-France. Peut-être avait-il réussi à rejoindre sa famille à Québec.

Comme la saison froide approchait, Michel se préparait à faire boucherie. Il était allé chez le tonnelier de Beaubassin, Jacques Blou, pour acheter des barils neufs afin de saler suffisamment de viande pour l'hiver. Il avait utilisé tous ses barils pour saler des cosses vertes, des concombres, des betteraves mélangées à du vinaigre, et une partie des choux. Les choux restants seraient arrachés au début de l'hiver, tournés la tête en bas sur de la paillasse et laissés là enfouis sous la neige. Ils prenaient alors un goût tout différent. Quant aux autres légumes, navets, carottes, panais, oignons, ils seraient conservés dans la cave extérieure adjacente à la maison. Les légumes secs, pois, fèves, blé d'Inde, seraient gardés au grenier de l'habitation principale.

Michel tuerait d'abord le cochon et en salerait la plus grande partie, après avoir distribué « le morceau du voisin » aux gens du hameau. Il garderait le reste pour manger frais. Anne et lui n'appréciaient pas beaucoup le bœuf salé, alors il ne tuerait le bœuf que pour les fêtes, lorsque la gelée serait bien là et qu'il pourrait en conserver une partie au froid dans la boîte sur le toit, à l'abri des bêtes sauvages.

Puisque les cours de mathématiques et de lecture avaient obtenu un certain succès, Michel avait décidé de les reprendre après les fêtes, dès que l'hiver serait bien installé. Il voulait y inclure cette fois tous les enfants du hameau en âge d'apprendre, ce qui ferait une bonne douzaine d'élèves en tout. Il appréhendait un peu cette horde d'enfants qui serait sans doute difficile à contrôler, mais il tenait tellement à ce que tout le monde sache lire et écrire qu'il était prêt à faire l'effort nécessaire pour leur inculquer malgré tout quelques notions de base. On disait que le père Félix Pain, nouvellement arrivé à Beaubassin, avait l'intention d'ouvrir une école au village.

— Ce serait une bonne chose, avait conclu Anne. Port-Royal a son école, les Mines aussi. Alors pourquoi pas Beaubassin ?

Pour l'instant, ce n'était que des rumeurs, mais de toute façon, le chemin pour se rendre au village s'avérait le plus souvent impraticable en hiver. Ce problème ne se posait pas pour la majorité des habitants de Beaubassin, qui n'avait pas à traverser de rivières, mais pour les gens de Vechcaque se rendre au village constituait un vrai problème.

'hiver constituait un moment de l'année assez particulier dans la vie des Beaubassinois. On s'encabanait et se blottissait autour du foyer pour se protéger du froid. C'était comme si l'on voulait faire corps avec la nature qui attendait le printemps pour se réveiller. Pendant les tempêtes, les sorties étaient limitées au strict minimum. Les enfants sortaient parfois pour s'amuser à dévaler la pente avec le toboggan que leur père avait acheté aux Indiens, mais ils ne restaient pas longtemps. Le froid les ramenait vite à la maison.   Michel pour sa part devait se rendre à la grange pour nourrir les animaux et leur donner de l'eau fraîche puisée directement du puits, car dans la grange l'eau gelait dans les récipients. Pour l'hiver, il avait installé la basse-cour à l'intérieur de la grange pour que les poules ne meurent pas de froid. Les bêtes à cornes, surtout, dégageaient une bonne chaleur. Quant aux brebis, elles étaient enveloppées d'une bonne épaisseur de laine ce qui les gardait bien au chaud.

Il était heureux de se trouver parmi les bêtes, au milieu de cette nature qui respirait et vivait. Qu'y avait-il de plus beau que la vie qui jaillissait de partout? Chacune de ces bêtes portait la vie en elle, tout comme le grain qu'il venait de lui donner et le foin dont elle se nourrissait. Tout cela formait comme un cycle. Il fallait que le grain meure pour qu'il pousse de nouveau et se multiplie pour nourrir les bêtes qui, à leur tour, mourraient pour nourrir les hommes. Ainsi allait la vie. Mais alors, pourquoi fallait-il que les hommes meurent? Vaste question.

C'est avec ces idées quelque peu bizarres en tête qu'il entra à la maison, au milieu d'un vacarme incroyable. Pour un instant, il se prit à regretter le silence des bêtes.

— Eille! Qu'est-ce qu'il se passe? cria-t-il.

Les cinq enfants s'étaient tous entassés sur leur unique paillasse où ils se basculaient, sautaient et criaient comme des abrutis. Michel enleva son manteau, son chapeau de fourrure et ses sabots enneigés et enfila ses mocassins. Normalement, le lit des enfants se trouvait au grenier, mais pendant les grands froids d'hiver, on descendait le matelas dans la grande pièce près de la cheminée. Il s'approcha d'Anne qui préparait une soupe aux légumes avec un morceau de porc salé.

— Qu'est-ce qu'ils ont tous aujourd'hui? demanda-t-il.

— Je ne sais pas. C'est la tempête, je suppose. Ils ont été comme ça tout l'avant-midi. Essaye de les calmer si tu peux. Moi, je n'en peux plus.

Michel s'empressa d'enlever Charles du lit. Il avait à peine un an et demi et risquait de se faire frapper par les autres, qui n'arrêtaient pas de sauter en criant et en riant aux éclats.

— Michel, viens ici, ordonna-t-il. Tu es assez grand pour comprendre qu'il ne faut pas sauter à côté de Charles. Il est trop petit pour savoir se protéger. Tu dois comprendre aussi que tous ces cris épuisent ta mère. Il faut vous calmer.

— Mais papa, on fait juste s'amuser.

— D'accord, mais vous devez modérer le ton et ne pas entraîner Charles dans vos jeux. Si vous vous calmez, je vais vous conter une histoire.

— Oui! Oui! s'écria Joseph. La bête à sept têtes.

— Oui! Oui! La bête à sept têtes! crièrent-ils ensemble. On veut la bête à sept têtes! On veut la bête à sept têtes!

Michel se rappelait vaguement que son père lui contait des histoires lorsqu'il était petit, mais il ne s'en souvenait pas assez pour pouvoir les répéter. Ceux-ci étaient enfouis trop loin dans sa mémoire. Par contre, il se souvenait bien de ceux qu'il avait appris au Séminaire de Québec, où un de ses professeurs leur racontait chaque semaine un conte qu'ils devaient par la suite réécrire de mémoire. Il se félicitait d'avoir pensé à ces contes qui, chaque fois, calmaient les enfants. Plus tard, il utiliserait la même méthode que son professeur pour leur apprendre à écrire. Mais avant cela, il restait un long chemin à parcourir.

De Villieu n'exerça pas le commandement de la colonie par intérim bien longtemps : à peine plus d'un an. En juin 1702, le gouvernement français nommait Monbeton de Brouillan gouverneur de la colonie acadienne. Il arrivait de France, où il venait de passer quatre ans après avoir été commandant de la colonie de Plaisance, à Terre-Neuve. Il emmenait avec lui quarante soldats et des munitions pour la garnison de Port-Royal.

De Villieu, qui avait été récemment nommé major d'Acadie, se disait peu impressionné par ce gaillard d'homme, coléreux et très autoritaire, qui semblait vouloir mener le pays à la baguette.

— Il est arrivé à Chibouctou au lieu de Port-Royal, raconta de Villieu à Michel lors d'une visite, par exprès ou par accident, je ne sais pas. De là, il a décidé de continuer son chemin à pied jusqu'à Port-Royal. Il est parti avec quatre soldats de la garnison alors que le navire, commandé par Simon-Pierre Denys de Bonaventure, faisait le tour par Cap Sable pour rejoindre la baie Française, puis Port-Royal. De Brouillan s'est arrêté aux

Mines, s'est rendu à Pisiquid pour parler aux gens, puis a continué sa route jusqu'à Port-Royal. Le trajet lui a demandé une bonne dizaine de jours de marche !

Contrairement à de Villieu, Michel trouvait que cette façon de faire avait un bon côté. Il permettait au nouveau gouverneur d'avoir une meilleure idée, même si elle était loin d'être exhaustive, de la colonie. Il regrettait seulement qu'il ne soit pas venu à Beaubassin, mais il comprenait que cette excursion lui aurait demandé beaucoup plus de temps, car il aurait fallu qu'il monte jusqu'à Cobiquid d'abord avant de rejoindre Beaubassin, et qu'il refasse le même trajet au retour.

— Les habitants de Port-Royal n'étaient pas du tout impressionnés de le voir arriver, continua de Villieu, car c'est là qu'il avait décidé d'installer son quartier général. Aucun gouverneur ne s'était installé à Port-Royal depuis plus de dix ans. Les habitants avaient peur qu'un nouvel officier français tente encore de leur imposer des charges et ainsi entraver leur indépendance. Quant à moi, il m'a même laissé entendre qu'il n'avait pas besoin de moi.

Michel avait dû agrandir son poulailler, car il avait mis cinq douzaines d'œufs à couver. Normalement, les gens gardaient des poules principalement pour les œufs. Cependant, il arrivait que l'on tue les vieilles poules, surtout pour les fêtes ou lorsque de la visite arrivait à l'improviste. Michel, lui, aimait la chair blanche et délicate des jeunes poules et avait décrété qu'il voulait en manger une fois par semaine.

— Ce n'est pas une mauvaise idée, avait dit Anne, mais encore faut-il les nourrir, alors que le gibier est abondant autour d'ici et qu'il est plus savoureux.

— Mais il ne faut presque rien pour nourrir une poule ! On les laisse picorer dehors toute la journée ; le soir, on les appelle au poulailler avec quelques grains de blé, et le tour est joué.

— Et l'hiver, alors ?

Michel était resté muet. Il ne savait quoi répondre.

Cette armée de petits poussins venus au monde dans l'espace de trois semaines ravissait les enfants, mais il avait fallu leur interdire de courir après, car ils auraient pu les tuer en marchant dessus, tellement ils faisaient peu attention.

L'été, les enfants se disaient au paradis, sans savoir ce que cela voulait dire. Ils marchaient pieds nus, couraient dans les champs de foin, barbotaient dans le ruisseau à côté de la grange, et même s'y baignaient par temps chaud. Les plus grands trimballaient les plus petits dans le chariot et faisaient le tour des champs en culture. Les parents s'en réjouissaient, car ils n'avaient qu'à jeter un coup d'œil sur eux et vaquer aux diverses tâches qu'exige une ferme où l'on s'adonne aussi bien à l'élevage qu'à la culture céréalière et fourragère, sans compter le grand potager dont les fruits permettaient de vivre convenablement toute l'année. Comme tout devait être fait à la main, à part le labourage et le hersage, pour lequel on utilisait les bœufs, le travail de ferme demandait beaucoup de temps et d'efforts. L'été, il n'était pas rare de faire des journées de quinze à seize heures, parfois même plus. Michel remerciait le ciel d'être en bonne santé, tout comme Anne.

De Villieu faisait des visites régulières à Beaubassin. Parfois il s'arrêtait voir Michel, alors que d'autres fois, c'était ce dernier qui se rendait au manoir lorsqu'il le savait présent. L'administrateur de la seigneurie lui demandait souvent son avis, car il était la seule personne à Beaubassin qui avait vécu et travaillé au domaine de LaVallière pendant pratiquement douze ans et qui, par le rôle qu'il y avait joué, connaissait très bien tous les rouages de la seigneurie. Michel en était venu à estimer cet homme, même s'il était loin d'être toujours d'accord avec lui.

— Avec la nouvelle guerre qui vient d'éclater en Europe au sujet de la Succession d'Espagne, les Anglais se montrent plus agressifs. Ils viennent de capturer quatorze navires français, dont neuf le long des côtes acadiennes.

— Ah non! s'écria Michel. Encore une raison pour les Français d'attaquer les Anglais. J'espère sincèrement qu'il n'y aura pas de représailles, car une autre attaque comme celle de Beaubassin marquerait la fin de l'Acadie.

— Non, ne t'inquiète pas, Michel, aucun ordre de riposte n'a été donné. Cette guerre a eu au moins une conséquence heureuse: Baptiste, qui avait été condamné à être pendu pour piratage, a vu sa peine commuée. La guerre entre les deux pays faisait de lui non plus un pirate, comme le prétendaient les Anglais, mais un prisonnier de guerre.

— C'est Anne qui ne va pas être contente! avoua Michel en riant. Elle ne supporte pas les bagarres en mer qui, il faut le dire, ne nous ont jamais servi, à nous, les Acadiens. S'il est libéré, tout va recommencer. On n'apprend pas de nouveaux tours à un vieux chien.

— Tu vas plus vite que la musique, Michel. Baptiste n'est pas sur le point d'être libéré, à moins que les Français détiennent un Anglais très important à échanger contre lui. Non, ils ne sont pas à la veille de lâcher quelqu'un qui les a tant de fois humiliés.

— J'espère que tu dis vrai.

En revenant à la maison, Michel décida de ne pas parler à Anne de cette nouvelle guerre qui se déroulait en Europe et du fait que les Anglais avaient capturé quatorze bateaux français, car elle était sur le point d'accoucher et il ne voulait pas la perturber. Il n'eut cependant pas à se tracasser bien longtemps, car le soir même, elle commença à avoir des contractions. Le lendemain, elle accouchait d'une petite fille.

— Alléluia! balbutia-t-elle une fois délivrée. Enfin une autre fille!

Michel vit son sourire moqueur. Elle voulait le narguer. Il rit; qu'importait à son esprit que ce soit un garçon ou une fille?

— L'Acadie a besoin des deux, lui murmura-t-il. Les hommes seuls ne peuvent pas donner la vie. L'essentiel pour l'instant, c'est que l'enfant soit en bonne santé, ce qui semble bien être le cas.

Lorsque, le lendemain, Anne se réveilla, elle décréta que c'était à son tour de choisir un nom.

— Après avoir donné ton nom au premier-né, nous avons choisi Joseph et Marie pour des raisons religieuses. Maintenant, j'aimerais que nous fassions les deux, que nous lui donnions mon nom, qui se trouve en même temps être celui de la mère de Marie. Elle s'appellera donc Anne.

Michel était content de sa famille, qui petit à petit s'agrandissait. Selon lui, il n'y avait pas lieu de s'arrêter là. Anne avait à peine trente ans, tandis que lui dépassait de peu la quarantaine. Si tout se passait bien, ils avaient encore tous les deux de belles années devant eux. Après treize ans de mariage, il adorait toujours autant sa belle Anne, si affectueuse et en même temps si dynamique. À travers toutes ses occupations, elle prenait le temps de s'arrêter quelques instants pour montrer à sa famille combien elle l'aimait. Michel appréciait ces moments de tendresse qui lui allaient droit au cœur. De plus, il se disait souvent impressionné par ses talents culinaires, qu'elle mettait de temps en temps à profit pour l'impressionner. Elle savait amener de l'originalité dans des plats tout simples : la morue salée était préparée dans une sauce à la crème avec des oignons et des épices et servie sur une purée de navets et de carottes ; les viandes de porc, de lièvre et de poulet étaient mijotées dans la poêle puis enrobées d'une pâte à pain et cuites au four pour donner de succulents pâtés ; le saumon frais était tranché et poché dans un bouillon de porc salé, puis servi sur un lit de pousses de fougère que l'on trouvait en abondance en haut du marais au printemps.

De temps en temps, Germain Cormier, qui aimait faire la chasse, leur apportait, selon les saisons, un canard sauvage, un lièvre ou une pièce d'orignal ou de chevreuil. Michel adorait se promener dans la forêt, mais il n'aimait pas chasser. Il avait une fois tué un lièvre qui s'était longtemps débattu devant lui avant de mourir, et ce spectacle lui avait fendu l'âme. Pourtant, il comprenait bien la philosophie des Indiens par rapport à la chasse, une philosophie qui aurait dû sans doute être aussi la sienne, mais c'était plus fort que lui. Par contre, la coupe du bois en hiver n'était pas pour lui une corvée. Il adorait humer l'odeur des conifères et se promener parmi les arbres pour faire du nettoyage. Il emportait toujours son fusil, mais il espérait ne pas avoir à s'en servir, même pour se défendre contre les loups ou les ours. Il aimait cependant pêcher, et le poisson se trouvait en abondance à l'embouchure de la Tintamarre. On y pêchait de l'éperlan au printemps, puis de la truite, du saumon, de l'anguille et même de l'esturgeon et du bar.

De Villieu revint à Beaubassin à l'occasion du règlement de l'affaire du clan Thibodeau à Chipoudie. Les fils du meunier de Port-Royal avaient continué à endiguer des parties du marais. Ils y avaient aussi installé un moulin à scie tout en continuant à traiter avec les Indiens. Le Conseil d'État confirmait que Chipoudie faisait partie de la seigneurie de Beaubassin. C'était donc dire que les Thibodeau, aussi bien que les Blanchard, installés un peu plus en amont sur la rivière, étaient des censitaires de la seigneurie de Beaubassin. Toutefois, le seigneur n'avait pas le droit de les déloger des terres qu'ils occupaient et il devait leur accorder le droit de continuer à traiter avec les Mi'kmaq, mais il conservait le droit de demander un petit pourcentage des ventes de fourrures. De Villieu se disait content de cet arrangement qui devait régler le problème une fois pour toutes.

Michel se demandait pourquoi de Villieu insistait tant pour que Chipoudie, tout de même assez éloigné du centre de Beaubassin, fasse partie de la seigneurie. De toute façon, LaVallière n'avait plus vraiment d'intérêt pour cette dernière. D'autres préoccupations retenaient maintenant son attention. Il était un peu dommage que l'un de ses fils n'ait pas jugé bon de prendre la relève.

De Villieu trafiquait beaucoup avec les Indiens, dont il parlait couramment la langue. Homme actif, il s'occupait avec application des affaires de l'État comme des siennes, mais il s'entendait plutôt mal avec ses supérieurs immédiats, tels que Villebon et maintenant de Brouillan. Il va sans dire que des Gouttins, qui défendait les intérêts de son beau-père, Pierre Thibodeau, ne le portait pas dans son cœur. Par contre, il avait toujours eu l'appui des gouverneurs généraux de la Nouvelle-France, en particulier Frontenac, et maintenant de Caillère.

Les Beaubassinois se disaient heureux de voir que le gouverneur de Brouillan ne s'était pas installé chez eux, car depuis son arrivée, les problèmes ne cessaient de se multiplier à Port-Royal. On parlait même de scandale. Ce n'était pas la brouille entre les principaux représentants gouvernementaux qui retenait l'attention – de Brouillan, des Gouttins et de Villieu s'accusaient mutuellement de mal gérer la colonie –, mais les histoires d'amour quelque peu scandaleuses qui touchaient le gouverneur de Brouillan et Denys de Bonaventure. Ce dernier avait été nommé commandant en second et lieutenant du roi en Acadie. Du temps où de Brouillan était gouverneur de Plaisance, il avait entretenu une aventure amoureuse avec une certaine madame Baratte. Peu après son arrivée en Acadie, celle-ci était venue s'installer dans la maison du gouverneur et avait ouvert une taverne à Port-Royal. Au même moment, Denys de Bonaventure hébergeait la veuve de Fréneuse, une femme aventureuse que les gens connaissaient sous le nom de Louise Guyon. Elle avait cinq enfants avec elle, alors que De Bonaventure en avait au moins cinq de son côté, de deux femmes différentes, sans compter les aventures qu'il avait, semblait-il, eues avec des Indiennes. En 1703, Louise Guyon avait eu un enfant de Bonaventure alors qu'elle était la maîtresse du gouverneur Brouillan. Ces multiples liaisons avaient fait en sorte que l'évêque de Québec, monseigneur de Saint-Vallier, avait demandé que ces deux femmes soient renvoyées de la colonie.

Michel se demandait pourquoi le gouvernement français envoyait toujours en Acadie des personnes qui pensaient davantage à leur propre intérêt qu'au développement de la colonie. Toutes ces chicanes et ces aventures amoureuses ne pouvaient rien apporter de bon pour l'Acadie. Dommage, car Denys de Bonaventure aurait pu apporter une belle contribution au développement de l'Acadie. Il était estimé de beaucoup, même des habitants de Beaubassin. Il faisait souvent la navette entre la France, le Québec et l'Acadie pour transporter des marchandises d'un lieu à l'autre. Il n'hésitait pas à se rendre à Beaubassin, contrairement à beaucoup d'autres qui ne dépassaient pas Port-Royal. Malgré ses frasques amoureuses, il avait toujours bien servi l'Acadie. Mais il arrive parfois que la passion fait dévier la raison.

L'année 1704 commençait sur un bien mauvais pied. On avait appris au village que le nouveau gouverneur général de la Nouvelle-France, Rigaud de Vaudreuil, avait lancé une expédition à partir de Montréal sur Deerfield, un petit village de trois cents habitants à la frontière du Massachusetts. La troupe était composée d'une cinquantaine de Français et de deux cents Abénaquis. Ces derniers en voulaient aux Anglais d'avoir récemment détruit certains de leurs campements. Encouragés par les Français, les Abénaquis s'étaient vengés sur Deerfield en tuant une cinquantaine de personnes, en brûlant les maisons et les granges et en faisant une centaine de prisonniers, qui furent emmenés à Québec. Un vrai massacre pour une petite localité.

Michel, comme la plupart des Beaubassinois, était découragé. Il avait la conviction qu'un tel raid ne resterait pas impuni. Et comme l'Acadie constituait la colonie française la plus proche de la Nouvelle-Angleterre, ce serait encore les Acadiens qui payeraient. D'abord, il avait pensé ne pas en parler à Anne, mais il s'était ravisé. Il fallait qu'elle sache, car il y avait lieu de se préparer. Heureusement, sa femme était seule à la maison avec la petite Anne lorsqu'il entra chez lui. Les enfants étaient tous dehors en train de jouer dans le bac à sable que Michel leur avait fabriqué.

— Une expédition française de Montréal vient de détruire un village anglais et de tuer plusieurs personnes, annonça-t-il.

— Ah non ! s'exclama Anne, démoralisée. Pas encore ! Ils ne vont donc jamais s'arrêter, ces Français sans cœur ? C'est incroyable.

— Mais on ne sait jamais, peut-être qu'ils ne vont pas contre-attaquer ou qu'ils ne viendront pas jusqu'ici. Comme ils ont déjà attaqué Beaubassin en 1696, peut-être qu'ils s'en prendront à un autre village, cette fois. Et puis Port-Royal a maintenant une garnison qui devrait pouvoir nous défendre.

— Peut-être, mais je pense qu'il faut absolument garder en tête cette possibilité et se préparer à fuir. Nous devrions déjà aller cacher une partie de nos affaires quelque part dans la forêt. Nous pourrions même y aménager un enclos pour les bêtes.

— Il faudrait alors que ce soit bien loin en forêt, car les Anglais pourraient les entendre. Les cochons ne sont pas tellement discrets, et les brebis non plus, lorsqu'elles se mettent à bêler.

— Tu as raison, ce n'est pas une bonne idée, mais il y a bien d'autres choses que nous pourrions mettre en sûreté, par exemple mon rouet et mes outils pour tisser.

— C'est vrai, nous pourrions aussi déjà commencer à charger les charrettes.

Michel avait fait l'acquisition d'une deuxième charrette l'été précédent. Avec ses deux bœufs de trait, il serait capable de transporter beaucoup plus de choses qu'en 1696. Il est vrai que les enfants étaient maintenant plus nombreux, mais ils y arriveraient.

— Ce qui m'importe le plus, confia Anne, ce sont les enfants. Je ne voudrais pas qu'il leur arrive quelque chose. Les objets, ça se remplace, mais les enfants, non.

— Je suis complètement d'accord avec toi. Cependant, j'aimerais mettre un minimum de choses à l'abri, comme tu le suggérais, au cas où nous devrions recommencer, comme la dernière fois.

— Au fait, proposa-t-elle d'un seul trait, ne pourriez-vous pas, vous autres les hommes, aller voir le gouverneur de Brouillan et le convaincre d'arrêter ces attaques contre les Anglais ?

— Oui, c'est une bonne idée. Après tout, nous avons droit à nos opinions. Demain, j'irai au village pour lancer l'idée et voir ce que les gens en pensent. Entre-temps, je vais en discuter avec les voisins, les Bernard et les Doucet.

Il se rendit voir les voisins, qui tous l'appuyaient dans l'exécution de ce plan. Il y avait lieu, d'après eux, d'envoyer une délégation dûment mandatée pour aller rencontrer le gouverneur.

Lorsqu'il se présenta au village le lendemain, il déchanta. Un messager arrivant de Port-Royal rapportait qu'Abraham Boudrot était revenu d'un voyage à Boston, où il avait appris que le gouverneur Dudley avait confié la mission de massacrer l'Acadie à Benjamin Church, celui-là même qui avait fait tant de ravages à Beaubassin en 1696.

— Ah non ! s'écria Michel en apprenant cette nouvelle. Nous sommes perdus !

— Pas si vite, répliqua Roger Kessy, qui avait accompagné Michel au village. Nous pouvons peut-être nous organiser pour résister.

— Résister ? Mais ils sont cinq fois plus nombreux que nous !

— Peut-être, mais comme on dit, l'union fait la force. Il faudrait que les trois villages se mettent ensemble dans une même lutte. Port-Royal a son fort, les Mines aussi. Nous, nous n'avons rien, mais nous pouvons aider les autres pour empêcher les Anglais de se rendre à Beaubassin.

— Mais s'ils font comme la dernière fois, ils se rendront directement à Beaubassin. S'ils commencent par ici, nous ne pourrons pas les arrêter, à moins qu'ils ne soient qu'un tout petit groupe, ce qui, avec Church, me semble bien peu probable.

Pierre Hébert pensait qu'il fallait attendre encore un peu afin de connaître les intentions de Church, mais chacun savait que ce dernier n'avait aucune intention amicale. Selon le messager, un dénommé Forêt, Church avait apparemment parcouru quinze lieues à pied pour offrir ses services afin d'organiser une expédition punitive contre l'Acadie. Cela en disait long sur son besoin de vengeance.

— Mais c'est vrai qu'en attendant, nous pourrions aller à Port-Royal rencontrer le gouverneur et voir quelles seraient ses actions en cas d'attaque et lui demander de quelle manière il compte nous venir en aide et nous protéger.

— Michel, tu as une grande barque à voile. Nous pourrions facilement nous rendre à Port-Royal en deux jours.

— La barque appartient aux frères Cormier, mais je peux l'utiliser comme je veux. Je suis bien disposé à faire ce trajet.

Le lendemain matin, de très bonne heure, Germain et Pierre Cormier, Jean Poirier, Pierre Hébert et Martin Richard accompagnèrent Michel en direction de Port-Royal. Le vent était doux et la barque voguait en toute quiétude. Néanmoins, Michel ne pouvait s'empêcher de penser que ces eaux actuellement si paisibles pourraient bientôt être couvertes de bateaux anglais qui, la rage au cœur, avanceraient comme des béliers de guerre prêts à semer la mort et la destruction partout en Acadie.

Pendant le trajet, chacun y alla de son histoire impliquant les Anglais et de ses suggestions de moyens à prendre pour s'en débarrasser, mais personne n'avait de solution concrète à proposer.

Les Anglais étaient bien plus nombreux que les Acadiens, et les défenses de ces derniers étaient très rudimentaires. Michel leur rappela ce que Church avait dit aux quelques personnes rassemblées avant son départ de Beaubassin : « S'il y a un autre raid contre les Anglais, c'est moi-même qui viendrai avec des centaines de sauvages que je laisserai libres de scalper et tuer tous les Français de la région, car ce sont eux, les véritables auteurs de ce mal qui nous ronge. » C'est sans doute pour cette raison qu'il s'était proposé pour organiser lui-même cette expédition.

Le lendemain après-midi, ils entraient dans la rade de Port-Royal. Ils se rendirent au fort, où de Brouillan était en train de faire réparer des brèches dans la forteresse inachevée. La garnison de Port-Royal n'était pas bien importante, elle comptait tout au plus une centaine d'hommes. De Brouillan avait par ailleurs mis sur pied une milice populaire composée d'Acadiens, mais celle-ci ne dépassait pas une trentaine d'hommes. Le commandant du fort, Denys de Bonaventure, entraînait ses hommes au combat. Les deux officiers s'attendaient à ce que Port-Royal soit attaqué, puisque c'était la capitale de l'Acadie. De Brouillan ne fut pas très réceptif à leur demande.

— Ce n'est pas nous qui attaquons, ce sont les Anglais. Nous nous préparons à nous défendre, voilà tout.

— Mais ce sont quand même les autorités françaises et leurs complices, tels que Saint-Castin et certains religieux, qui incitent les Abénaquis à attaquer les villages anglais ! lança Michel.

— Les Anglais avaient détruit quelques-uns de leurs campements, il semblait donc logique qu'ils se vengent.

— Si les Anglais nous attaquent, c'est parce que nous vivons sous un régime français et qu'ils ne font pas la différence entre un Français et un Acadien. À ce que je sache, aucun Acadien n'a attaqué de village anglais.

— On croirait que vous m'accusez d'être responsable de ces attaques !

Michel fit comprendre aux autres qu'il était inutile de continuer cette conversation. De Brouillan n'était aucunement disposé à admettre l'implication d'officiers français dans ces attaques.

— Vous feriez mieux de vous organiser une milice, comme ici et aux Mines, lança le gouverneur alors que le groupe levait l'ancre.

— Comment ça, une milice? rétorqua le jeune Pierre Cormier. Nous n'avons même pas un semblant de fort où nous pourrions nous mettre à l'abri. Il me semble que c'est le rôle du gouverneur de protéger ses citoyens.

Le chemin de retour ne fut pas des plus gais. Cette altercation mettait en évidence l'incompréhension des représentants de l'État français envers la colonie acadienne.

La navigation ne fut pas aussi calme qu'à l'aller. La marée descendante, très forte à certains endroits, exerçait une force contraire qui empêchait la grande voile de se déployer correctement. Il avait donc fallu ramer à contre-courant pendant une bonne partie du trajet.

Qu'allaient-ils faire maintenant dans l'éventualité d'une attaque? Michel avoua au groupe qu'Anne et lui avaient décidé d'aller mettre certains objets en sécurité dans la forêt, des choses dont ils n'avaient pas besoin pour l'instant, comme la charrue, les scies, le rouet, etc., et qui ne risquaient pas d'attirer les bêtes sauvages. Jean Poirier pensait qu'il fallait organiser un commando de miliciens pour attaquer avant que les Anglais puissent mettre le pied à terre, mais Michel et quelques autres s'objectèrent.

— Sur qui pourrions-nous compter? demanda Michel. Tout au plus une trentaine de personnes, alors que de l'autre côté ils sont des centaines, avec des armes beaucoup plus performantes que nos vieux mousquets de chasse.

— Nous aurions sans doute l'aide des Indiens, qui sont de bons guerriers.

— Là, je m'y oppose encore plus catégoriquement! lança Michel. Ne faisons pas payer les Indiens pour les bêtises des autorités françaises. Laissons-les tranquilles comme nous aimerions que l'on nous laisse tranquilles. Il vaut mieux aller se réfugier dans la forêt ou chez les Indiens, qui nous ont toujours généreusement accueilli.

— Allons, tu as peur des Anglais? lança le jeune Martin Richard.

— Là n'est pas la question, répliqua Michel. Quand tu auras cinq jeunes enfants, tu comprendras. Ce sont eux ma priorité.

— Oui, mais si nous ne nous débarrassons pas des Anglais, nous ne pourrons jamais vivre en paix.

— Il faut être réaliste et évaluer nos chances de succès. Si nous risquons de nous faire tuer, ce n'est pas la bonne solution.

Qu'allaient-ils faire, maintenant? La question demeurait en suspens. Certains resteraient pour agir en éclaireurs, peut-être accompagnés de quelques Indiens. Ces derniers tenaient un des leurs posté presque en permanence aux abords du bassin pour surveiller l'arrivée éventuelle de bateaux, petits et grands.

Les dernières années, la population de Beaubassin s'était transformée, comme si l'attente d'un ouragan avait réveillé les plus sceptiques. Après la mort de Jacob Bourgeois, le patriarche de Beaubassin, son fils Guillaume et sa femme avaient déménagé pour de bon à Port-Royal. L'année suivante, son autre fils, Germain, prit le même chemin avec sa deuxième femme, Madeleine Dugast. Ils s'installèrent à Pré Ronde, sur l'ancien emplacement de leur père. Il faut dire que Germain avait été particulièrement échaudé en 1696 alors qu'il avait négocié avec Church. Celui-ci lui avait donné l'assurance qu'il épargnerait Beaubassin, mais il avait ensuite trahi sa parole. De plus, il l'avait humilié auprès des autres habitants en ne touchant pas à sa propriété.

Des femmes aussi quittaient Beaubassin. Angélique Chiasson, la fille de feu Guyon Chiasson, venait d'épouser le soldat Pierre Carnot et avait déménagé à Port-Royal. Un autre membre de la garnison de Port-Royal, Louis Marchand, avait épousé Anne Godin, la fille de Laurent Godin. Celle-ci alla rejoindre son mari à Port-Royal.

Des rumeurs voulant que la Nouvelle-Angleterre soit à la veille d'attaquer l'Acadie se faisaient de plus en plus persistantes. Les craintes d'Anne et de Michel s'avéraient donc fondées. Les colons du Massachusetts n'avaient jamais accepté le fait que l'Angleterre ait cédé l'Acadie à la France en signant le traité de Ryswick. Pour eux, l'Acadie représentait la porte d'accès au reste de la Nouvelle-France qu'ils tentaient de conquérir. C'était la raison pour laquelle ils cherchaient à détruire l'Acadie française et la remplacer par une colonie anglaise.

Michel était impressionné par le réseau d'éclaireurs et de surveillance mis spontanément en place par les gens de Beaubassin, des jeunes surtout, qui se préparaient à faire la guerre aux Anglais et qui semblaient être au courant des moindres mouvements des troupes anglaises. Ils savaient qu'une expédition de quatorze petits navires et de trois navires de guerre était partie de Boston de 15 mai pour se rendre vraisemblablement en Acadie. Les troupes s'étaient arrêtées à Pantagoët, où elles avaient détruit toutes les installations du baron de Saint-Castin.

Le groupe de miliciens de Beaubassin, composé d'une dizaine de jeunes et d'autant d'Indiens, savait que deux des navires de guerre étaient des frégates qui faisaient partie de la flotte de la marine britannique et étaient armées d'une bonne trentaine de canons chacune. Ces deux navires se trouvaient actuellement en rade devant le goulet d'entrée du bassin de Port-Royal.

— Quand les quatorze petits navires, accompagnés du navire de guerre, sont arrivés à Port-Royal, rapporta l'un d'eux, ils se sont agglutinés autour des frégates anglaises pendant plusieurs heures, comme s'ils étaient en pourparlers. Puis, soudain, les deux frégates se sont détachées du groupe pour se mettre à l'écart. Personne n'a tenté d'entrer dans le bassin de Port-Royal. C'est alors que l'autre navire de guerre et les quinze petits navires ont fait voile en direction des Mines et de Beaubassin.

Michel jugea qu'il était temps de partir, car les Anglais se dirigeaient encore une fois vers Beaubassin. Anne le talonnait depuis longtemps pour qu'ils partent. Pendant la dernière semaine, il avait travaillé d'arrache-pied pour confectionner un enclos à une demi-heure de marche en forêt pour y installer une bonne partie des bêtes dans l'espoir que les Anglais ne les découvriraient pas. D'après les surveillants indiens qui patrouillaient dans la baie Française en canot, les attaquants devaient être plusieurs centaines, aussi bien des Indiens que des Blancs.

Les deux charrettes de Michel étaient chargées à bloc. Ils avaient de la place pour presque tout emporter, cette fois-ci, même quelques meubles, dont la chaise berceuse qui avait demandé beaucoup de temps à fabriquer, et tout ce qui restait de farine, de viande et de poisson dans les barils. Les enfants occupaient tous la même charrette et se basculaient sur le matelas que l'on avait encore mis à bord. Pour eux, qui ne se rendaient pas bien compte du danger, cette expédition apparaissait comme une partie de plaisir. Le petit Michel, maintenant un grand garçon de treize ans toujours aussi indépendant, était content d'avoir été désigné pour guider les bœufs. C'est donc lui qui aurait la charge de la deuxième charrette, qui contenait la nourriture et les meubles. Comme en 1696, les Cormier faisaient aussi partie de l'expédition, mais pas les Doucet et les Bernard, qui avaient cette fois choisi une autre voie.

Dès que Michel, Anne et François eurent réussi à mettre la plupart des bêtes dans l'enclos à l'aide des chiens, le cortège se mit en route. Ils emmenaient les vaches à lait, parce que l'on ne pouvait pas les laisser sans les traire; autrement, elles auraient cessé de donner du lait. De plus, il était pratique de les avoir en route. Rien ne pouvait remplacer des morceaux de pain trempés dans un bon bol de lait chaud venant directement de la vache!

L'atmosphère qui régnait au sein du groupe n'était pas celle qu'ils avaient vécue huit ans auparavant. Ils étaient en terrain connu, et mieux préparés à faire face à toute éventualité. Comme en 1696, le groupe s'arrêta pour passer la nuit à Anse-des-Bourg. Cette fois, aucun Indien ne participait à l'expédition, mais ils n'étaient pas inquiets, ils savaient qu'ils seraient bien accueillis au campement.

Toutefois, le soir suivant, lorsqu'ils arrivèrent aux abords de la rivière en face de l'endroit où se trouvait le campement des Mi'kmaq, ils ne virent personne. Michel s'étonna qu'aucun Indien ne les ait vus arriver. Normalement, il y en avait toujours un ou deux qui descendaient ou remontaient la rivière. Se pouvait-il que les Mi'kmaq les aient abandonnés à leur sort? La panique s'empara d'eux. Ils n'avaient pas emporté de canot étant donné qu'ils avaient choisi de faire le trajet par voie terrestre. Ils avaient compté sur les Indiens pour les faire traverser de l'autre côté de la rivière. Ils n'avaient donc pas d'autre choix que de dormir sur place et d'attendre le lendemain pour prendre une décision. Mais laquelle? Ils n'avaient même pas envisagé la possibilité que les Indiens ne veuillent pas les recevoir.

Le lendemain matin, tout s'éclaira lorsqu'une jeune Indienne vint les trouver en canot. Elle expliqua que le sagamo était maintenant trop vieux pour se déplacer et que tous les hommes étaient partis au village pour aider les Acadiens à se battre contre les Anglais. Michel proposa de faire passer tout le monde de l'autre côté avec le canot des Indiens et François offrit de garder les vaches et de les conduire dans la forêt au cas où les Anglais remonteraient la rivière. S'ils les voyaient, cela ne manquerait pas de leur mettre la puce à l'oreille. Il fallait aussi cacher les charrettes. Michel dit qu'il irait au campement pour installer la famille et qu'il reviendrait pour l'aider avec le déplacement du matériel.

Le groupe de Michel reçut au campement le même accueil que la première fois, sauf qu'il n'y avait presque personne. Comme les Indiennes sont par nature plutôt discrètes, on aurait dit que le camp était vide. Michel se rendit chez le chef Tagahouto qui était assis par terre sous sa tente. Il se dit fatigué et avait visiblement vieilli, mais son esprit demeurait toujours aussi vif et il comprenait encore assez bien le français. Il demanda cette fois encore à sa femme de libérer un wigwam pour Michel et les siens. Il dit à ce dernier de se sentir chez lui et lui souhaita que les Anglais ne leur fasse pas autant de mal que la dernière fois.

Michel partit alors rejoindre François et ils conduisirent les bœufs et les vaches suffisamment loin en forêt pour qu'ils soient bien à l'abri des regards. Après avoir trait les vaches, Michel rapporta un récipient de lait et d'autres victuailles au campement pour nourrir sa famille et les Indiens qui en voudraient. Il avait promis à François de retourner faire son quart, car il fallait quand même une surveillance constante.

Au bout de quatre jours, un Indien arriva au campement avec des nouvelles fraîches. Les trois hameaux des Mines, Cobiquid, Pisiguit et Grand-Pré, avaient tous trois été entièrement rasés par le feu. Les Anglais avaient aussi brisé des digues et fait des prisonniers. D'après lui, Beaubassin allait être épargné, car ils étaient repartis vers Port-Royal. Toutefois, il convenait d'être prudents, car ils étaient toujours arrêtés devant le goulet de Port-Royal. Michel était content, mais pas vraiment rassuré.

— Tant que les Anglais ne seront pas repartis pour Boston, dit-il, je ne serai pas tranquille. Que font-ils à l'entrée de Port-Royal ? Pourquoi n'attaquaient-ils pas, puisqu'ils ont l'appui des deux frégates de la marine royale ? Cette absence de mouvement est inquiétante.

Deux jours plus tard, la panique s'empara du campement. Le petit-fils du chef arriva en courant pour dire que les deux frégates étaient parties, supposément pour Boston, mais que l'autre navire de guerre et les quatorze petits navires chargés d'hommes avaient repris la mer, en direction de Beaubassin, sûrement, puisqu'il ne restait plus rien aux mines. L'angoisse était à son comble. Les pires appréhensions des familles de Vechcaque étaient à la veille de devenir réalité. Anne et sa mère pleuraient, de même que les enfants. Ces derniers ne savaient pas trop ce qui se passait, mais ils sentaient bien que quelque chose d'anormal se déroulait.

— Que pouvons-nous faire, maintenant? demanda Anne entre deux sanglots.

— Rien, je le crains. Il n'y a plus qu'à prier et attendre que la tempête soit passée sans faire trop de dégâts.

— Quelle fatalité! Si ces affrontements doivent se répéter, peut-être ferions-nous mieux de déménager ailleurs.

— Oui, mais où? Certainement pas aux Mines et pas davantage à Port-Royal!

Le jeune Indien repartit à pied au village. Il n'avait pas voulu courir le risque de descendre la rivière en canot. Il promit à son grand-père qu'il n'irait pas se battre, mais simplement observer. Le petit Michel demanda s'il ne pouvait pas lui aussi aller observer, mais sa mère lui fit signe que non, pas ce jour-là. Michel se demandait où étaient allés les autres habitants de Beaubassin. Cela ne se pouvait pas qu'ils soient tous restés pour se battre. Il devait y en avoir qui avaient pris le bois, comme lui. Alors pourquoi ne s'étaient-ils pas réfugiés au campement des Indiens? Il est vrai qu'ils avaient bien d'autres campements dans les environs. Ils étaient probablement allés à un autre campement, ou avaient tout simplement décidé de s'abriter dans la forêt en attendant la fin de la tourmente. Les journées devenaient de plus en plus longues, et l'attente insupportable. Anne ne pouvait s'arrêter de pleurer. Elle avait toujours secrètement espéré que Beaubassin serait épargné, mais elle devait maintenant faire face à la dure réalité.

Le jeune Michel ainsi que Joseph avaient trompé la vigilance des parents et étaient allés se promener dans les bois près du campement. Michel était tombé d'un arbre et s'était éraflé une jambe, qui saignait abondamment. De retour au camp, on fit venir la guérisseuse, qui appliqua une pommade de résine de sapin sur la plaie pour arrêter le sang, puis enveloppa la jambe avec de l'écorce de bouleau tenue en place par des ficelles de racine d'arbrisseaux. Les enfants, honteux, subirent une sévère réprimande de la part des parents.

Deux jours plus tard, le petit-fils du sagamo revint avec d'autres nouvelles. Le groupe de miliciens avait essayé de se défendre, mais les assaillants étaient tellement nombreux qu'il avait dû battre en retraite. Les Anglais avaient semblé étonnés de trouver toutes les maisons vides. Il ne leur restait pratiquement plus de butin à prendre. Ils s'étaient vengés en mettant le feu à une quinzaine de maisons et en tuant une quantité impressionnante de bêtes. Ensuite, une dizaine de navires étaient partis remonter les rivières.

Le lendemain, tous les Indiens étaient revenus au campement. Les Anglais venaient de partir. Michel poussa un soupir de soulagement. Est-ce que sa maison avait été épargnée? Il n'en savait rien, mais au moins, ils étaient tous vivants et les Anglais ne les avaient pas débusqués. Les Indiens confirmèrent qu'une quinzaine de maisons avaient été brûlées dans le village, mais ils ne savaient pas s'ils en avaient brûlé du côté des rivières. Ils avaient tué au moins une centaine de bêtes et fortement endommagé les digues du côté est de la Mésagouèche, mais personne n'avait été tué au village. Aux Mines, cependant, quatre ou cinq personnes de chaque côté avaient été abattues.

D'après les Indiens, tout un groupe d'Acadiens était parti pour Chibouctou, guidé par le père Trouvé. Celui-ci disait y connaître une mission où ils seraient accueillis chaleureusement. Les Indiens, qui avaient l'habitude des longues marches dans la forêt, trouvaient cette décision très imprudente. Un périple de cette nature pouvait prendre une bonne semaine de marche. C'était un trajet très exténuant pour les femmes et les enfants, de même que pour le père Trouvé, qui n'était plus très jeune.

Michel avait hâte de retourner sur ses terres. Il avait besoin de savoir si sa maison faisait partie de celles qui avaient été épargnées. Il s'empressa de remercier ses hôtes, encore une fois, et leur dit qu'il espérait pouvoir un jour leur rendre cette hospitalité, mais dans d'autres conditions idéalement! Il remercia aussi Dieu de leur avoir gardé la vie sauve cette fois encore. Au moment de partir, le petit Michel annonça qu'il voulait rester là pour vivre avec les Indiens.

— Un jour, quand tu seras grand, tu pourras choisir la vie que tu veux.

— Mais je suis grand!

— Alors si tu es grand, dépêchons-nous d'aller voir si nous devons nous mettre à l'œuvre, toi et moi, pour reconstruire notre maison.

*M*ichel, Anne et les enfants arrivèrent à Vechcaque sous une pluie battante. Le trajet de retour avait été épouvantable, les charrettes s'étaient enfoncées dans la boue et leur contenu était imbibé d'eau. Eux-mêmes étaient trempés jusqu'aux os, l'eau ruisselait sur leur visage et de leurs vêtements. Comment feraient-ils pour se sécher, se demandait Michel, si leur maison avait été brûlée? Il y avait les voisins, bien sûr, mais que feraient-ils si eux aussi avaient passé au feu, comme en 1696?

Michel songeait à toutes ces possibilités lorsqu'il aperçut au loin la maison des Cormier. Elle avait l'air intacte, de même que les dépendances. Il y avait donc de l'espoir. Quelques instants plus tard, il repéra sa maison.

— Regarde! cria-t-il à Anne. Notre maison est debout!

Il était si heureux qu'il ne put contenir ses larmes. Il avait tellement imaginé le pire que la réalité lui apparaissait maintenant comme une illusion. Après tout, ce n'était peut-être qu'un mirage. De l'angle où il se trouvait, il n'apercevait pas la grange, mais seulement l'accumulation de petites dépendances qu'il avait construites au cours des dernières années : une qui servait de grenier, une remise pour les instruments aratoires, une pour la glacière, un poulailler et une bergerie. L'étable pour les bêtes à cornes de même que le parc à cochons se trouvaient à l'intérieur de la grange. Celle-ci apparut enfin derrière la maison au tournant suivant. Anne n'avait pas l'air d'y croire. Elle s'était de nouveau mise à pleurer, mais pour d'autres raisons. C'était comme si elle n'arrivait plus à s'enlever de l'idée que tout était parti en fumée, comme elle l'avait imaginé.

Michel perdit cependant son enthousiasme lorsqu'il se rendit compte, en approchant de la maison, que son grand champ de blé avait été brûlé. Il se trouvait presque entièrement détruit. Pire encore, deux larges brèches apparaissaient dans la grande digue qui longeait l'embouchure de la Tintamarre. La dernière marée avait déjà inondé une partie du champ d'avoine. Il fallait réparer ces brèches au plus vite si l'on ne voulait pas perdre toute la récolte, et même pire... Quelques jours d'inondation d'eau salée ne pouvaient constituer un grand danger pour la terre, mais quelques semaines l'auraient endommagée au point où il aurait été impossible de semer l'année suivante. Il fallait donc se dépêcher.

Ils déchargèrent rapidement les choses essentielles et sortirent du linge sec des coffres pour se changer. Visiblement, les Anglais n'étaient pas montés jusqu'aux habitations. Tout était intact. Les enfants, épuisés, n'arrêtaient pas de se disputer, mais éprouvaient en même temps le plaisir de se retrouver dans un milieu familier. Anne envoya le jeune Michel chercher de l'eau au puits pour qu'ils puissent se laver. Avant de se changer, Michel mit les vaches à l'abri dans la grange et dévala la pente pour examiner de plus près les dommages causés à la digue. Le reste attendrait au lendemain. La brèche n'avait pas été faite à la main. On avait visiblement tiré quelques boulets de canon à partir de la frégate qui accompagnait l'expédition. Heureusement, les aboiteaux n'avaient pas été touchés. Autrement, les réparations auraient été bien plus longues et onéreuses, car il aurait fallu défaire toute une partie de la digue pour réparer l'aboiteau, placé sous la digue à ras du sol. Les dégâts auraient donc pu être plus importants. Il y aurait une autre marée durant la nuit, mais il s'avérait tout à fait impossible de colmater les ouvertures en quelques heures. Dès le lendemain, il irait au village engager quelques ouvriers pour venir l'aider. Des boulets avaient aussi été tirés sur la digue des Cormier, mais ils ne semblaient pas avoir fait autant de dommages. En tout cas, de loin, la brèche apparaissait peu profonde.

Le soir même, Anne, qui avait enfin réalisé que leur domaine avait bel et bien été épargné, entama, après la récitation du chapelet, une longue prière pour remercier Dieu de sa bonté d'avoir protégé leur famille et leur domaine. Cette nuit-là, Anne la passa collée contre Michel, comme pour savourer leur bonne fortune. Elle riait par moments, autant par nervosité que par plaisir, comme quelqu'un qui vient de recevoir un cadeau tout à fait inattendu.

Le lendemain, Michel eut un pincement au cœur lorsqu'il s'aperçut, en arrivant au village, que la moitié des habitations avaient passé au feu. On aurait dit que les Anglais avaient frappé ici et là, au hasard. Curieusement, ils n'avaient pas touché à l'église, alors que la dernière fois, ce bâtiment avait été le premier à partir en fumée. Les gens marchaient dans la boue en cherchant des matériaux et de l'aide pour reconstruire. Ceux qui avaient vu leur maison épargnée offraient volontiers leur aide. Michel se sentait coupable de demander de l'aide alors que sa maison n'avait pas subi de dégâts, mais pour les habitants de Beaubassin, les digues avaient autant de valeur que les maisons. Avec de l'aide, la réparation pouvait se faire en moins d'une semaine ; il reviendrait alors au village pour aider les sinistrés et y emmènerait ses deux fils aînés. Même s'ils étaient encore des adolescents, il fallait qu'ils apprennent à aider leurs semblables. Michel réussit à recruter trois jeunes. Avec les quatre fils Cormier et ses deux plus vieux, il pourrait vite exécuter les réparations nécessaires pour restaurer sa digue et celle des Cormier. Tout le monde se réjouissait du fait que Church n'ait pas pu faire de prisonniers. Et pour cause : aucun habitant n'était resté au village, sauf les quelques jeunes qui pensaient pouvoir résister aux Anglais mais qui avaient vite pris la fuite. Church s'était donc retrouvé devant un village fantôme.

La reconstruction allait bon train. C'était moins désespérant que la dernière fois du fait que beaucoup de domaines étaient restés intacts. Le groupe d'Acadiens qui avait suivi le père Trouvé à Chibouctou était revenu au village avec de bien mauvaises nouvelles. Comme beaucoup le craignaient, cette expédition avait été au-dessus des forces de l'homme d'Église. Paul Devau, un de ceux qui l'avaient suivi, expliqua ce qui s'était passé.

— Nous venions tout juste d'arriver à la mission mi'kmaq de Chibouctou lorsque l'abbé Trouvé s'est effondré. Il est tombé dans un profond coma et, malgré tous les efforts des guérisseurs indiens pour le ranimer, il a rendu l'âme le lendemain matin, au milieu de ses chers Mi'kmaq et de ses paroissiens ébahis et attristés. C'était comme s'il avait attendu que nous soyons arrivés à bon port avant de mourir. Comme il était bien connu et estimé à la mission de Chibouctou, les Mi'kmaq ont insisté pour organiser une cérémonie funéraire. Il a donc été mis en terre, au milieu des chants indiens et d'une cérémonie de purification des lieux, en attendant qu'un missionnaire passe par là pour lui donner un enterrement selon les rites de la religion catholique.

Le raid de Church, même s'il avait fait moins de dégâts matériels que le précédent, avait créé un important traumatisme parmi la population de Beaubassin. Les gens se sentaient désorientés et ne savaient plus où donner de la tête. Certains des habitants, qui avaient tout perdu, décidèrent de quitter Beaubassin pour reconstruire ailleurs. Ce fut le cas de Jean-Aubin Mignot dit Chastillon, et de sa femme, Anne Dugast, de Pierre Mercier dit Coudebec, et d'Anne Martin, de Pierre Doiron et de Madeleine Doucet, de même que de Pierre Godin et de Catherine Pellerin. Après avoir vu leurs habitations partir en fumée pour la deuxième fois, ils ne se sentaient plus en sécurité à Beaubassin.

D'autres décidèrent de rester, même si leur domaine avait été rasé par le feu, comme les frères Gaudet, qui s'étaient installés en amont de la rivière Memramkooke. Ils arrivèrent au village découragés.

— Nos installations ont été complètement détruites par le groupe de Church, raconta Pierre Gaudet, l'aîné. Inutile de retourner là-bas. Nous n'avons même pas un bout de marais susceptible d'être ensemencé le printemps prochain. Nous allons essayer de nous trouver un petit coin de terre ici, au village, en attendant d'obtenir une concession valable.

Le gouverneur Brouillan était désolé de voir les problèmes que l'attaque anglaise avait provoqués aussi bien parmi la population de Beaubassin que celle des Mines. Mécontent du fait que le gouvernement français accordait peu d'attention à ses demandes répétées, il décida de partir en France plaider sa cause. Pour que les Acadiens et tous les habitants de la Nouvelle-France soient à l'abri des attaques anglaises, il fallait plus de moyens, une garnison digne de ce nom et un fort capable de défendre la colonie.

LaVallière passa à Beaubassin avant de partir à son tour pour la France. Le gouverneur général et l'intendant de la Nouvelle-France l'envoyaient en mission pour qu'il informe la cour de Louis XIV de la situation qui prévalait en Nouvelle-France. Il était délégué, disait-il, en raison de ses connaissances des besoins du pays, aussi bien des Indiens que des colons et des troupes.

Quelque temps plus tard, le corsaire Baptiste fut libéré de prison à la faveur d'un échange de prisonniers. L'année précédente, alors qu'il était toujours en prison, sa femme, Judith Maisonnet, était décédée à Port-Royal et avait laissé derrière elle une fille, Anne, maintenant âgée d'une vingtaine d'années. Comme plus rien ne le retenait à Port-Royal, Baptiste décida donc de s'installer à Beaubassin. Il va de soi que cela ne fit guère l'affaire de tout le monde. Anne, en particulier, n'était pas du tout contente de voir ce corsaire de malheur s'établir dans son village.

— S'il se met encore à attaquer les Anglais, je pense que nous devrions nous en aller ailleurs. Comme il habite maintenant Beaubassin, c'est assurément sur notre village que les Anglais se vengeront à l'avenir.

— Je ne crois pas qu'il va continuer à faire la course aux Anglais, répondit Michel. Le gouverneur l'a nommé capitaine du port de Beaubassin, ce qui veut dire que le gouvernement cherche à lui donner un rôle de défenseur plutôt que d'attaquant. De plus, il vient d'épouser Marguerite Bourgeois, la veuve de Jean Boudrot et d'Emmanuel Mirande. Il aura peut-être donc plus envie de rester à Beaubassin que d'aller faire la chasse en mer, ajouta-t-il en riant.

Quelques mois après, on apprit que le gouverneur de Brouillan était décédé. Il avait rendu l'âme au cours de son voyage de retour en Acadie. Son corps fut émergé au large de Chibouctou. Pierre-Simon Denys de Bonaventure, qui commandait le fort de Port-Royal, devint administrateur de la colonie acadienne en attendant la nomination d'un nouveau gouverneur.

Michel avait perdu par le feu son grand champ de blé, dont il comptait vendre la récolte pour se procurer d'autres commodités, mais il lui restait tout de même une petite parcelle qui suffisait pour répondre aux besoins personnels de sa famille. De plus, le champ d'avoine était partiellement récupérable. Seule la partie du bas, qui bordait la digue, avait pourri sur le champ pour avoir trempé trop longtemps dans l'eau salée.

Ils avaient eu une telle récolte de concombres qu'Anne en avait salé un plein baril pour l'hiver. Elle les tranchait en quatre sur la longueur et les mettait dans le baril, dans lequel elle ajoutait de l'eau, du vinaigre, du sel, de la moutarde et un peu de sucre. Lorsque les légumes devenaient plus rares en hiver, ces concombres constituaient un vrai régal. Anne conservait de la même façon la passe-pierre qui poussait à l'état sauvage dans les marais qui n'avaient pas été endigués, mais ce mets, que l'on faisait ensuite bouillir avec un morceau de lard, n'avait rien de comparable aux concombres salés.

C'était aussi dans les marais non endigués que l'on ramassait à l'automne les atacas, comme les appelaient les Indiens. Ces petites baies rouges à saveur acidulée se conservaient facilement telles quelles tout l'hiver. On les consommait ensuite cuites avec du sucre.

Anne travaillait d'arrache-pied pour que sa famille ne manque de rien. Loin de se contenter de conserver soigneusement à la cave un tas de légumes pour l'hiver, elle cardait le lin aussi bien que la laine pour fabriquer des habits, des bonnets et des bas. Elle faisait tous ces travaux dans la bonne humeur d'une femme en paix avec elle-même.

— Il faut garder l'enthousiasme, disait-elle à Michel lorsqu'il la félicitait pour l'encourager. Si l'on perd l'enthousiasme, on ne vaut pas mieux qu'un tas de bois mort.

Michel, de son côté, s'adonnait à des travaux plus techniques, comme fabriquer des balais à partir du tronc d'un petit bouleau, fendre à la hache le bois de chauffage, tailler des bardeaux de bois, travailler à la forge des Cormier pour réparer des roues de charrettes, fabriquer des fourches, des pelles, des râteaux et des socs de charrue, etc. Il s'astreignait à devenir aussi autosuffisant que possible. L'enthousiasme d'Anne le poussait à agir avec encore plus d'entrain, à avancer comme si rien n'était impossible.

Cette autosuffisance s'avérait d'autant plus nécessaire que le gouvernement du Massachusetts cherchaient à organiser un blocus économique de l'Acadie. Ils voulaient empêcher la colonie acadienne de recevoir des commodités habituellement disponibles à Boston. De plus, les navires venant de France étaient interceptés et parfois même dévalisés par des corsaires britanniques, et les Acadiens ne pouvaient plus vendre leur excédent de blé et leurs animaux à la Nouvelle-Angleterre. Le but ultime du gouvernement anglais était d'étouffer la colonie acadienne pour arriver à en faire une colonie anglaise.

Après le décès de Brouillan, Simon-Pierre Denys de Bonaventure s'était montré un bon administrateur. Il s'était beaucoup occupé de la garnison, forte maintenant de cent cinquante hommes, en donnant à ces derniers de meilleures conditions de vie. Il avait espéré être nommé gouverneur d'Acadie, mais le gouverneur général lui avait préféré Daniel Auger de Subercase. Ce dernier avait tellement bien servi le roi comme gouverneur de Plaisance, à Terre-Neuve, qu'il avait été fait chevalier de l'ordre de Saint-Louis en même temps qu'il avait été nommé gouverneur d'Acadie.

Arrivé à Port-Royal, Subercase trouva le fort dans un état, à ses yeux, déplorable. Une de ses premières actions fut d'exiger plus de moyens pour défendre l'Acadie, ce que Denys de Bonaventure avait déjà fait, mais sans succès. Il réclama cinq cents soldats pour mieux protéger la colonie, des navires de la marine française et la construction d'un nouveau fort, non pas à Port-Royal, mais au goulet, à l'entrée du bassin de Port-Royal. des Gouttins et Denys de Bonaventure envoyèrent des rapports allant dans le même sens au gouvernement français, mais la France ne répondit pas. Malgré le blocus, Subercase réussit à obtenir clandestinement de la poudre à canon et quelques fusils des marchands de Boston, mais c'était là bien peu en comparaison à ses besoins.

Baptiste ne faisait plus la course aux Anglais, mais il avait gardé sa goélette et se tenait au courant de tout ce qui concernait les activités militaires entre la France et l'Angleterre. C'était maintenant le corsaire Morpain qui, d'une certaine façon, remplaçait Baptiste. Il se rendait régulièrement à Boston et en rapportait des marchandises lorsqu'il le pouvait, mais surtout, il avait ses contacts qui lui permettaient de connaître les intentions militaires du gouvernement de Joseph Dudley. D'après Morpain, il paraissait évident que la Nouvelle-Angleterre préparait une attaque imminente contre Port-Royal. Le gouvernement recrutait des bénévoles dans les treize colonies anglaises, bénévoles qui s'ajouteraient à l'armée régulière pour vaincre l'Acadie.

Morpain avait vu juste. Le 6 juin 1707, une expédition menée par le colonel John March arrivait à Port-Royal avec plus de mille cinq cents hommes à bord de vingt-deux navires et deux frégates armées d'une cinquantaine de canons chacune. Subercase, de son côté, disposait d'une centaine de soldats, d'une soixantaine de miliciens acadiens et d'une cinquantaine de Canadiens sous le commandant de Louis Denys de la Ronde, le frère de Denys de Bonaventure, qui arrivait de Québec et venait de faire escale à Port-Royal. De plus, il pouvait compter sur une centaine d'Abénaquis sous le commandement d'Anselme d'Abbadie de Saint-Castin, le fils du baron de Saint-Castin, qui était vite venu à la rescousse lorsqu'il avait appris qu'une attaque de l'Acadie se préparait. L'affrontement dura onze jours, après quoi les forces anglaises, vaincues, se retirèrent à Casco Bay pour attendre les ordres du gouverneur Dudley.

Baptiste avait établi un réseau de renseignement remarquable. Tous les deux ou trois jours, il allait patrouiller dans la baie Française et revenait à Beaubassin avec des renseignements détaillés sur les combats qui se déroulaient à Port-Royal. Pendant que les Anglais attendaient à Casco Bay, Morpain ne perdit pas de temps et continua de faire la course en mer. À peine deux semaines après le départ des Anglais, il rentrait à Port-Royal avec deux bateaux anglais en remorque, dont un contenait trois cent quarante barils de farine et une centaine de barils de jambon, de lard et de beurre. Selon Baptiste, Subercase avait bien besoin de cette aide, car ses hommes commençaient à crier famine.

Les Anglais retournèrent à Port-Royal à la mi-août avec deux compagnies de cinquante soldats en plus. Cette fois encore, les combats ne durèrent guère plus d'une dizaine de jours, tous à l'avantage des troupes de Subercase. Ce dernier s'était montré un vaillant guerrier, allant à l'attaque des Anglais sur tous les fronts plutôt que de rester au fort à attendre l'ennemi. Au bout de dix jours, les Anglais se retirèrent, encore une fois vaincus.

Les Beaubassinois pensaient bien qu'avec ces victoires éclatantes des Français, les Anglais n'oseraient plus attaquer l'Acadie. Subercase, un militaire de carrière, s'était montré l'homme de la situation. Il était donc le gouverneur qu'il fallait pour défendre l'Acadie. L'occasion était belle pour Subercase de montrer au gouvernement français que la Nouvelle-Angleterre constituait une véritable menace et que s'il avait réussi à vaincre leur armée, c'était grâce à un concours de circonstances : un bataillon de Canadiens de Québec arrivé là par hasard, un groupe d'Abénaquis venu à la rescousse et le ravitaillement inattendu d'un corsaire adroit.

Cependant, le gouvernement français vit ce triomphe d'un tout autre œil. Au lieu d'aider l'Acadie, cette victoire ne fit que lui nuire. Selon le ministère de la Marine et des Colonies, dont dépendait la Nouvelle-France, l'Acadie n'avait pas besoin de renforts puisqu'elle avait les moyens de se défendre. Subercase, des Gouttins et Denys de Bonaventure écrivirent tous au ministre du roi Louis XIV, expliquant que la situation était grave, que le fort avait besoin d'être agrandi et réparé, que la garnison avait besoin d'être augmentée, mais il n'y avait rien à faire. La France fit la sourde oreille. À la fin de l'été, ils reçurent du ministre la réponse la plus décevante jamais reçue de la mère patrie. Subercase avait peine à y croire. La missive se terminait ainsi : « Si les charges continuent à être aussi lourdes, le roi n'aura d'autres choix que d'abandonner la colonie. »

Lorsque Michel fit part de cette histoire à Anne, elle eut un geste désabusé.

— Que le roi nous abandonne si cela l'enchante, mais qu'il nous laisse en paix. De toute façon, ce n'est pas lui qui nous a fait vivre jusqu'à maintenant. Nous nous en sommes sortis sans lui et nous continuerons de le faire sans lui.

C'était jour de fête chez les Cormier. Marie, l'une des jumelles, venait d'épouser Jean-Baptiste Poirier, le fils de Michel Poirier et Marie Boudrot. Jean-Baptiste n'était pas le premier Poirier à entrer dans la famille Cormier. Pierre Poirier avait épousé Agnès, la plus jeune de la famille, deux ans auparavant. Comme la grande famille des Poirier était surtout installée à La Coupe, un hameau situé à l'ouest de la Mésagouèche, en amont de la rivière Au Lac, il fut entendu que Marie y déménagerait pour suivre son mari. Madeleine Girouard, la veuve de Thomas Cormier, était contente de voir ses six filles «bien mariées», comme elle le disait, mais elle se désolait de voir la dernière s'en aller aussi loin. Heureusement qu'elle avait Anne pour voisine! Cette proximité de sa fille la rassurait. Elle se trouvait à une dizaine de minutes de marche de la maison. Comme il s'agissait de deux grandes familles, seuls la parenté et les voisins avaient été invités à la noce.

Les mariages constituaient des occasions de fêter. On pouvait être certain qu'il y aurait des chants, de la musique, de la danse et des gros repas où la viande et les légumes ne manquaient pas. Lorsque la chose était possible, on arrosait le tout d'un bon vin, ou, le plus souvent, de quelques contenants de cidre, plus facile à se procurer que le vin, car Port-Royal en produisait beaucoup, les vergers étant nombreux dans ce village. Paradoxalement, ce n'était souvent qu'à Boston que l'on pouvait se procurer du vin français. Ceux que la France envoyait, dans les rares bateaux du roi venant en Nouvelle-France, restaient à Québec ou ne dépassaient pas la maison du gouverneur d'Acadie.

Cette fois, ce n'était pas Roger Kessy qui se chargeait de la musique avec son violon, mais plutôt son fils Michel, maintenant âgé de vingt ans. Il savait en jouer avec une dextérité qui dépassait celle de son père.

Comme Marie était le dernier enfant des Cormier à se marier, Mme Cormier n'avait pas regardé à la dépense. On avait tué un veau et un cochon, et Michel était allé chercher du saumon chez les Indiens pour elle. Ceux-ci en avaient toujours en réserve qu'ils gardaient dans une espèce de barrage dans la rivière. Michel avait apporté un petit tonneau de bière d'épinette et plusieurs des enfants, aussi bien des Cormier que des Poirier, avaient fourni des légumes de leur jardin. Pour le dessert, l'hôte avait fait un flan accompagné d'une confiture d'atacas.

Comme lors de chaque mariage d'un enfant Cormier, Michel pensa au paternel. Cela faisait déjà sept ans que Thomas était décédé, mais il restait toujours bien vivant dans sa mémoire. *Comme il aurait été heureux*, se disait Michel, *de voir ses enfants adultes et prêts à affronter la vie et quitter le bercail pour voler de leurs propres ailes!*

On mangea, dansa et chanta toute la journée. Puis, comme toujours, ceux et celles qui habitaient loin durent trouver une place pour passer la nuit. On avait réservé la maison des Cormier pour les petits-enfants; les adultes coucheraient ailleurs. La plupart des hommes s'installèrent dans la grange. Michel et Anne donnèrent leur chambre, un coin douillet avec matelas de plumes, aux nouveaux mariés, alors que le reste des femmes Cormier et Poirier prirent la paillasse des enfants. Les gens de La Coupe étaient venus en trois barques et c'est ainsi qu'ils repartirent le lendemain matin.

La population de Beaubassin était de moins en moins stable. Certains habitants s'éloignaient du centre du village pour trouver des endroits encore inexploités. Tel était le cas des Gaudet et des Girouard. À la suite de la destruction de leur établissement de Memramkooke, les fils de Pierre Gaudet, Pierre, Abraham et Augustin, s'installèrent sur les terres hautes, au bord du grand marais de Beaubassin, à une bonne distance de la rivière Tintamarre.

Baptiste, le corsaire, semblait avoir définitivement abandonné la course. Sans doute avait-il réalisé que s'il était pris de nouveau par les Anglais, ceux-ci ne lésineraient pas sur les moyens pour s'en débarrasser. Michel, qui avait tellement maudit ses actions de corsaire, le fréquentait maintenant assez régulièrement, même si Anne gardait toujours ses réserves envers cet homme dont la conduite lui avait paru condamnable. Il faut dire que ce n'était pas tellement l'homme et ses actions passées qui intéressaient Michel, mais le fait qu'il connaissait tout ce qui se passait en Acadie comme à l'extérieur des frontières. Par exemple, c'est lui qui lui avait appris que LaVallière était décédé en mer au retour de son dernier voyage en France et qu'une guerre faisait rage en Europe, opposant la France et l'Espagne à une coalition européenne dont faisait partie l'Angleterre.

— Ce conflit nous nuit, assurait Baptiste. Louis XIV cherche à placer son petit-fils sur le trône d'Espagne et ce projet l'intéresse plus que les possessions lointaines de la France, dont l'Acadie. C'est pour cette raison qu'il ne nous envoie aucune aide. Tout va pour ses guerres sur le front européen.

Michel fut attristé par la nouvelle de la mort de LaVallière. Il avait vécu si longtemps près de lui qu'il le considérait un peu comme un père. C'est lui qui l'avait accueilli à Trois-Rivières, qui l'avait par la suite emmené en Acadie pour faire de lui ce qu'il était devenu : un homme heureux de vivre et content de son sort. Ils étaient pourtant bien différents, tous les deux. LaVallière aimait la mer alors que Michel était attaché à la terre. LaVallière n'était jamais aussi heureux que lorsqu'il se trouvait en mer, aux commandes d'un navire. Il envisageait tous ses voyages comme des défis. Pour cette raison, sa mort en mer lui ressemblait. Il s'agissait d'une tragédie à la mesure de l'homme qu'il était.

Avec le temps, la famille de Michel s'agrandissait. Marguerite était née en 1705 et François en 1707. Ses deux aînés n'étaient vraiment plus des enfants. Michel avait maintenant seize ans et Joseph, quatorze. Il n'était donc plus question d'appeler l'aîné « le petit Michel ». Lorsqu'il entendait un oncle ou une tante l'appeler ainsi, il se rebiffait. Il avait gardé son caractère indépendant et ne s'en laissait pas imposer. Joseph, par contre, possédait un caractère plus doux. Il était toujours prêt à aider, sans jamais protester.

Joseph avait une fascination pour les bateaux. Chaque fois qu'un navire étranger se trouvait en rade dans le bassin, il insistait pour aller le visiter. C'est d'ailleurs cet intérêt de Joseph qui poussa Michel à reprendre la construction de la goélette. Après que les Anglais avaient tout brûlé en 1696, même le hangar à bateaux, il n'avait plus eu envie de recommencer le projet que Thomas Cormier et lui avaient conçu, mais Joseph était tellement excité par cette entreprise que son enthousiasme se communiquait à Michel. La quille était déjà en place, et ils avaient commencé à y attacher les membrures de la coque. En attendant de placer le reste des membrures, ils les tenaient immergées afin qu'elles gardent leur flexibilité. Michel était encore loin d'avoir toutes celles dont il avait besoin, mais il n'était pas pressé. Il estimait qu'il lui faudrait encore au moins un an avant que le bordage soit fait et que le pont soit en place, et donc avant que la coque commence à ressembler à un bateau. Ensuite, il s'agirait de le gréer et d'installer les mâts. Heureusement, il ne manquait pas de bon bois sur ses terres. Il achèterait les accessoires à Boston en vendant quelques bêtes ou du blé. Mais l'essentiel de ce projet était le travail; ce bateau ne lui coûterait donc pas une fortune. Malgré son jeune âge, Joseph s'avérait un excellent ouvrier. Michel fils venait parfois donner un coup de main, mais il ne possédait pas le même enthousiasme que son frère. Il s'intéressait davantage aux bêtes qu'aux bateaux.

Un jour que Michel se préparait pour travailler sur la goélette, il vit un Indien approcher du hangar à bateaux. Il reconnut rapidement Makokis, l'Indien qui était venu le prévenir lors de la première attaque de Benjamin Church. Il apportait une bien mauvaise nouvelle. Tomahouto, le sagamo du campement de la Tintamarre, venait de mourir.

— Quand? demanda Michel.

— *Sasqatu.*

— Alors je viens avec toi.

Il se dépêcha d'aller prévenir Anne puis retourna rejoindre Makokis pour qu'ils remontent ensemble au campement. À deux pour ramer, ils arriveraient plus rapidement. Par un heureux hasard, la mer montait, de sorte que le fort courant de la rivière favorisait leur déplacement. Lorsqu'ils arrivèrent au campement, presque tous les Indiens étaient rassemblés autour du wigwam du chef, chantant et pleurant tout à la fois. Un des Indiens expliqua à Michel que leur chef s'était tout simplement endormi.

Le cimetière se trouvait tout près du campement. Deux Indiens étaient en train de creuser la fosse. Des hommes sortirent le corps de Tomahouto du wigwam et l'exposèrent pendant quelque temps, tout en continuant de faire ce qui semblait être des incantations sous forme de chants. Vers la fin de l'après-midi, d'autres hommes emmaillotèrent le corps avec de l'écorce de bouleau et le garrottèrent avec des lanières de peaux, les jambes pliées contre le corps, en position du fœtus. Puis, au milieu des cris, des pleurs et des chants, ils placèrent le corps assis dans la fosse et y déposèrent aussi l'arc et les flèches du chef, les peaux sur lesquelles il dormait généralement et toutes sortes de petits objets que chaque famille offrait en guise de présents pour que leur chef fasse un bon voyage au monde des esprits. Ils remplirent alors la fosse de terre, puis bâtirent une sorte de monument pyramidal avec des perches liées ensemble et de grosses pierres déposées artistiquement de manière à donner l'impression d'une mini-pyramide. Pendant tout ce temps, on chantait les exploits du sagamo : ses meilleures chasses, ses pêches miraculeuses, ses beaux enfants, etc., tous récités comme une litanie. Michel ne comprenait pas tout, mais il saisit, à un moment donné, que l'on parlait de sa générosité, de comment il avait, plus d'une fois, accueilli des Acadiens persécutés par les Anglais. Lorsque la fosse fut recouverte et le monument terminé, tous retournèrent au campement. Makokis expliqua à Michel, en le ramenant à Vechcaque, que, dans un mois, ils auraient une réunion de tous les habitants du campement pour nommer un nouveau chef.

En plus de l'église et du marché du samedi, les Beaubassinois pouvaient dorénavant fréquenter un autre lieu de rassemblement. En effet, Guillaume Sire venait d'ouvrir une taverne dans sa maison, qu'il avait aussi aménagée en petite auberge. Les voyageurs n'affluaient pas à Beaubassin, mais de temps à autre, des bateaux de la Nouvelle-Angleterre ou de Québec, et parfois même de France, accostaient à Beaubassin, et il arrivait que les commandants ou les pilotes préféraient habiter au village pour faire changement et rencontrer du monde.

C'était donc maintenant à la taverne que, grâce à Baptiste, l'on apprenait les dernières nouvelles de la colonie. On savait par exemple que Louis Denys de la Ronde, qui commandait la frégate *Venus*, venait d'accoster à Port-Royal avec son équipage. Voyant l'état délabré du fort et le peu de moyens dont disposait le gouverneur pour le réparer, il avait décidé de passer tout le mois de juin à Port-Royal pour aider le gouverneur Subercase à le remettre dans un état fonctionnel.

En même temps, les corsaires, de plus en plus nombreux, qui opéraient sur les côtes acadiennes, tels Pierre Morpain, Anselme d'Abbadie de Saint-Castin, Daniel Robinau et Jean-Baptiste

Rodrigue, continuèrent leurs attaques contre la flotte commerciale de la Nouvelle-Angleterre. D'après Baptiste, sans eux, il n'y aurait plus de garnison à Port-Royal, car les hommes seraient morts de faim. Ces corsaires rapportaient assez de victuailles et de butin non seulement pour faire vivre la garnison, mais pour en vendre afin d'acheter d'autres commodités pour la colonie.

— Moi, avança Michel, je continue à croire que ces captures, si utiles qu'elles puissent être pour la garnison, ne font qu'attiser le désir de vengeance des Anglais.

— Je suis tout à fait conscient de cette possibilité, répliqua Baptiste, mais il faut bien vivre. Le gouvernement français ne veut rien donner à l'Acadie, trop préoccupé qu'il est par sa situation militaire en Europe. D'après mes informateurs, il semble évident que le gouverneur du Massachusetts prépare une attaque massive contre l'Acadie. Nous avons donc intérêt à avoir une garnison capable de nous défendre.

En effet, toujours d'après Baptiste, le gouverneur Dudley avait acheminé au gouvernement de Londres une missive demandant de lui envoyer deux mille soldats et une dizaine de frégates bien armées pour faire la conquête de l'Acadie.

— Comme le gouvernement français ne nous donne rien, renchérit Baptiste, il faut nous organiser entre nous pour nous défendre. Voilà où interviennent les corsaires.

Michel avait toujours rêvé d'une forme d'autonomie pour l'Acadie. Il comprenait donc ce choix d'actions préventives. Il se rappelait l'enseignement d'un certain jésuite qui répétait : « Si tu veux la paix, prépare la guerre ! » C'était là une notion qu'il ne comprenait pas à l'époque. Aujourd'hui, il en saisissait le sens, mais n'était pas pour autant d'accord.

À la fin de l'été, la nouvelle arriva que le gouvernement français allait envoyer une centaine de recrues en Acadie. Subercase criait victoire. Enfin de l'aide de la France ! Le navire *La Loire* arriva en octobre à Port-Royal avec les recrues annoncées. D'après

Baptiste, toujours, le gouverneur Subercase était désespéré : la grande majorité d'entre elles n'étaient que des enfants. Il écrivit au ministre que sur les cent recrues, six seulement avaient plus de seize ans. Il n'y avait pas là de quoi fouetter le moral des troupes. Le ministre Pontchartrain lui répondit qu'il ne pouvait pas faire plus.

Michel, comme bien des Acadiens, se rendit compte de son impuissance à décider de son avenir et de celui de sa famille. Le sort de l'Acadie se jouait désormais à l'extérieur de la colonie. Jamais les habitants n'étaient consultés à propos de quoi que ce soit, et maintenant, on apprenait que Boston et New York se préparaient à une attaque musclée sur Port-Royal, et très probablement sur le reste de l'Acadie et sur Québec.

Michel était désemparé. Il n'avait plus l'impression de vivre dans l'Acadie dont il avait rêvé. Fallait-il encore se battre pour sauver ce pays abandonné ?

— Nous ne pouvons même pas commercer avec Boston, se plaignit-il à Anne un jour qu'elle était venue le voir travailler sur la goélette. D'une part, la France interdit formellement ce trafic. D'autre part, les marchands de Boston sont de plus en plus réticents à continuer cette contrebande, car leurs cargaisons sont souvent dévalisées par les corsaires, ce qui leur fait perdre d'énormes sommes d'argent. D'ailleurs, bien souvent, ce n'est pas seulement la cargaison qu'ils perdent, mais tout le bateau.

Effectivement, Baptiste avait rapporté que durant la seule année 1709, les corsaires travaillant sur les côtes acadiennes avaient coulé trente-cinq navires anglais et fait quatre cent soixante-dix prisonniers. Michel se disait que les Anglais avaient là amplement de quoi justifier leur désir de vengeance. Quant à son sort et à celui de sa famille, il demeurait incertain. Il n'avait d'autres choix que d'attendre et laisser passer la tempête, si toutefois elle avait lieu, mais il était difficile d'en douter. Il demeurait convaincu qu'il ne pourrait pas rester longtemps — pas plus qu'Anne d'ailleurs —

dans l'incertitude et la peur de tout perdre de nouveau, ou pire encore, de passer sous le régime anglais.

Baptiste était bien renseigné. Ce qu'il avait prévu arriva : le 24 septembre, une flotte anglaise entrait dans le bassin de Port-Royal. Ses informateurs, postés partout le long de la baie Française, avaient tout vu.

— Mes hommes ont compté trente-six bateaux de transport, six navires de guerre d'une soixantaine de canons chacun et plusieurs barques qui transportent des munitions et du bois pour construire des abris. Les Acadiens de Port-Royal étaient terrorisés de voir une telle armada se déployer devant eux.

Lorsque les militaires se mirent à débarquer par centaines, il devint évident qu'il s'agissait d'une attaque majeure et bien planifiée. Une bonne partie des hommes, tout comme les navires de guerre, faisaient partie de la marine royale anglaise. Les hommes étaient reconnaissables à leur habillement et les navires arboraient le drapeau britannique.

Pendant les jours suivants, les Anglais s'affairèrent à débarquer l'artillerie lourde des bateaux et à l'installer sur le rivage à une courte distance du fort. Il semblait apparent que leur but était d'impressionner l'ennemi. Durant cette opération, les troupes de Subercase tirèrent sans cesse des boulets en direction des assaillants. Le gouverneur se montra de nouveau un guerrier agressif, mais les Anglais étaient tellement nombreux qu'ils avaient pu placer des bataillons entiers tout autour du fort. Celui-ci se trouvait donc complètement encerclé. Tout effort de résistance semblait futile. Quelques jours plus tard, Subercase abandonna la lutte. Les forces anglaises, composées de plus de trois mille hommes menés par Francis Nicholson, étaient nettement supérieures aux trois cents hommes de la garnison de Port-Royal, mal équipés, mal entraînés et dont le tiers n'étaient que des enfants.

Le 12 octobre 1710, Subercase capitula et signa la perte de la capitale de l'Acadie. Subercase, des Gouttins, et toute la garnison allaient être transportés en France. Les troupes anglaises se retirèrent, laissant le Colonel Samuel Vetch comme gouverneur et commandant de la nouvelle garnison de Port-Royal, rebaptisé Annapolis Royal. Cette garnison comprenait quatre cents militaires anglais. La capitale de l'Acadie venait de passer sous le régime anglais.

Michel, d'habitude si optimiste, ressentait au plus profond de lui-même une forme de désespoir. Le fait que l'Angleterre ait prêté son concours à cette expédition signifiait pour lui que le pire était à venir. En soumettant Port-Royal, on venait de décapiter l'Acadie.

Les conditions de la capitulation ne s'appliquaient qu'à Port-Royal, mais la prise du chef-lieu de l'Acadie ne pouvait faire autrement que d'affecter l'ensemble de la colonie. Selon une proclamation du gouvernement de la Nouvelle-Angleterre, tout échange commercial, aussi bien avec Québec qu'avec Boston, devait obligatoirement passer par le gouvernement d'Annapolis Royal.

— Parbleu! s'exclama Michel fils en apprenant la nouvelle. On dirait qu'ils veulent nous contrôler.

Une autre proclamation obligeait les Acadiens de Port-Royal à signer un serment d'allégeance et de fidélité à Sa Majesté la reine d'Angleterre ou alors à déménager ailleurs. On leur donnait un délai d'un an pour signer ou quitter le pays.

Comme le fort avait grandement besoin de réparations, le gouverneur Vetch s'était mis en tête d'imposer un impôt aux Acadiens pour couvrir les frais de ces travaux et faire vivre la garnison. Rassemblés à la taverne pour prendre le pouls de la colonie, les hommes de Beaubassin ne voyaient pas d'un bon œil ces exigences des Anglais.

— Nous n'avons jamais payé d'impôt à qui que ce soit, gronda François Cormier, alors qu'il vienne le chercher, son impôt, je l'attends. Je ne crois pas qu'aucun d'entre nous consentisse à cela.

— J'ai l'impression que nous n'aurons jamais la paix tant que les Anglais seront à nos trousses, avoua Abraham Gaudet.

— Pourquoi le gouverneur général de la Nouvelle-France n'organise-t-il pas un raid pour reprendre Port-Royal? demanda Germain Girouard. Il organise des raids avec l'aide des Abénaquis sur des villages anglais; pourquoi ne pourrait-il pas en faire autant ici?

— J'ai parfois l'impression, renchérit Michel, qu'il n'est pas plus intéressé à l'Acadie que le gouvernement de la France.

Afin de bien se faire comprendre, le capitaine Vetch avait envoyé aux Mines un jeune officier d'origine française, Paul Mascarène, pour expliquer son plan. Les Acadiens l'avaient bien reçu puisqu'il parlait français, mais ils demeuraient néanmoins sceptiques.

Parallèlement, le gouverneur anglais avait formé une espèce de miniconseil avec quelques Acadiens influents provenant de différentes régions de l'Acadie pour régler les affaires courantes. Il y avait Pierre LeBlanc, Alexandre Bourg, Pierre Melanson, Jean Landry, Antoine LeBlanc et Pierre Landry. Michel avait été pressenti en raison de son rôle dans le développement du village de Beaubassin, mais il avait refusé, alléguant qu'il ne voulait rien avoir à faire avec un gouvernement anglais. La plupart de ceux qui avaient accepté disaient l'avoir fait dans le but d'essayer d'adoucir le sort des Acadiens appelés à vivre sous un régime anglais. Pour Michel, cette position n'était pas défendable, car elle supposait l'acceptation de la fatalité.

La première mission de ce groupe consistait à informer les Acadiens que les terres sur lesquelles ils vivaient et leurs biens non déménageables, tels les bâtiments, appartenaient dorénavant à Sa Majesté, la reine d'Angleterre. Ils étaient aussi chargés de percevoir l'impôt réclamé par Vetch. Toutes ces questions faisaient que la taverne de Guillaume était assidûment fréquentée. Les gens n'y venaient pas nécessairement pour boire (de toute façon, bien souvent, il ne vendait que de la bière d'épinette), mais pour connaître les derniers développements. Baptiste n'était pas le seul à rapporter des événements concernant l'Acadie ; il y avait aussi Morpain et Saint-Castin qui, tous deux, faisaient la navette entre Plaisance et l'Acadie. À la suite des premières attaques anglaises, les Acadiens avaient pu garder leurs terres et continuer à vivre sous le régime français. Maintenant, la conquête de Port-Royal changeait la donne.

— Il semble que nous ne nous appartenons plus ! avait lancé le jeune Charles Arsenot.

Rigaud de Vaudreuil, le gouverneur général de la Nouvelle-France, prétendait ne pas avoir les moyens de reprendre Port-Royal sans subir les représailles de la Nouvelle-Angleterre. Il craignait de perdre Québec aux mains des Anglais. Pour aider l'Acadie à se défendre, il nomma Saint-Castin commandeur de toute l'Acadie. Son rôle principal consistait à encourager les Abénaquis, et même les Mi'kmaq, à combattre les Anglais. Pour cela, il fallait les convaincre que les Français étaient plus généreux que les Anglais en leur donnant une foule de cadeaux, même s'il devait réclamer ces présents aux Acadiens.

Vetch avait demandé aux Acadiens de lui fournir du bois. Il exigeait des billots et des planches pour réparer le fort et du bois de chauffage en grande quantité pour alimenter les trente cheminées du fort. Les Acadiens avaient accès à de bonnes réserves de bois sur les terres hautes, mais les hommes de la garnison n'auraient pas osé s'aventurer en territoire acadien. Selon Vetch, il fallait que ce soit les Acadiens eux-mêmes qui fournissent le bois nécessaire au maintien du fort, mais ceux-ci refusaient de collaborer. Ils trouvaient toutes sortes d'excuses, en particulier que les Indiens menaçaient de les tuer ou de brûler leurs bâtiments s'ils fournissaient du bois aux Anglais.

Comme les Acadiens ne collaboraient pas et qu'il avait vraiment besoin de bois, il conçut l'idée de faire venir une centaine d'Iroquois à Annapolis Royal pour aller couper du bois sur les terres des Acadiens. Ni les Acadiens ni les Mi'kmaq n'auraient osé affronter les Iroquois. Cependant, son miniconseil le dissuada d'utiliser cette tactique, alors il choisit plutôt de former un groupe d'intervention d'une cinquantaine de soldats bien entraînés sous le commandement du capitaine Pidgeon. Bien armés, ils avaient la mission d'aller couper du bois sur les terres hautes.

Le groupe se trouvait à moins d'une journée de marche d'Annapolis Royal lorsqu'il tomba dans une embuscade préparée par Saint-Castin et ses Abénaquis. Ces derniers tuèrent une vingtaine d'hommes, dont le capitaine Pidgeon lui-même, et firent les autres prisonniers afin de les utiliser plus tard comme monnaie d'échange.

Vetch, furieux, accentua ses pressions auprès du gouvernement anglais pour qu'il attaque l'ensemble de la Nouvelle-France, sans quoi le projet d'une Amérique anglaise ne pourrait jamais se réaliser. Il se rendit même en Angleterre pour formuler sa demande en personne.

Peu de temps après son retour, des pêcheurs du Cap-Breton rapportèrent qu'une flotte anglaise se dirigeait vers l'embouchure du fleuve Saint-Laurent. Elle devait être composée d'au moins soixante navires et de plusieurs milliers d'hommes. Il paraissait évident que la flotte se dirigeait vers Québec, la capitale de la Nouvelle-France. La flotte était à peine entrée dans le fleuve Saint-Laurent qu'une terrible tempête se leva et envoya sept ou huit bateaux sur les rochers, entraînant la mort de quelque huit cents hommes. Le commandant de l'expédition, l'amiral Walker, décida de battre en retraite et de retourner en Angleterre, au grand dam de Vetch, qui aurait voulu poursuivre cette expédition pour laquelle il s'était tant dépensé.

Les Acadiens accueillirent cette nouvelle avec indifférence. Québec était loin et, de toute façon, la victoire, s'il y en avait une, revenait à la nature. Les Anglais représentaient toujours la même menace.

Lorsque Michel apprit qu'une trentaine d'Acadiens avaient signé le serment d'allégeance, il n'en crut pas ses oreilles.

— Comment des Acadiens catholiques pouvaient-ils renier leur religion et leur appartenance culturelle? Je ne comprends plus rien!

Il se sentait fatigué et las de tous ces bouleversements. Il avait l'impression d'avoir vécu ces derniers mois hors du temps, dans l'attente d'une paix intérieure qu'il n'arrivait pas à retrouver. Il avait ensemencé et récolté dans un blasement certain et cela le contrariait, car cette manière d'être ne correspondait guère à son état d'esprit habituel. Il avait l'impression de s'être comporté comme un automate devant sa femme et ses enfants, d'avoir négligé de leur témoigner son affection et son amour, sauf peut-être à Anne, avec qui le contact était plus régulier et plus intime. Auparavant, il s'était toujours efforcé d'inculquer un esprit de collaboration entre tous les membres de sa famille. Il jugeait nécessaire de rester unis et de travailler en équipe pour mieux vivre. Ce principe s'avérait encore plus important et nécessaire dans ces moments de chaos que vivait l'Acadie. Dès ce soir-là, il allait réunir sa famille pour s'expliquer et élaborer un plan de partage des tâches et de collaboration.

Entre-temps, deux autres enfants étaient nés: Madeleine et Jacques. Ce dernier était venu au monde en plein bouleversement émotionnel en raison de tout ce qui se passait aussi bien en Acadie qu'en Europe. Ce fait contrariait Michel, qui aurait préféré un climat plus calme pour la naissance de son septième fils. Michel fils, de son côté, avait refusé de se laisser abattre par les événements et s'était marié en pleine pertubation politique.

Il avait épousé Madeleine LeBlanc, la fille de Jacques LeBlanc et de Catherine Hébert des Mines. Ce mariage n'avait rien de surprenant, car quatre de ses oncles, les fils de Thomas Cormier, étaient mariés à quatre des sœurs de Madeleine. Leur union fut bénie par l'abbé Gaulin, curé de la paroisse. La noce fut réduite à son minimum, car personne n'avait le goût de fêter. Le nouveau marié s'était construit une maison l'année précédente à côté de celle de son père. Il voulait exploiter avec son aide une parcelle du grand marais de Vechcaque, mais ce dernier lui demanda d'attendre l'issue de cette guerre qui venait de sceller la perte de l'Acadie.

Si Michel n'avait pas toujours le cœur à l'ouvrage, son comportement changeait systématiquement lorsqu'il entrait dans le hangar à bateaux. Il souriait et travaillait avec le même entrain que jadis. Ce projet était visiblement pour lui une forme d'évasion.

— Nous allons la construire, cette goélette! lançait-il régulièrement à Joseph. Après, nous serons libres de tout embarquer et de partir si les conditions deviennent insupportables.

Heureusement, il avait eu l'occasion de se rendre à Boston avant l'attaque de Port-Royal et l'interdiction de commercer avec la Nouvelle-Angleterre. Ainsi, il avait pu se procurer tout le gréement dont il avait besoin. Ils venaient de terminer l'étape du calfeutrage à l'étoupe et étaient passés au goudronnage.

— Comment loin pourrons-nous naviguer avec cette goélette? demanda Joseph.

— Passablement loin. Je ne recommanderais pas d'essayer de traverser l'Atlantique, mais en ne nous éloignant pas trop des côtes, nous pourrions facilement nous rendre à Québec ou à Boston. Nous pourrons aussi sans problème aller pêcher au large.

La taverne de Guillaume demeurait le lieu par excellence de rassemblement. Baptiste et Saint-Castin continuaient d'alimenter les discussions politiques, notamment sur la fin des hostilités entre la France et l'Angleterre. Que signifiait au juste pour les Acadiens le traité d'Utrecht qui venait d'être signé ? Michel, qui ne faisait pas entièrement confiance à ces ex-corsaires, voulait en savoir plus. Il décida d'aller lui-même chercher Paul Mascarène, qui se trouvait aux Mines, pour qu'il vienne expliquer aux Beaubassinois la partie du traité qui concernait la Nouvelle-France, et en particulier l'Acadie. Comme Mascarène était chargé de faire le pont entre les Acadiens et le gouvernement d'Annapolis Royal, il devait être la personne le plus en mesure d'expliquer les clauses du traité.

Le père Félix Pain, qui avait été nommé curé de Beaubassin en 1710, avait permis que l'on utilise l'église pour cette importante rencontre. Mascarène semblait content de pouvoir jouer son rôle d'intermédiaire et d'interprète. Il voulait que les gens comprennent qu'il ne pouvait pas prendre parti ni pour les Français ni pour les Anglais. Sa seule fonction consistait à faire comprendre les clauses du traité qui les concernaient, même si celles-ci n'allaient pas être en leur faveur.

— Comme vous le savez, le roi Louis XIV voulait absolument placer son petit-fils, devenu Philippe V, sur le trône d'Espagne. Pour cela, il a dû faire beaucoup de concessions. Je ne parlerai pas des concessions qu'il a faites en Europe, mais seulement de celles concernant les territoires d'Amérique. Il a dû concéder à l'Angleterre les territoires de la baie d'Hudson, la colonie de Terre-Neuve et celle de l'Acadie. Toutefois, en ce qui concerne l'Acadie, le roi a conservé le Cap-Breton, rebaptisé l'île Royale et l'île Saint-Jean, ainsi que les droits de pêche sur certaines parties du territoire.

Plusieurs habitants criaient fort leur colère contre ce roi auquel ils étaient restés fidèles pendant toutes ces années et qui maintenant les abandonnait. Comment sa soi-disant Majesté avait-elle pu être aussi bornée ? Comment le roi pouvait-il ne pas reconnaître la valeur stratégique de l'Acadie dans le développement des territoires d'Amérique ?

— Si je comprends bien, lança François Cormier, cela veut dire que l'Acadie va appartenir dorénavant à l'Angleterre?

— C'est ce qui est dit dans le traité.

— Pour résumer, ajouta le jeune Martin Richard, ce traité fait de nous des Anglais.

— Pas tout à fait, répondit Mascarène. Un article du traité vous permet de quitter l'Acadie dans un délai d'un an. Sinon, l'Angleterre exige que vous deveniez des sujets britanniques et que vous prêtiez un serment d'allégeance à la reine d'Angleterre. Après, vous pourrez jouir de tous vos biens, comme tous les citoyens anglais.

— Ah ça non! cria spontanément Jean-Baptiste Poirier. Pas de serment d'allégeance. Jamais. Plutôt partir que de s'avouer anglais!

— Moi, je viens juste de commencer à exploiter quelques belles parcelles de terre, renchérit Jean Kessy. Je n'ai pas envie de quitter tout ça pour recommencer ailleurs!

— Ailleurs, c'est où? demanda Louis Doucet.

— À part Québec, lança le jeune Michel Haché, il n'y a guère que le Cap-Breton et l'île Saint-Jean où nous pouvons nous installer! Tout le reste est anglais. Faudra-t-il nous associer aux Anglais pour survivre?

Michel père resta silencieux. Il savait qu'il ne pourrait pas vivre sous un régime anglais contraignant, lui qui avait toujours aspiré à une certaine forme de liberté. Mascarène leur apprit aussi que Nicholson avait été nommé gouverneur de la Nouvelle-Écosse en remplacement de Vetch, devenu lieutenant de la garnison, mais que cela ne changerait rien. L'assemblée continua de discuter, mais Mascarène déclara qu'il n'avait plus rien à ajouter. Selon lui, il avait fait ce qu'on lui avait demandé de faire.

Comme il commençait à se faire tard, Michel invita Mascarène à coucher chez lui en lui assurant qu'il le reconduirait le lendemain matin. Il fallait une bonne journée de navigation pour se rendre aux Mines. Si Michel n'était pas content du sort que l'Angleterre réservait à l'Acadie, ce n'était pas la faute de Mascarène. Il n'y avait donc pas lieu d'être impoli envers lui. Il le présenta à sa grande famille, puis ils dégustèrent ensemble une grosse soupe aux légumes du jardin cuits avec un morceau de lard salé. L'invité se régala du bon pain d'Anne qui, d'après Michel, s'avérait encore meilleur que celui de sa mère, qui pourtant était excellent. Mais madame Cormier ne faisait plus de pain depuis qu'elle avait emménagé chez Michel et Anne.

Dans les mois qui suivirent, pour respecter une des clauses du traité, les ex-corsaires, Baptiste et Rodrigue, furent occupés à déménager les pêcheurs et les membres de la garnison de Plaisance à l'île Royale. La France voulait développer cette île demeurée française et éventuellement y construire une forteresse. Après avoir obligé les habitants de Plaisance à déménager à l'île Royale, elle cherchait maintenant à persuader les Acadiens de s'y installer eux aussi.

Lorsque Vetch et Nicholson se rendirent compte de ce qui se passait, ils changèrent leur fusil d'épaule. Après avoir autorisé les Acadiens à partir, comme il était stipulé dans le traité d'Utrecht, ils leur interdisaient maintenant de quitter l'Acadie. Ils craignaient que ceux-ci aillent renforcer les effectifs français sur l'île Royale et que, si la France bâtissait effectivement à Louisbourg cette forteresse dont on parlait, ce village, devienne la plus grande place forte d'Amérique. De plus, les Anglais avaient besoin des produits de l'Acadie pour nourrir la garnison d'Annapolis Royal, et aucun agriculteur anglais ne s'était encore installé dans la région.

Costebelle, le gouverneur de l'île Royale, envoya des missives aux Acadiens qui avaient une certaine influence, dont Michel, pour les inciter à déménager à l'île Royale et à emmener d'autres Acadiens avec eux. Plusieurs personnes de Beaubassin s'y rendirent pour voir quelles étaient les conditions de vie. Parmi ceux-ci se trouvaient Charles Arsenot, Abraham Gaudet, François Arsenot, Guillaume Gaudet et Denis Gaudet. Michel avait l'intention de se rendre lui aussi. L'idée de partir le hantait depuis un certain temps. Il estimait avoir le courage et l'énergie nécessaires pour recommencer ailleurs, si les conditions étaient favorables. Il en avait parlé à Anne, qui disait étouffer elle aussi sous les menaces constantes des Anglais. Il hésitait à laisser sa famille, mais il fallait qu'il se rende compte par lui-même des possibilités qu'offrait l'île Royale. Il en avait longuement discuté avec Anne. Un soir, alors que tout le monde était à table, il en profita pour annoncer la nouvelle aux enfants.

— Maintenant que la goélette est terminée et navigue à merveille, j'ai l'intention d'aller faire un tour au Cap-Breton pour analyser la situation. Au retour, je laisserai la goélette à la baie Verte, d'où il sera plus facile de quitter le pays en cas de besoin. De là, on se rend à l'île Royale en moins d'une journée, et à l'île Saint-Jean en quelques heures. Je vais emmener Joseph et Jean-Baptiste pour m'aider à manœuvrer le bateau et à évaluer les lieux.

— Moi aussi, je voudrais y aller! cria Charles.

— Non, c'est trop loin et trop dangereux. D'abord, il faut une semaine de navigation pour se rendre là-bas. Ensuite, la garnison de Samuel Vetch empêche tous les bateaux qui pourraient transporter des Acadiens de sortir de la baie Française. Il faudra manœuvrer de nuit et nous risquons de nous faire prendre.

— Mais je pourrai me cacher dans la cale et personne ne me verra.

— J'ai dit non, pas cette fois. Il faut que tu restes ici pour aider ta mère. Michel va venir traire les vaches, mais il faudra que tu l'aides pour nourrir les animaux et nettoyer la grange. Comme il ne peut pas être ici tout le temps, c'est à toi que revient la charge de la ferme. Il faudra que tu agisses comme si c'était ta ferme.

— D'accord, je reste, mais la prochaine fois, ce sera mon tour.

— C'est promis !

Le mois suivant fut tout entier consacré à la préparation du voyage à l'île Royale. Joseph et Jean-Baptiste étaient ravis de pouvoir participer à cette expédition. Il fallait obtenir des renseignements de ceux qui y étaient déjà allés et repérer les lieux qui seraient les plus susceptibles de convenir à un nouvel établissement. Surtout, il convenait de s'approvisionner en eau et en nourriture pour au moins un mois, peut-être davantage.

Le jour du départ fut un moment bien émotionnel. Michel et ses deux fils partaient vers l'inconnu. Anne n'aimait pas l'idée de voir ses enfants partir pour si longtemps, mais elle comprenait. Elle embrassa tendrement ses fils et son mari en leur souhaitant bon voyage et en leur disant qu'elle prierait pour eux. Michel était déjà passé au large de l'île du Cap-Breton durant ses voyages à Québec, mais il ne s'y était jamais arrêté. Maintenant s'ajoutait en plus la crainte et le harcèlement des autorités anglaises, qui interdisaient tout départ des Acadiens de la baie Française.

Une fois qu'ils furent partis, Michel avertit Joseph de garder l'œil ouvert et de le prévenir de tout bateau qui naviguerait dans la baie Française. Celui-ci possédait une assez bonne connaissance des navires qui circulaient normalement dans cette région pour évaluer le danger. Michel avait souhaité qu'il y ait beaucoup de brume lorsqu'ils passeraient au large de Port-Royal afin de ne pas être repérés, mais ce n'était pas le cas. Le ciel était clair et dégagé.

— En absence de brume, expliqua-t-il à ses fils, nous allons devoir longer l'entrée de Port-Royal la nuit. Je connais une petite crique à environ une lieue de Port-Royal ; nous allons nous y cacher en attendant l'obscurité.

L'attente était angoissante, mais tout semblait calme aux alentours. On n'entendait que le coassement des grenouilles. Il y avait à peine deux heures qu'ils étaient ancrés dans la crique qu'ils virent un bateau anglais filer devant eux en direction de

Port-Royal. Il devait revenir de la rivière Saint-Jean, car autrement ils l'auraient rencontré en remontant la baie.

— Je pense qu'ils nous ont repérés, murmura Jean-Baptiste. J'ai l'impression que le navire se dirige vers nous.

Michel monta sur la dunette pour mieux observer les manœuvres du navire. Il s'agissait d'une corvette équipée d'une bonne dizaine de canons qui ne pouvait être que celle de Vetch, le lieutenant de la garnison. La corvette s'approcha de la goélette et le capitaine envoya deux marins interroger les occupants. Les deux marins examinèrent l'intérieur du bateau, mais ne posèrent aucune question. Ils appelèrent le capitaine Blackmore et Vetch,

— Ce sont des fugitifs!

Michel voyait Jean-Baptiste trembler. D'ailleurs, il ne se sentait pas tellement d'aplomb lui non plus, un peu honteux d'avoir été pris en flagrant délit. Vetch et Blackmore montèrent à bord de la goélette et se mirent à les interroger. Vetch connaissait visiblement Michel, car il ne lui demanda même pas son nom.

— Tu es de Beaubassin, toi, dit-il.

— Oui.

— Où allez-vous?

— Nous allons pêcher plus loin dans la baie.

À cette réponse, un des marins fit signe à Vetch d'aller voir dans la cale.

— C'est quoi, toute cette nourriture? Vous comptez pêcher longtemps? demanda-t-il sur un ton ironique.

— C'est pour des amis de l'île Royale.

— L'île Royale? Vous savez qu'il est interdit de sortir de la baie Française.

— Je sais que vous l'interdisez, affirma Michel, mais le traité d'Utrecht signé entre la France et l'Angleterre nous le permet.

— Ce sont là de vieilles nouvelles. L'ex-Acadie s'appelle maintenant Nouvelle-Écosse. Le pays est sous juridiction anglaise, nous pouvons donc imposer les lois qui nous plaisent.

Au bout d'une heure de palabres, Michel s'avoua vaincu. Vetch était d'avis qu'il avait enfreint les lois du pays et qu'il méritait un châtiment exemplaire.

— Je vous fais prisonniers, finit-il par dire. Je vous emmène à la prison d'Annapolis Royal, où vous serez jugés comme fugitifs puis condamnés.

Il ordonna à Goodrich, le second de Blackmore, et aux deux marins de surveiller les prisonniers et de les conduire à la prison d'Annapolis Royal. Le capitaine et lui-même retournèrent en chaloupe à leur bateau. Au moment de partir, toutefois, il survint un problème. La marée avait baissé à un tel point que les deux bateaux se trouvaient échoués. Il fallait donc attendre la prochaine marée, qui ne reviendrait que dans plusieurs heures, pour que les bateaux se remettent à flot.

L'attente était longue et exténuante pour Michel et ses fils, qui se demandaient bien ce qui les attendait. Michel savait que Vetch n'avait pas la réputation d'être tendre envers les Acadiens ; il lui semblait évident qu'il le serait encore moins envers des prisonniers. Au bout de quelques heures, Goodrich annonça qu'il descendait se reposer dans la cale, laissant aux deux marins la garde des prisonniers. À un moment donné, l'un d'eux s'endormit. Michel, qui depuis un certain temps cherchait un moyen de s'évader, fit un signe de la tête à Jean-Baptiste, le plus costaud des deux jeunes malgré son âge. Celui-ci donna un violent coup de poing au marin encore éveillé alors que Michel empoignait l'autre, qui se retrouva vite étendu inconscient par terre. Goodrich, éveillé par le bruit, se précipita dans l'escalier et fut assommé à son tour. Les prisonniers désarmèrent les deux gardes et les enfermèrent avec Goodrich dans la cale.

Heureusement pour Michel et ses fils, la mer avait commencé à monter, de sorte que la goélette, ayant un tirant d'eau moindre que la corvette, put se désensabler et poursuivre sa route. Vetch et son équipage ne s'étaient apparemment rendu compte de rien. Michel avait l'intention de débarquer ses prisonniers au Cap-Sable, d'où ils pourraient rejoindre à pied leur port d'attache.

Tout allait pour le mieux lorsque, vers la fin de la matinée, ils aperçurent la corvette de Vetch. La goélette avançait à belle allure, mais la corvette, ayant trois mâts et donc une plus grande voilure, ne mit pas de temps à les rattraper et à aborder le navire. Michel savait qu'il avait commis une faute grave, mais il était néanmoins content. Advienne que pourra; il était fier d'avoir tenu tête à ces Anglais qu'il ne portait pas dans son cœur.

Les trois fugitifs furent ramenés à Annapolis Royal et incarcérés au fort sous bonne garde. Samuel Vetch, lieutenant du fort, demanda que justice soit faite et que le principal accusé soit condamné à mort afin d'en faire un exemple. Michel fut accusé mais, heureusement pour lui, Paul Mascarène intervint pour faire annuler le jugement. Il fit valoir que, étant donné sa popularité dans la communauté de Beaubassin, sa condamnation risquait de provoquer une révolution qui aurait fait perdre toute crédibilité à Vetch auprès du gouverneur de la Nouvelle-Angleterre. À la surprise générale, Michel et ses deux fils furent donc relâchés et purent retourner à Beaubassin. Ils furent même autorisés à garder leur goélette.

Michel n'avait pas pour autant abandonné son projet d'aller explorer la possibilité de déménager à l'île Royale, bien au contraire. Cette malheureuse expérience qu'il venait de vivre le confortait dans son désir d'aller s'installer ailleurs, en territoire français. Il lui fallait cependant, pour l'instant, abandonner l'idée de s'y rendre en bateau, la sortie de la baie Française étant trop bien gardée.

— Je ferai une autre tentative plus tard, confia-t-il à Anne, sans doute à pied et en canot. Pour l'instant, il est préférable

que je me tienne tranquille, car les Anglais m'ont certainement
à l'œil.

Entre-temps, la reine d'Angleterre était morte sans laisser
d'héritier. George 1er de Hanovre la remplaça sur le trône. Peu
après, Francis Nicholson fut nommé gouverneur de la Nouvelle-
Écosse. Avec un nouveau roi et l'arrivée d'un nouveau gouverneur, il y eut un regain de pression de la part des Anglais afin
que les Acadiens prêtent le serment d'allégeance. Nicholson avait
commissionné l'adjudant Robert Wrath de sillonner toutes les
régions d'Acadie avec un contingent de soldats afin d'inciter
les Acadiens et les Indiens à prêter un serment d'allégeance
au roi George 1er. Wrath n'eut pas plus de succès à Beaubassin
qu'ailleurs. Personne ne voulait signer un serment d'allégeance
inconditionnel. Les Acadiens craignaient surtout d'être obligés
de renier leur foi catholique, même si les Anglais prétendaient le
contraire. Ils craignaient également de devoir prendre les armes
contre les Français ou contre les Indiens. Le curé Félix Pain
alimentait d'ailleurs leurs craintes et leur recommandait de ne
pas signer.

Par ailleurs, beaucoup d'Acadiens, même s'ils ne voulaient
pas signer cet acte de fidélité au roi d'Angleterre, s'étaient résignés
à vivre sous le régime anglais. Au lieu de s'aventurer ailleurs,
ils préféraient rester sur place et cultiver la terre qui les avait
toujours fait vivre.

Michel, cependant, ne croyait plus qu'il soit possible pour
lui de vivre en paix sous le régime anglais. La situation ambiguë
qui régnait lui faisait craindre le pire et le motivait à partir. C'est
ainsi qu'à la fin de l'année 1714, alors que le fourrage avait été
engrangé, les céréales mises à l'abri et les légumes encavés, Michel
décida de partir pour l'île Royale. Cette fois, il n'emmènerait que
Joseph pour l'aider à transporter le canot et le matériel nécessaire
à une telle excursion.

*M*ichel et Joseph ne revinrent à Beaubassin qu'au mois de mai. Ils avaient eu le temps de faire pratiquement tout le tour de l'île Royale, une terre rocailleuse et aride où les terres d'alluvions paraissaient bien rares.

— Nous avons commencé par Saint-Pierre, confia-t-il à Anne. Je pensais y retrouver des traces de mon enfance, mais j'ai eu beau me promener sur toutes les plages et remonter tous les ruisseaux et rivières des alentours, je n'ai rencontré aucun souvenir des années que j'y ai passées, il y a maintenant cinquante ans. Je n'ai même pas trouvé un petit reste de bois pourri qui aurait pu témoigner de la présence d'une habitation ou de l'établissement de Nicolas Denys, où travaillait mon père. Tout était désert. J'avais l'impression que le temps m'avait volé mon enfance.

Il raconta leur périple à travers ces régions sauvages où ils furent hébergés tantôt par des Mi'kmaq, tantôt par des Français déportés de Terre-Neuve, jusqu'à ce qu'ils arrivent à Louisbourg. Ce village, le plus peuplé de l'île, était appelé à l'être encore davantage, car la France venait tout juste de commencer à y construire une forteresse que l'on prétendait imprenable. La France comptait ainsi protéger sa pêche commerciale dans la région et surtout protéger l'entrée maritime de son soi-disant empire colonial français en Amérique du Nord.

— Ils auraient pu y penser avant, se désolait Michel. Avec une telle forteresse, nous ne serions pas dans le pétrin dans lequel nous sommes aujourd'hui.

Quelques personnes de Beaubassin y avaient séjourné avant eux. Le corsaire Morpain, qui s'était assagi, avait d'ailleurs été nommé capitaine du port. Selon ce dernier, Baptiste était sur le point d'aller le rejoindre.

— Nous y avons travaillé pendant un mois, Joseph et moi, et nous aurions pu y rester davantage. Ils ont un criant besoin de charpentiers, de massons, de forgerons, etc., mais vivre avec un patron au-dessus de nos têtes ne nous attirait guère, ni l'un ni l'autre. Nous avons besoin de plus de liberté. Si la terre autour de Louisbourg, avait été de meilleure qualité, il aurait été intéressant de s'y établir, car il y avait là un marché assuré pour nos produits agricoles. Mais on aurait dit que toute cette région ne constituait qu'un immense rocher. De plus, d'après notre expérience, Louisbourg se trouve souvent sous un épais brouillard. Par contre, l'hiver y est doux et la neige fond rapidement.

— Si je comprends bien, résuma Anne, il n'y avait rien à l'île Royale capable de nous procurer une vie semblable à celle que nous avons connue ici.

— Tu as bien compris, l'île Royale n'est pas dans nos plans d'avenir. La France a beau encourager les Acadiens à déménager là-bas, il n'y a rien là pour eux. Il faut que j'en parle au père Pain, qui ne cesse d'encourager les habitants de Beaubassin à déménager là-bas. C'est un excellent endroit pour un pêcheur, mais pas pour un agriculteur. Je vais d'ailleurs faire part de mes observations aux gens qui songent à y déménager.

— Reste à voir maintenant à quoi ressemble l'île Saint-Jean, ajouta Anne. Si ce n'est pas mieux qu'à l'île Royale, il faudra peut-être songer à prendre la route du Canada.

— À moins que l'attitude des Anglais change, dit Michel, mais un tel retournement me paraît bien peu probable.

Malgré toutes les incertitudes concernant leur avenir, Michel avait décidé de labourer et de semer comme si de rien n'était, car en attendant, il fallait bien vivre. Les cent cinquante hommes de la garnison d'Annapolis Royal avaient besoin de se nourrir. Il y voyait là un marché possible pour ses produits excédentaires, qui ne lui ferait pas perdre son honneur.

Louis XIV, le soi-disant Roi-Soleil qui avait cédé l'Acadie à l'Angleterre, mourut en septembre 1715, mais cela ne devait rien changer à la politique de la France. De toute façon, il était trop tard, car le traité avait bel et bien été signé. Louis XIV allait être remplacé par son arrière-petit-fils, âgé de cinq ans. Philippe d'Orléans, le neveu de Louis XIV, allait assurer la régence. On pouvait donc en conclure que la politique française n'allait pas beaucoup évoluer.

Cette année-là, l'Acadie fut le théâtre d'un déplacement continuel d'individus, comme si les gens ne savaient plus où s'établir. Jean-Baptiste Poirier avait quitté Vechcaque pour Menoudie ; François Doucet avait quitté Nanpanne et s'était établi à Anse-des-Bourg ; François Arsenot, Jacques Chiasson et Jean-Baptiste Bernard avaient commencé un nouvel établissement en haut de la rivière Tintamarre. D'autres avaient l'intention de les suivre, comme René Bernard, Anne Blou, tout comme Michel Bourg et Marie Cormier, alors que d'autres allaient partir pour l'île Royale ou pour le Canada, tels Charles Arsenot, Denis Gaudet, Michel Kessy et Joseph Hébert. Même l'abbé Félix Pain quitta Beaubassin pour retourner aux Mines. Il fut remplacé par un jésuite, l'abbé Vincent. La majorité de ces déplacements se fit cependant à l'intérieur même des limites de la paroisse de Beaubassin, ce qui laissait penser à Michel qu'il était un des seuls à vouloir quitter l'Acadie anglaise. Les autres semblaient s'être résignés, n'ayant peut-être pas le courage ou la force de recommencer ailleurs.

Afin d'approvisionner l'île Royale, la France encourageait désormais l'établissement d'une colonie à l'île Saint-Jean. Maintenant que l'île Royale était exclue de ses projets d'avenir, Michel envisageait sérieusement d'aller explorer la possibilité de s'établir là-bas, mais comme Louise, leur douzième enfant, venait de naître, il préférait ne pas s'éloigner de la maison pour l'instant.

Un jour, il entra à la maison tout rayonnant. Anne s'étonna de le voir ainsi, lui qui avait maintenant l'habitude d'être plus renfermé, et parfois même taciturne.

— Je viens d'apprendre que Vetch est parti en Angleterre et que Nicholson vient d'être rappelé à Boston. C'est l'occasion de tenter de nouveau notre chance de dépasser l'entrée de Port-Royal et d'aller rejoindre la baie Verte.

Entretemps, Michel avait baptisé sa goélette *La Miscoudine* en hommage à son père, décédé à Miscou. S'il réussissait à rejoindre l'Atlantique, il espérait un jour pouvoir se rendre à Miscou. Il savait qu'une petite colonie française vivait là-bas. L'endroit ne serait donc pas à l'abandon comme à Saint-Pierre, et peut-être y aurait-il encore des gens qui se souviendraient de l'établissement de Nicolas Denys et de ses collaborateurs.

Il fallait faire vite avant que Nicholson revienne de Boston. Les préparatifs du départ se firent en une journée. Comme ils ne seraient pas partis longtemps, Michel fils tenait à accompagner son père et son frère Joseph. Il remplacerait ainsi Jean-Baptiste, occupé à construire sa maison car il était à la veille d'épouser Anne-Marie Gentil. Marie, de son côté, avait épousé François Poirier deux années auparavant. Malgré ses appréhensions, Michel était content de voir ses enfants continuer leur vie comme si tout était normal. Les jeunes avaient hâte de se marier et de s'installer ; peut-être était-ce là un moyen de faire contrepoids aux inquiétudes créées par les conflits qui rongeaient l'Acadie.

Ainsi, Michel aurait encore deux de ses fils avec lui pour l'aider à manœuvrer et évaluer les possibilités de s'installer à l'île Saint-Jean, si toutefois ils réussissaient à s'y rendre. Charles et Pierre avaient 18 et 15 ans. Ils pouvaient donc très bien s'occuper des animaux, aussi bien ceux de leur frère que ceux de leur père.

Le départ fut difficile à cause de la marée montante qui ralentissait la marche du bateau, mais à partir du bassin des Mines, la mer sembla s'être stabilisée, ce qui rendit la navigation plus aisée. Michel informa ses fils qu'ils allaient faire une halte de l'autre côté de la baie.

— Nous allons nous arrêter à l'embouchure de la rivière Saint-Jean et nous en repartirons à la nuit tombante pour passer devant Port-Royal au milieu de la nuit. En longeant le côté nord de la baie, nous devrions être assez loin de l'entrée pour que personne ne nous voie.

La mer était calme lorsqu'ils reprirent la route, de sorte que la goélette avançait tout doucement, mais ils finirent par dépasser Port-Royal avant que le jour se lève. À l'embouchure de la baie Française, ils aperçurent deux bateaux anglais qui pêchaient. *La Miscoudine* continua son chemin comme si de rien n'était, et les bateaux anglais continuèrent de pêcher. Michel demeurait cependant inquiet, car Boston n'était pas si loin. Ce ne fut que lorsqu'ils dépassèrent Cap-Sable, dans l'après-midi, que Michel se sentit soulagé. Encore une journée complète et ils arriveraient à l'île Royale, donc en territoire français. Après, ils n'auraient plus qu'à continuer pour entrer dans le détroit et aboutir à la baie Verte. Avant d'arriver à leur première destination, ils croisèrent d'autres bateaux anglais qui pêchaient dans le détroit. Eux non plus de donnèrent aucun signe d'agitation.

— Comme nous ne sommes ni des corsaires ni des pêcheurs français, ils ne s'intéressent pas à nous, conclut Michel.

Quelques heures plus tard, *La Miscoudine* entrait dans le havre de la baie Verte. Michel se rendit chez son ami Douaron, le gardien du poste de pêche, qui était toujours en place malgré les changements de régime. D'après lui, rien n'était plus comme avant.

— On assiste toujours à des conflits au sujet de la pêche le long des côtes acadiennes. Depuis la signature du traité d'Utrecht, les Anglais estiment être les seuls détenteurs de droits de pêche, alors que ce n'est pas tout à fait le cas. Les Français ont toujours certains droits à cause de l'île Royale et de l'île Saint-Jean. On me garde ici seulement parce que je leur suis utile. Je fais un métier qui me plaît, alors je ne discute pas avec eux.

— Dans ces conditions, je suppose que ce serait un problème de laisser ma goélette ici pour quelque temps.

— Cela pourrait s'avérer problématique. Ma suggestion, c'est que tu la laisses près du campement des Indiens, à moins de deux lieues au nord de la baie Verte. Les Anglais n'oseront jamais l'approcher, car ils craignent les Indiens comme la peste.

Michel avoua à Douaron qu'il songeait à s'établir à l'île Saint-Jean. Il voulut savoir si, à sa connaissance, d'autres Acadiens s'y étaient installés.

— Tout ce que je sais, c'est que le gouvernement français encourage l'établissement d'une colonie à l'île Saint-Jean afin d'approvisionner l'île Royale. Les Anglais empêchent les Acadiens d'écouler leurs produits à l'île Royale, alors il faut qu'ils trouvent d'autres sources d'approvisionnement.

Michel vit là une occasion d'affaires à laquelle il n'avait pas pensé. Si les terres de l'île étaient cultivables – voire même fertiles –, il n'hésiterait pas à s'y établir. Au moins, il vivrait sous un régime français. Il fit part de ses plans à ses fils.

— Nous allons passer la nuit au campement des Mi'kmaq, et demain matin, nous partirons tôt pour l'île Saint-Jean.

Les Mi'kmaq, comme d'habitude, furent fort accueillants. Michel n'était jamais allé à ce campement et n'y connaissait donc personne. Michel fils et Joseph furent étonnés d'entendre leur père causer avec les Indiens dans leur langue. Il ne parlait pas mi'kmaq couramment, loin de là, mais il savait se faire comprendre.

Le chef envoya deux Indiens chercher des coques et des moules à l'embouchure de la rivière. Ils revinrent plus tard avec un panier plein qu'ils déposèrent dans le grand chaudron d'eau bouillante qui chauffait dans le petit wigwam central qui servait à toute la communauté. Lorsque les mollusques furent cuits, les Indiennes les déposèrent sur un grand plateau d'écorce de bouleau. Chacun y pigea, accompagnant le tout d'un pain sec fait de farine de blé d'Inde.

Michel se rendit compte qu'il n'y avait pas que les Acadiens qui se plaignaient de la façon dont les Anglais les traitaient. Le sagamo en avait long à dire sur le sujet.

Les Anglais veulent que nous prêtions, nous aussi, le serment d'allégeance, alors que nous avons toujours été fidèles aux Français. Ils sont très rigides et cherchent à implanter plusieurs lois. Avec les Français, c'était différent. On traitait d'homme à homme. Nous avons un respect de la vie sur terre que les Français comprenaient, du moins en partie. Pour nous, tout est sacré : les animaux, les poissons, les plantes, etc. Il convient de les respecter. Les Anglais, toutefois, ne cherchent qu'à nous soumettre à leurs lois. Ils veulent régenter nos territoires, alors que la terre ne leur appartient pas ; elle appartient à tout le monde, comme l'air et l'eau.

Le chef fit libérer un wigwam pour ses hôtes. Michel était content de pouvoir expliquer à ses fils comment les Indiens concevaient la vie. Ils avaient souvent rencontré des Indiens, car ces derniers étaient omniprésents dans le paysage de l'Amérique, mais on ne leur avait jamais expliqué leur façon d'envisager la vie sur terre.

Le voyage à l'île Saint-Jean ne prit que quelques heures. Ils aboutirent dans un havre où l'on apercevait qu'une seule habitation. Le reste paraissait désert. Ils se dirigèrent vers l'habitation et y arrivèrent au même moment qu'un grand homme accompagné de deux militaires.

— Je me présente, dit-il. Je suis le comte de Saint-Pierre. Et vous ?

— Nous sommes des Acadiens de Beaubassin à la recherche d'une terre d'accueil française. Comme l'île est demeurée une possession française, nous sommes venus explorer les possibilités de nous y établir.

— Eh bien, mes chers messieurs, vous tombez bien. Je cherche justement à y établir une colonie avec l'aide du gouvernement français.

Le comte leur expliqua qu'il était sur le point de mettre sur pied une entreprise privée pour fonder un établissement français autour d'un comptoir de pêche. Il avait convaincu le duc d'Orléans, le régent de Louis XV, de lui accorder la concession de l'île s'il arrivait à y développer une colonie viable. Le duc lui fournissait en plus une garnison pour protéger le nouvel établissement. Le comte se disait hautement intéressé à obtenir la participation de Michel et ses fils à cette entreprise. Il leur promettait des conditions d'accueil exceptionnelles et une vaste concession de bonne terre adjacente à la caserne. Lorsqu'il apprit que Michel avait été en quelque sorte régisseur de la seigneurie de Beaubassin, il lui proposa de le nommer rien de moins qu'intendant de la nouvelle colonie.

— Vous êtes Acadien et connaissez bien les problèmes du pays. Venez vous joindre à cette entreprise. À nous deux, nous ferons des merveilles.

Michel ne se serait jamais attendu à un pareil accueil. Il se voyait mal refuser une telle offre, même si ses fils lui recommandaient d'être prudent et de réfléchir. Il se rappelait ses débuts à Beaubassin en compagnie de LaVallière. Là aussi, il s'était lancé dans l'aventure sans trop réfléchir, mais il n'avait jamais regretté cette collaboration, qui n'avait eu, pour lui, que des suites heureuses. « Nous sommes des pionniers ! », lui avait répété LaVallière. Cette phrase lui revenait à l'esprit lorsqu'il scrutait les abords de ce beau havre désertique.

— Je suis très intéressé, mais nous allons d'abord voyager un peu dans l'île pour voir si elle présente plus de possibilités que l'île Royale. Nous repasserons par ici pour discuter des modalités d'installation.

Ils se promenèrent pendant trois jours dans cette partie de l'île, après quoi ils revinrent à leur point de départ. Les Français avaient donné à ce havre le nom de Port Lajoie. La qualité des terres très rouges qu'ils avaient vues leur avait paru bonne. En tout cas, ils avaient remarqué de belles terres de pâturage.

Le comte de Saint-Pierre était dans un champ non loin de l'habitation principale lorsque les trois hommes arrivèrent. Il avait déjà délimité le terrain qu'il offrait à Michel et sa famille. On y comptait suffisamment de terres pour lui et tous ses enfants s'ils le désiraient. Michel fils se montra peu intéressé. Il avait d'ailleurs déjà manifesté son intention de rester à Beaubassin. Joseph, lui, se désolait du fait qu'il ne voyait pas de marais. Il faudrait donc défricher avant de pouvoir labourer et semer.

— Mais entre défricher et devoir construire des digues, lança Michel, quelle différence? Les deux nécessitent la même quantité de travail.

— Oui, mais à Beaubassin, lui répondit Michel fils, les digues sont déjà érigées et les terres sont très productives.

— Si je comprends bien, lui lança son père, tu envisagerais de vivre sous un régime anglais?

— Possiblement. S'il n'y avait pas d'autres solutions valables.

— Moi, non. Voilà ce qui nous différencie. Moi, je vois ici une solution valable. Je sais très bien qu'il faudra du travail et du courage pour tout recommencer, mais je suis intimement convaincu qu'il vaut mieux travailler plus dur que vivre sous un régime anglais avec tous les tracas qu'ils nous font constamment subir. Cela dit, c'est ta vie, mon cher Michel. Tu es suffisamment vieux pour savoir ce que tu veux. Je respecterai ton choix.

Joseph, quant à lui, n'avait pas d'opinion. Il s'était toujours fié au jugement de son père et n'avait pas envie de s'opposer à lui sur cette question. Il n'avait, pour l'instant, aucun plan de mariage, alors si son père décidait de s'installer à l'île Saint-Jean, il le suivrait. Ce dernier était ravi. L'appui de Joseph représentait le petit coup de pouce dont il avait besoin. Il fit donc part au comte de sa décision d'accepter son offre.

Le retour à la baie Verte fut des plus joyeux pour Michel. Il chantonnait et avait retrouvé sa bonne humeur d'autrefois. Il tenait en main une solution de rechange, une option des plus intéressantes. Adieu la vie sous le régime anglais! Comme convenu, ils laissèrent la goélette dans la crique où se trouvait le campement des Indiens. Le lieu d'ancrage importait peu du côté de l'Atlantique, parce qu'il n'y avait pas le même type de marée que l'on rencontrait autour de la baie Française. Les trois hommes rentrèrent à Vechcaque en suivant la rivière Mésagouèche, en partie à pied et en partie en canot.

Anne n'était pas particulièrement enthousiaste à l'idée de quitter sa maison et sa terre, mais elle se dit prête à suivre son mari. Les enfants, par contre, étaient ravis. Les plus jeunes, François, Madeleine et Jacques, étaient particulièrement excités de partir en bateau et de changer de paysage, mais le voyage n'allait pas se faire tout de suite. Il fallait d'abord bâtir une demeure sur leur nouvelle concession, transporter les animaux et apporter de quoi vivre quelques mois. Heureusement pour eux, la mer, cet hiver-là, n'avait pas beaucoup gelé dans le détroit. Il fut donc possible de naviguer entre les blocs de glace qui flottaient et se séparaient. Toute la famille participa à cette entreprise qui semblait ravir tellement Michel. En février, lui et trois de ses fils séjournèrent pendant deux semaines à l'île Saint-Jean afin de couper le bois de chauffage pour l'hiver suivant.

Les autorités anglaises étaient venues à Beaubassin à deux reprises pour essayer de convaincre les habitants de prêter le serment d'allégeance au roi Georges 1er, et chaque fois, Michel avait eu peur que quelqu'un dénonce ses projets de filer en douce pour l'île Saint-Jean. Ce qu'il craignait le plus, c'était qu'on lui demande où était sa goélette, mais il y avait maintenant plusieurs bateaux d'ancrés dans le bassin, alors un de plus ou de moins, cela ne devait pas tellement se remarquer. Il est vrai aussi que Vetch et Nicholson n'étaient plus en Acadie, donc il y avait moins de gens au courant de ses démêlés avec les autorités britanniques.

C'était maintenant Richard Philipps le gouverneur de la Nouvelle-Écosse. Il avait beau solliciter davantage, le résultat était le même : les Beaubassinois ne voulaient pas prêter un serment inconditionnel. Plusieurs auraient été d'accord pour signer un serment conditionnel qui leur permettrait de garder leur religion et de ne jamais être appelés à prendre les armes contre les Français ni les Indiens, mais les Anglais voyaient là une manœuvre pour demeurer Français.

Au printemps, Michel et ses fils firent plusieurs voyages à l'île Saint-Jean pour y transporter les animaux, les instruments aratoires et une quantité de planches et de madriers qu'ils avaient fait scier au cours de l'hiver pour la construction de deux maisons. Jean-Baptiste, qui venait de se marier, voulait avoir sa propre demeure. Michel fils, lui, n'avait pas l'intention de déménager pour l'instant. Il resterait donc à Beaubassin et garderait les terres de la famille au cas où elle devrait revenir ou, suprême illusion, que les Français reprendraient l'Acadie.

Finalement, c'est au cours de la première semaine de juin 1720 que la grande famille des Haché-Gallant, le cœur serré par l'émotion, quitta Beaubassin, où elle avait vécu de si belles années, pour se rendre à la baie Verte et traverser à l'île Saint-Jean. Même Michel fils et sa femme, Madeleine LeBlanc, avaient décidé de faire le voyage avec toute la famille, tout comme Marie et son mari François Poirier. Ils tenaient tous à assister à la création du nouvel établissement de Port-Lajoie.

Lorsqu'enfin toute la famille fut embarquée dans *la Miscou-dine* et que Michel vit les premiers coups de vent gonfler les voiles, il bomba le torse et frissonna de plaisir.

— Enfin, la liberté ! cria-t-il. La sainte liberté !

Il avait attendu ce moment depuis si longtemps que les larmes lui montaient aux yeux. Il se sentait prêt à fonder un village et engendrer une nouvelle colonie. Le cœur allège et rempli d'émotion, il ne put s'empêcher d'entonner à tue-tête sa chanson préférée.

Partons, la mer est belle,

Embarquons-nous, pêcheurs,

Guidons notre nacelle,

Ramons avec ardeur,

Aux mâts hissons les voiles,

Le ciel est pur et beau,

Je vois briller l'étoile,

Qui guide les matelots.

La production du titre **Le Métis de Beaubassin** sur du papier Rolland Enviro 100 Édition plutôt que du papier vierge réduit votre empreinte écologique de :

Arbre(s) : 7
Déchets solides : 206 kg
Eau : 19 445 L
Matières en suspension dans l'eau : 1,3 kg
Émissions atmosphériques : 451 kg
Gaz naturel : 29 m³

Imprimé sur Rolland Enviro 100, contenant 100% de fibres recyclées postconsommation, certifié Éco-Logo, Procédé sans chlore, FSC Recyclé et fabriqué à partir d'énergie biogaz.